SÁBADO À NOITE

BABI DEWET
SÁBADO À NOITE

generale

Presidente
Henrique José Branco Brazão Farinha

Publisher
Eduardo Viegas Meirelles Villela

Editora
Cláudia Elissa Rondelli Ramos

Projeto Gráfico e Editoração
S4 Editorial

Capa
Listo Comunicação

Preparação de Texto
Heraldo Vaz

Revisão
Noele Rossi
Regina Oliveira

Impressão
Maistype

Copyright © 2012 *by* Editora Évora Ltda.

Todos os direitos desta edição são reservados à Editora Évora.

Rua Sergipe, 401 – Cj. 1.310 – Consolação
São Paulo – SP – CEP 01243-906
Telefone: (11) 3562-7814/3562-7815
Site: http://www.editoraevora.com.br
E-mail: contato@editoraevora.com.br

DADOS INTERNACIONAIS PARA CATALOGAÇÃO NA PUBLICAÇÃO (CIP)

D513s

    Dewet, Babi, 1986–
        Sábado à noite/Babi Dewet. – São Paulo: Évora, 2012.
    344 p.; 23cm.

    ISBN 978-85-63993-38-0

    1. Ficção brasileira. I. Título.

                    CDD B869.3

Se não fosse pela minha mãe,
que me comprou tantos livros quando pequena,
talvez tudo tivesse sido diferente na minha vida.

Obrigada, mãe.

Agradecimentos

Em primeiro lugar, agradeço aos fãs de McFLY, que durante quatro anos amaram, choraram, se descabelaram e viraram noites a fio comigo lendo esta história. Muito obrigada por todo o apoio que me deram desde o início. SAN não seria nada sem vocês!

Aos meus amigos, que sempre me deram todo o apoio e me inspiraram inclusive a criar cada um dos personagens deste livro, além de cenas especiais demais para mim, muito obrigada. Ao Bruno, Caio, Fer, Ryoshi e Brício, obrigada por me emprestarem nomes e personalidades. À Maya, Manu, Gabi, Renata, Kinha, Carolzete, Paulinha, Naka... Obrigada, porque, de verdade, todas vocês fizeram parte disso.

Agradeço à Ju Freitas e à Gi Castro, por representarem tão bem as fãs do McFLY; à Beatriz, minha Beta querida, que sempre me deu a maior força e corrigiu meus erros de português lá na época de fanfic; às meninas do Sofiteratas e tantas outras blogueiras que me ajudaram a levar SAN para todo o país; à Gui Liaga, minha agente, porque sem ela eu estaria correndo em círculos em quase tudo na minha vida até hoje; e à minha família – pai, mãe e Bee –, que é a melhor do mundo.

À equipe da editora Évora, que aguentou minhas inseguranças e cobranças durante o processo de edição, principalmente na criação da nova capa, muito obrigada. Ao Henrique e ao Eduardo, só posso demonstrar minha enorme gratidão pela confiança que depositaram em meu trabalho dedicando-me cada vez mais para me tornar uma escritora melhor.

A Tom, Danny, Dougie e Harry, que durante quatro anos me emprestaram seus nomes e músicas para essa história criar vida, muito obrigada!

Agradeço especialmente aos meus alunos, que me ensinam a ser adolescente a cada dia, aos escritores nacionais que eu tanto admiro e ao André Vianco, principalmente, por ter me inspirado em momentos de desespero criativo e ter mostrado que vale a pena correr atrás de nossos sonhos.

Obrigada a você, leitor, por dar uma chance a este livro. Você não vai se arrepender.

Babi Dewet

Apresentação

Era uma vez uma garota que gostava de música e sempre quis aprender, mas não tinha talento. Só sabia escrever e criar histórias de mundos mágicos e cavaleiros antigos. Um dia, decidiu escrever sobre aquilo que não podia fazer na vida real, porque, afinal, todo mundo, se quiser, pode usar magia ou salvar donzelas em perigo.

Então, ela escreveu sobre estar no palco, tocar instrumentos, compor e fazer a plateia ir às lágrimas. Escreveu sobre se apaixonar por uma música, sofrer por uma melodia e sentir tudo por meio do ritmo.

Este livro que você está prestes a ler é parte dessa criação. Como uma música, vai fazê-lo apaixonar-se, sofrer e sentir. *Sábado à noite* não é um sonho. É real. E agora você faz parte dele .

Quando as pessoas me perguntam se lançar um livro era meu sonho, nunca sei o que responder. Parece tão clichê pensar que um bloco de papel é toda a realização de uma vida, certo?! E, pensando bem, não é. Meu sonho sempre foi apenas escrever, compartilhar histórias e viver em um mundo no qual eu possa ser quem quiser, sem discriminação. No qual eu possa cantar, dançar, gritar, me apaixonar e sentir quando eu quiser e da forma como me convier. E depois, se não quiser mais, eu possa simplesmente apagar e começar tudo de novo.

Hoje, *Sábado à noite* só é um livro porque eu me permiti realizar parte desse sonho. E não apenas sonhei. Quando ainda era uma *fanfic*, lá em 2006, era uma história compartilhada por leitores virtuais com um só propósito: diversão. Eu estava lá, um capítulo depois do outro, dividindo com centenas de pessoas ao redor do Brasil como a minha imaginação, juntamente com a delas, poderia se transformar em uma história de verdade. Graças a essas pessoas (vocês todas sabem quem são!), eu não parei de escrever. Assim como elas, eu queria saber que fim teria o romance que começou mascarado em um baile de escola. Assim como elas, eu queria me apaixonar, sofrer e sentir, porque, no fundo, eu sabia que tudo acabaria como uma música.

A canção certa pode fazê-lo rir ou chorar, mas, quando termina, deixa algo dentro de você, e eu queria que *Sábado à noite* fosse assim. Escrever um livro, para mim, é como compor uma balada; cada página é como se fossem refrões repetitivos, com frases grudentas, ritmo, clímax e sentimentos que oscilam como melodias. Se *Sábado à noite* parece assim para você, então estou realizando um sonho atrás do outro.

A ideia de transformar as mais de 400 páginas da *fanfic* original em livro veio sendo construída com o tempo. Durante os quatro anos que SAN foi apenas uma história virtual, lembro-me de que os leitores a imprimiam para poder reviver sua parte preferida antes de dormir ou para ler, quando seus pais os proibiam de entrar na internet. "O que está fazendo no computador até essa hora da noite?", muitos pais perguntavam, mas não acreditavam quando os filhos respondiam que estavam lendo. Já vi mãe torcer o nariz, dizendo: "mas meu filho não lê; passa a noite inteira com aquelas fanfics!". Tudo bem. Eu lanço o livro.

Imagine só saber que o que você escreve pode ser compartilhado por todo o país!

Eu acreditei que SAN poderia conquistar pessoas diferentes em lugares distintos e lido da mesma forma que se escuta um CD. Há faixas e momentos muito bons e outros nem tanto, mas, quando termina, pode-se querer tudo de novo. E assim, de uma hora para outra, no final de 2009, resolvi que os mascarados iriam debutar nas folhas de papel, não importava o que precisasse fazer. Eu queria fazer tudo. Não me bastava pegar a minha história e colocar nas mãos de uma editora, que faria todo o trabalho por mim. Qual era o meu papel no mundo das letras? Era apenas escrever e ficar sentada, esperando que as pessoas conhecessem o meu trabalho?

Eu batalhei muito. Como uma iniciante cheia de ideias na cabeça, trabalhei, economizei e corri atrás de gráficas. Pesquisei, chorei, pechinchei, mas fiz questão de fazer sempre o melhor – não ia fazer nada pela metade. Meus amigos me deram todo o apoio de que precisei. Eles eram os instrumentos da minha composição, os *roadies* da minha turnê. Enquanto um corrigia os erros, outro desenhava a capa, tirava fotos, editava, ouvia meus caprichos e afinava comigo a composição... Como em boas e velhas músicas sobre amizade, eles estiveram ao meu lado o tempo todo.

Oh, I get by with a little help from my friends[1] – isso foi totalmente escrito para mim.

SAN foi lançado de forma independente em junho de 2010 . Lá fui eu para a Bienal do Livro de São Paulo, com minha malinha repleta de exemplares. Se Deus quisesse, não passaria a vergonha de voltar com ela cheia. Se eu tentasse, será que pelo menos os leitores da *fanfic* iriam querer comprá-lo? Na época, Gui, que hoje é minha agente, distribuía marcadores, enquanto eu tentava vender meu peixe. Fiz amizades, conheci muitos leitores – antigos e novos — e acabei, de forma independente, com menos duzentos exemplares. Duzentos! Eram duas centenas de pessoas que iriam compartilhar da minha música comigo – e fora das telas do computador.

Foi como um videoclipe da minha própria vida. Todo mundo usando máscaras, cantando e dançando, e eu era a protagonista. Linda e loira, claro, porque eu podia ser quem quisesse. Você, leitor, poderá tocar o instrumento que desejar no meu clipe! Que tal bateria? Ou piano? Eu sempre quis saber tocar piano!

Enquanto o livro vendia superbem pela internet, aprendi muito com a blogosfera. A palavra em si pode até assustar, mas a verdade é que a ideia de disseminar o que você pensa na hora que quiser e com quem se interessar me ensinou ainda mais a fazer o melhor que eu podia. Bastava um erro e toda uma batalha estaria perdida. Isso não é mito. Eu já trabalhava com adolescentes antes, mas depender deles era outra história. E nem sempre tão bonita, mascarada e cheia de música. Mas sempre, sempre, gratificante. Para quem você escreve? Quem vai comprar seu livro? Do que essa pessoa gosta? O escritor precisa saber e entender dessas coisas – e, por experiência própria, isso o torna mais feliz e capaz. Ele não pode apenas deixar que um pedaço de si saia sozinho, mundo afora, vendendo-se por causa de uma capa bonita ou de um elogio. E a blogosfera está aí, prova viva, com seus leitores, mostrando a você o tempo todo o que eles acham, querem e pensam. Dou muito valor a isso. Afinal, você se lembra do começo dessa história? Eu disse que o livro não é só meu, mas de todos que o compartilham comigo.

Se hoje, depois de mil cópias independentes vendidas, *Sábado à noite* tem uma editora e você pode comprá-lo na sua cidade, parte da responsabilidade é sua. Sua e das pessoas que deram uma chance para essa

---

1 Oh, eu consigo com uma pequena ajuda dos meus amigos ("Whit a little help from my friends", The Beatles).

história desconhecida e esquisita a respeito de meninos mascarados que tocam seus sentimentos mais profundos em bailes da escola. É por causa de você que está acreditando que este livro pode ser como uma canção. E eu acredito que possa.

Foram muitos eventos, muitas pessoas legais, muitos leitores, resenhas, críticas e *e-mails* emocionantes sobre como este bloco de papel cheio de letras mobilizou jovens em todo o país. Sobre como todos estavam vestindo as máscaras, escolhendo entre Fred, Caio, Bruno, Rafael e Daniel, ou sobre como quase todos achavam a Amanda meio "pé no saco".

E você, leitor? Está a fim de colocar uma máscara e dançar comigo?

Babi Dewet

Prefácio

Conheci *Sábado à noite* em uma das minhas andanças pela internet. Eu tinha criado um *blog* sobre livros há pouco tempo e queria conhecer outros, quando me deparei com o *site* da Babi Dewet. Ali, descobri que ela também escrevia e tinha uma *fanfic* inspirada na banda inglesa McFly. Para os desavisados, *fanfictions* são histórias escritas por fãs inspiradas em seus ídolos; elas podem ser sobre livros, filmes, séries, músicas... É como pegar um mundo já existente e dar-lhe um novo rumo, criar destinos diferentes. Adoro ver como pessoas distintas imaginam o mesmo universo e usam sua criatividade. As *fics* são escola para muitos escritores! E *Sábado à noite* nasceu assim.

Eu já havia escutado a respeito dessa história, mas ainda não a tinha lido. Enquanto navegava pelo *site*, descobri que a Babi estava no processo de transformação da fanfic em publicação independente. Passei a frequentar o *blog* e, consequentemente, acabei conhecendo Babi e seu trabalho.

Posso dizer que também tenho uma participação no processo da publicação independente desta obra... Pude ver a capa durante a produção e li o livro antes mesmo de ganhar a versão final. Assim que li a última palavra, eu já era fã do Scotty. Sofri com a Amanda e identifiquei meus amigos entre os marotos. Sem falar que caí de amores por Fred Bourne – ele é meu, meninas, tirem o olho!

Sábado à noite tem gosto de música e amizade, uma história perfeita sobre amor e adolescência. E tudo aqui, nestas páginas, tem o jeitinho da Babi e seus amigos. Além disso, não tem como não se identificar com a história, os personagens e os dilemas de cada um deles. É como ter 16 anos novamente. É como ser um eterno adolescente.

Surpreendi-me ao descobrir a legião de fãs cibernéticos que SAN possuía, um número que foi aumentando cada vez mais. Quando eu indicava a obra, sempre deparava com alguém que conhecia a *fanfic* e não acreditava que tinha se tornado um livro. Não demorou muito para que os mil exemplares iniciais esgotassem e os fãs pedissem mais da história de Amanda e Daniel.

Com a primeira tiragem esgotada, acompanhei a batalha da Babi para conseguir dar continuidade ao seu trabalho. Foi com a ajuda dos fãs e blogueiros que SAN encontrou uma casa e tudo chegou às mãos da Editora Évora. Esta edição é uma nova fase. A mesma história com mais novidades e um gostinho de vitória, além de uma capa maravilhosa!

O livro que você segura agora não é apenas sobre uma menina popular, bonita e um pouco irritante que se apaixona por um garoto encrenqueiro, rebelde e meio *nerd*. *Sábado à noite* é uma história sobre a importância da amizade. Todo mundo já abriu mão de alguma coisa pelo melhor amigo, já chorou no ombro de um amigo e já quis socar alguém que falou besteira sobre aquela pessoa que a gente tem como irmão! SAN é a história desses marotos que fazem você lembrar-se dos seus amigos, e rir até cair da cadeira, ou de meninas que são iguaizinhas a você.

Sábado à noite é uma história que tem sua própria história, um livro que estava por aí, esperando que mais pessoas o amassem. É é com muito orgulho que vejo este livro chegar até aqui e fazer parte dele como amiga, fã, leitora e blogueira. E o mais legal é que não apenas eu me sinto assim, mas todos os fãs do livro. Quando uma história cativa a gente desse jeito, ela merece ser lida (e relida).

Babi tem o dom de transformar anseios e conflitos adolescentes em palavras, em uma história doce e divertida, que reflete a adolescência de quase todo mundo. Em seu livro de estreia, ela se mostra uma escritora que tem a cara dos jovens e fala de igual para igual. É um livro para quem já foi adolescente, se apaixonou, escreveu o nome do amado na areia, jogou Playstation até tarde, participou de rodinhas de violão madrugada afora e fez invencionices com pacotes de miojo, sentindo-se um verdadeiro *chef* de cozinha.

Sábado à noite se tornou meu queridinho e tem tudo para se tornar o seu também! Se você está procurando uma história que o faça suspirar e esperar por mais, eu indico esta. Juro que você não vai se arrepender.

Iris Figueiredo
Autora de *Dividindo Mel*
e dona do blog *Literalmente Falando*

Sábado à noite

um

O dia estava claro em Alta Granada, ensolarado e com um vento leve que fazia os cabelos dançarem. Como tantas outras cidades pequenas, suas ruas despertavam cedo. Enquanto os adultos passavam a maior parte do tempo trabalhando, os jovens perambulavam sem leis. Afinal, todos ali se conheciam, e se alguém saísse muito da linha, logo a cidade inteira ficaria sabendo. Mesmo não muito contente com a hora, Amanda saiu de casa com a pasta do colégio debaixo do braço e desceu a rua batendo os pés. Iria encontrar seu amigo com quem pegava carona para a escola, já que seu pai não a deixava dirigir o carro dele. Tudo bem que ela não era maior de idade ainda, nem tinha carteira de motorista, mas na cidade era muito comum adolescentes andarem de carro por aí, desde que não saíssem das redondezas. Os pais de seu amigo, como a maioria, não se importavam. Na verdade, ficavam mais tempo na capital, e como era filho único, ele tinha de se virar sozinho, o que incluía ir para a aula dirigindo. Amanda aproveitava a situação e pedia carona. Não que seu pai não confiasse nela, porque, em geral, era bastante responsável. Tinha ótimos amigos – a maioria garotas – e estudava em um colégio grande e badalado da cidade. Suas roupas eram sempre bem arrumadas e femininas, com a saia esvoaçante, a sapatilha de balé e a camiseta branca com o símbolo pequeno da escola meio amarrada de lado.

Chegou à porta da casa de Bruno e sentou na calçada, esperando por ele. Sabia que o amigo sempre se atrasava e tinha desistido de tentar apressá-lo. Não adiantava e só piorava as coisas, porque os dois brigavam, e ela odiava discutir com alguém que conhecia desde pequena. Ainda mais com seu melhor amigo.

– Não senta na calçada assim, já disse que pode entrar em casa quando estiver com pressa – Bruno disse, aparecendo na porta com as chaves na mão, calças folgadas e baixas, terminando de vestir a camiseta branca do uniforme. Seus cabelos castanho-claros, quase loiros, e curtos estavam molhados e bagunçados. Amanda se levantou rindo e olhou para ele.

– Não estou com pressa, mas você nem sequer olha o relógio? E sentar no chão às vezes é bom. Significa humildade, sabe?

– Não, não sei – Bruno disse, beijando a testa da amiga, passando a mão em seus cabelos castanhos desarrumados pelo vento e abrindo a porta do carro para ela. – E eu não sou humilde.

– Eu já sabia disso – ela entrou no carro sorrindo, ajeitando os cabelos como podia. Maldita amizade que dava esse tipo de intimidade.

Os dois falaram de assuntos sem importância até chegarem à escola, que não era tão longe. Bruno era do mesmo ano que Amanda, mas de uma turma diferente. Costumavam ir para a aula juntos desde pequenos e, às vezes, ainda mantinham esse ritual, mesmo cada um tendo sua turma e sua vida. Amanda não se dava muito bem com alguns dos amigos de Bruno e ele, por sua vez, achava algumas amigas dela fúteis demais. Não era para menos, em alguns anos todas encorparam e adquiriram uma fama que não tinham antigamente. Eram populares. Bruno detestava todo tipo de popularidade que não fosse merecida e vivia criticando a amiga por isso. Ela não ligava. Não tinha pedido para ser adorada por cada um que usasse calças naquele lugar.

Amanda viu suas amigas no corredor e acenou para elas. Todo mundo parecia encará-la, e isso às vezes ainda a surpreendia.

Virou-se para Bruno.

– Vê se me cumprimenta no intervalo.

Ele beijou sua testa discretamente.

– Vou pensar no seu caso. Se não estiver com... bom, *você-sabe-quem*, eu, com certeza, finjo que conheço você.

– Larga de ser babaca, Bruno – ela respondeu, acenando com a mão e indo em direção às suas amigas.

O garoto ficou parado, olhando para ela com as mãos nos bolsos. Como sua menina tinha crescido. Eles andavam de *skate* juntos, corriam pelo quarteirão e jogavam bola dentro do quarto quando eram mais novos e não tinham nada para fazer. E agora ela estava ali: de saia, sapatos e cabelos longos, rebolando e deixando todo mundo de boca aberta enquanto passava. Nada podia ser mais cruel com ele. Nada.

Claro que algo podia. O fato de um de seus quatro melhores amigos concordar com ele. E logo um dos garotos mais bonitos e desajeitados da escola, embora isso fosse discutível. Daniel era branquelo, de cabelos castanho-escuros, ondulados e propositalmente bagunçados. Os olhos verdes expressivos e o corpo grande, marcado por graciosas sardas, faziam algumas garotas calouras passarem olhando para o grupo de Bruno de um jeito esquisito. E mesmo que seus amigos fossem chamativos, nunca era por serem bonitos, claro.

– Não sei mais o que faço – Daniel disse dramaticamente, enquanto andavam em direção à sala de aula. Precisavam empurrar as pessoas para passarem.

– O que foi dessa vez? – Caio perguntou.

Caio foi o primeiro grande amigo de Bruno; tinha os cabelos bem escuros e curtos, era mais encorpado e tímido que seus amigos. Tinha um jeitão de inteligente.

– Eu ontem compus uma música. Não é grande coisa, mas acho que ficou bonita. Quero que vocês deem uma olhada... ou melhor, uma ouvida... – Daniel disse, passando a mão nos cabelos e atraindo alguns olhares – Essa palavra existe?

– Acho que sim – Caio opinou.

– Não – Rafael corrigiu, mexendo a cabeça, enquanto jogava uma bolinha de tênis para cima e para baixo.

O garoto era o mais baixo dos quatro e, embora parecesse bobo, era o mais sensato. Tinha os cabelos lisos e claros e o corpo magrinho e pequeno, despertando o lado maternal nas mulheres com sua carinha de bebê. Não ligava muito para moda e sua calça, que terminava no meio da canela, parecia que ia cair a todo momento.

– Ok, qual é o problema nisso? Qual é o drama? – Bruno perguntou sorrindo para algumas meninas de uma das classes superior à deles.

– O problema é que, sempre que penso em alguma musa inspiradora, ela me vem à cabeça. Sempre ela, ela e ela – ele sacudiu a cabeça. – Eu não sei mais o que faço.

– Aconselho a você uma boa ficada com uma das meninas mais bonitas da sala. Quem sabe? Tem a Juliana – Rafael falou rindo, e Caio concordou.

– Arrume uma namorada – disse, dando de ombros. – Aquela Laura do primeiro ano está na sua...

– Não quero uma namorada! – Daniel reclamou.

– Então, morra chupando dedo, porque a Amanda acha você mais um dos garotos esquisitos do colégio, que só caem de boca nas bonitonas – Bruno sorriu irônico para o amigo, que fez careta.

– O que é verdade, já que você está de boca por ela – Rafael completou, piscando.

Caio riu.

– Admita, meu amigo: você está encrencado.

– Estou. E o pior é que não sei o que fazer... Ela nem olha direito pra mim, me esnoba! Até a Anna fala comigo... Até ela!

– O que tem a Anna com isso? – Caio perguntou, interessado.

Daniel passou as mãos nos cabelos novamente, arrumando-os.

– Ela é amiga da Amanda. E ela não me esnoba.

– Porque a Anna é... – Caio ia completar a frase quando sentiu uma mão em seu ombro.

– Bom dia, marotos queridos. Como passaram a noite? – Um rapaz se apoiou entre ele e Daniel, e os dois sorriram.

O rapaz tinha os cabelos loiros, compridos e maltratados, presos em um rabo de cavalo. A barba malfeita dava-lhe um ar de rebeldia. O sorriso era enorme, a pele muito rosada, e era um pouco mais alto que os quatro amigos.

– Fred... sempre você, não cansa de dar susto na gente, não? – disse Bruno, rindo.

Fred olhou marotamente.

– Sinceramente? Não, cara. Como foi a festa de ontem? – perguntou.

– Divertida – Rafael deu de ombros. – Nada demais.

– Como assim "nada demais"? Vocês estão loucos? Na casa da Patty, a garota mais fácil da sala, achei que vocês... – ele parou de falar quando passaram por Amanda e suas quatro amigas. E olhou, percebendo que elas também estavam olhando para eles.

Bruno, sutilmente, ergueu a mão, cumprimentando Amanda, que sorriu, fazendo o mesmo.

– Desde quando ela fala com você no corredor? – perguntou Daniel, esganiçado, olhando para trás. Sua voz chegou a ficar fina.

Algumas pessoas estavam no meio, mas ele pôde ver com clareza os olhos dela em sua direção. Quando se encontraram, desviaram o olhar. Daniel sentiu o rosto vermelho.

– Desde quando eu a cumprimento. Vamos, a professora Vera já está na sala – Bruno saiu andando na frente.

– Como odeio Biologia... – Rafael reclamou, abaixando a cabeça e seguindo o amigo.

– Nos vemos no intervalo, então... Tenho uma novidade – Fred disse, acenando e colocando a cabeça para dentro da sala. – Bom dia, professora Vera! A senhora está linda hoje – ele cumprimentou a professora com um enorme sorriso.

– Oh, bom dia meu amor, obrigada. Sempre gentil, sempre – ela respondeu, mandando beijos para ele.

Fred era mais velho que os outros, por isso era de uma série acima. Ele tinha tido aula com essa professora no ano anterior e ela simplesmente o adorava, assim como a maioria do corpo docente e dos funcionários da escola. Ele sorriu e saiu da sala, deixando os amigos escolherem seus lugares.

– Viu que pretensão? – disse Carol, a mais tempestuosa das amigas de Amanda.

Alguns poderiam dizer que Carol era bastante mimada, mas quem a conhecia de verdade sabia que era um doce de pessoa, só não era muito paciente. Tinha cabelos pretos encaracolados, curtos e bem-arrumados. Era a mais encorpada das quatro. Embora os meninos pensassem na palavra "peituda" quando a viam, ela não podia culpá-los, certo? Apaixonada por tendências de moda, preocupava-se sempre com o corte da roupa e o tecido usado.

Algumas meninas no corredor passaram por elas sorrindo. Amanda arqueou a sobrancelha.

– Posso saber quem é o pretensioso?

– O Bruno. Quem mais? Viu o jeito que ele olha pra gente? – ela bufou, mexendo na bolsa enquanto ouvia a risada das outras quatro.

– Um bom garoto, simpático, sorriso bonito... – disse Anna Beatriz, a melhor amiga de Amanda, tão alta e bonita que mais parecia modelo de passarela.

Seus cabelos eram escuros, longos e escorridos e combinavam perfeitamente com seu rosto bem desenhado e sua boca pequena. Tinha grandes olhos amendoados, completando a simetria perfeita com seu nariz reto e fino. Era uma beleza de causar inveja, ainda mais porque era fotogênica. Todas detestavam-na por sair bem em qualquer foto, principalmente no anuário do colégio.

– Como pode achá-lo simpático depois de tudo que fez comigo? – Carol protestou.

– Já te dissemos, e aqui fora a opinião é unânime: acho que ele não fez nada – Guiga, a amiga mais baixinha, de cabelos rebeldes e pele bonita cor de oliva, disse dando de ombros.

Guiga era apelido, e quase nunca alguém a chamava pelo nome, a não ser sua mãe. De uma família tradicional rica do interior, ela morria de medo de ser comparada às caipiras, que se vestiam com roupas de segunda mão, e fazia de tudo para parecer moderna, tentando disfarçar a pouca altura com sapatos altos.

– Bruno nunca foi um bom namorado, mas não acredito que seja um mau exemplo também – Amanda disse, andando. As quatro amigas foram atrás.

– Não foi você quem namorou ele – Carol bufou.

– Eu o acho um pretensioso metido a besta – Maya riu, jogando os cabelos para trás.

Maya era uma garota bonita, de pele bem rosada, sardas e cabelos vermelhos nos ombros. Não media palavras quando queria dar a sua opinião; era a mais crítica e engraçada das amigas. Sua acidez completava o grupo.

Amanda balançou a cabeça e as cinco seguiram rindo para dentro da sala de aula.

A verdade era que Carol tinha namorado Bruno por uns dois meses, até descobrir uma suposta traição da parte dele. Bruno nunca confirmou, como também nunca desmentiu, o que deixou Carol mais irritada do que nunca. Mas esse era o jeito dele. Simplesmente ficou tão bravo porque ela acreditou em fofocas, que desistiu de tentar ficar com ela. Amanda até procurou conversar, mas se afastou quando viu que acabariam brigando. Bruno e Carol que se resolvessem.

Já a Guiga, Amanda tinha certeza de que tinha uma queda por Daniel. As duas não eram amigas há muito tempo, talvez por causa dele. Amanda gostava de Daniel desde que o conhecera, na oitava série. O garoto era o mais fofo e mais risonho que ela havia visto na vida. Desde o primeiro momento, sentiu que seu amor por ele era real e todas essas coisas bregas que uma pessoa apaixonada sente. Isso há algum tempo. Então, conheceu Guiga. A menina era louca pelo mesmo garoto, assim como ela, e as duas não se deram de primeira. Somente quando ambas desistiram de tentar ficar com ele – Daniel acabou sendo misterioso, passava os dias com seus quatro amigos, aprontando e fazendo o diretor se envergonhar dele – é que se tornaram amigas. Guiga se deu muito bem com Anna e Maya, amigas de Amanda desde o começo da escola, e, no fim, também com Carol, recém-chegada à cidade. Assim, acabaram formando a patota mais cobiçada do colégio.

Mas Amanda ainda achava que Guiga nutria algo por Daniel e, por causa disso, evitava ficar perto dele o máximo que podia. Afinal, primeiro a amizade e depois os garotos. É a regra.

– Aquela garota da outra fileira quer fazer meu trabalho de casa – Anna riu, apoiando-se na cadeira de Maya assim que o sinal do recreio tocou.

A menina loira que estava do outro lado da sala acenou sorridente e Maya arregalou os olhos.

– Acena de volta e finge ser legal, Anna, um dia elas desistem! – riu, acenando com a amiga para a menina.

As duas riram. Amanda sentou na mesa da carteira de Maya, passando as mãos nos cabelos.

– Tô cansada, meus pais resolveram hoje, de novo, que não vão mais me emprestar o carro. Tipo nunca mais.

– Sorte a sua que, pelo menos, eles pensaram no caso – Guiga falou, aproximando-se.

As amigas riram e Maya levantou-se, guardando o caderno.

– Você imagina o que os meus diriam se eu quisesse dirigir com dezesseis anos?

– Você sempre pode chorar – Carol piscou, arrumando a camiseta e indo até a porta.

Amanda pulou da carteira e seguiu a amiga, juntamente com as outras.

– Isso só funciona com você – Anna balançou a cabeça, vendo Guiga colocar a língua para fora.

– A gente precisa de namorados mais velhos – Maya rolou os olhos – definitivamente.

– Certo, vamos às novidades... – Fred sentou com Bruno, Daniel, Rafael e Caio na mureta da escola. – O diretor foi à nossa sala hoje falar sobre os bailes de sábado.

– Que bailes? – Caio perguntou curioso. Fred andava de um lado para o outro, chamando atenção das pessoas pela sua forma excêntrica de se vestir.

– Bailes... bailes, música, pessoas dançando e se beijando, Cinderela... – ele disse, mexendo as mãos.

– Não estamos sabendo nada sobre Cinderelas neste colégio, cara. Desculpe – Rafael zombou.

Fred sorriu.

– Só uma porção de bruxas más – Bruno acrescentou, pretensioso.

– E irmãs feias – Rafael completou.

– Claro que não estão... O diretor deve ir falar depois com vocês. O fato é que ele está em busca de atrações pra tocar em todos os bailes nos sábados daqui pra frente..

– E isso significa que você finalmente resolveu virar palhaço? – Daniel perguntou, enquanto jogava uma bolinha de papel amassado em uma das meninas que passava pelo pátio em frente a eles.

Ela olhou enfurecida para ele, que apenas sorriu, fazendo-a esquecer de tudo, gargalhar e continuar sua caminhada. O sorriso de Daniel sempre provocava esse tipo de reação.

– Não, isso significa que vocês podem ficar famosos.

– Eu não sou palhaço – Bruno disse, fazendo graça. Fred bufou.

– Vocês me entenderam...

– Certo. Certo... você quer que toquemos no baile? Todos os sábados? – Caio perguntou.

Fred bateu em seu ombro.

– Exatamente.

– E o que te fez pensar que a gente quer? – Rafael torceu a boca.

– Olhem pra vocês, doidos pra chamar atenção! – ele disse e os quatro fizeram caretas – Ora, meninos, vamos lá. Se a minha banda estivesse completa eu mesmo me inscrevia nesse baile e...

– Por mim – Daniel deu de ombros.

Bruno resmungou alto.

– Não quero minha cara estampada nos cartazes da escola e nem quero ninguém me perguntando sobre as minhas baquetas! – ele protestou.

Caio riu.

– Não seja prepotente assim, temos dois guitarristas e um baixista pra fazer sucesso antes de chegar na bateria.

– Han-han – Bruno disse, sob a risada dos outros – Ok, ok. Por mim... quem vai falar com o diretor? – ele perguntou, e todos olharam para Daniel.

– O quê? Eu? Mas por que eu?

– Porque a gente quer que seja você – Caio explicou. Daniel riu.

– Porque você é mais bonito – Rafael piscou.

– Vocês me amam... Certo, vou lá no fim da aula – ele falou, vendo Fred parar o que estava fazendo para olhar algumas meninas passarem.

– Eu daria tudo pra ficar com aquela garota – ele apontou.

– Qual delas? – Caio perguntou, olhando na direção que ele apontava. Era exatamente para o grupo de garotas que ele não queria que fosse.

Amanda e suas amigas estavam rindo logo mais à frente. Pareciam uma pintura famosa, iluminadas, de tão bonitas que eram. E todo mundo parecia olhá-las atravessando o pátio.

– Qual delas? – Daniel repetiu em alerta. Não permitia que nenhum de seus amigos olhasse para Amanda de outra forma.

– Guiga – Fred disse o nome dela como se fosse o de um anjo.

– Oh céus, ele se apaixonou pela Guiga – Bruno colocou as mãos no ombro do amigo.

– Eu meio que te entendo, Fred – Daniel disse, e os dois riram.

Rafael e Caio bufaram, achando que coisas estranhas estavam acontecendo no mundo e estavam só começando.

dois

– Baile aos sábados... Gostei disso, mas por que será que o diretor desmiolado criou isso agora, do nada? – Maya perguntou, enquanto estavam no pátio da escola.

Amanda deu de ombros.

– Vai ver se apaixonou. Ideias estapafúrdias sempre vêm de alguém apaixonado – ela disse, rindo.

Guiga gargalhou, olhando para trás. Seus olhos cruzaram com os de Fred. Vendo ele sorrir marotamente, ela jogou os cabelos para o lado e voltou sua atenção às amigas. Ficou levemente corada.

– Por que eles não param de olhar pra gente? – Anna disse, sentando-se numa das mesinhas de pedra do pátio. As outras fizeram o mesmo.

– Eles quem? – Carol perguntou e olhou para a mesa do lado, onde uns rapazes do time de basquete as encaravam.

– Não, não esses gorilas. Os marotos, como diriam lá em Harry Potter. É o apelido que ronda por aí – Anna explicou, vendo os olhares interrogativos de Maya.

Amanda riu.

– Até você os vê como os encrenqueiros da escola? – perguntou.

– E quem não encara assim? – Guiga sorriu – Eles e aquele... aquele...

– Fred – Amanda disse.

– Certo, Fred. Eu sei o nome dele, estava tentando achar um adjetivo.

As meninas se entreolharam.

– Por quê? Imbecil não serve? – Maya perguntou, soando bastante grosseira, embora não fosse sempre sua intenção.

– Ele nunca me fez mal. Na verdade, ele é até bonitinho... – Ela olhou de novo, vendo Fred imitar um macaco quando o grupo de atletas passou por eles. Os outros quatro estavam rindo.

— Sério que você acha ele bonito? — Amanda disse, olhando para trás. Viu Bruno e Daniel apontarem para um grupo de garotas mais velhas e olhou para o chão. Anna percebeu.

— Mandy, posso falar com você? — ela chamou.

A amiga concordou e as duas se levantaram, andando em direção ao ginásio, do outro lado do pátio.

— Não me engane, eu vi você encarando os sapatos.

— Eu? Qual o problema nisso? Meus sapatos são lindos. Última coleção e...

— Eu não sou imbecil e te conheço o suficiente pra saber que estava olhando pro Daniel Marques.

— Eu? De onde você tirou isso? Não, eu não estava olhando pra ele. Eu estava olhando... pro Bruno.

— Claro. Claro, da mesma forma como olhou pro Bruno ontem, antes de ontem, semana passada...

— Você vem me espionando! — Amanda riu alto.

Anna sorriu.

— Eu só quero que você me diga quando estiver com algum problema. Certo?

— Nenhum problema, Anna. Eu já superei tudo que sentia pelo Marques há muito tempo. Não dá pra gostar de alguém tão... estranho como ele. — Ela olhou mais uma vez na direção do garoto. Gostava de chamá-lo pelo sobrenome, parecia impessoal. Daniel e Fred estavam dançando, enquanto os outros três fingiam que tocavam trombetas. Ela riu. — Além do mais, precisamos de namorados mais velhos, não é?

— Ok. Se você diz, eu vou acreditar. Agora, vamos para a mesa antes que eles percebam que estamos aqui. Não pegaria bem! — Anna disse.

— Estou te falando, garoto. Vocês não vão tocar em meus bailes — o diretor disse firmemente. — E é minha última palavra!

— Como o senhor quiser — Daniel fez uma reverência exagerada, saindo da sala do diretor e batendo a porta. Olhou para os amigos no corredor: — Nada feito. Ele nos acha irresponsáveis demais! Afirmou que iremos estragar a festinha dele.

— Que gordo safado! — Bruno levantou bravo do banco de madeira que ficava encostado na parede do corredor da secretaria.

Caio segurou no ombro dele.

— Assim não vamos resolver nada...

– Precisamos mostrar pra ele que somos capazes – Rafael sugeriu. – Quero dizer, é imbecil proibir a gente de fazer o que mais sabemos fazer no fim das contas.

– Bom, ele não sabe que sabemos fazer música. Acha que o que fazemos de melhor é sacanear a vida alheia, e vive nos proibindo isso de qualquer forma – Caio resmungou, chateado.

Daniel coçou a cabeça.

– Certo... Fred? Tive uma ideia.

– Scotty? – Amanda olhou para as amigas na manhã seguinte, quando viu um panfleto dos Bailes de Sábado grudado no mural do primeiro andar do colégio.

O cartaz grande e chamativo anunciava que uma banda chamada Scotty tocaria nos bailes da escola, todos os sábados, e que eram ótimos músicos e profissionais. Todo mundo se acotovelava para ler melhor.

– Que nome ridículo – Carol disse. – Aposto que são *nerds* tocando flautas.

– Aposto que vocês não podem sair julgando as pessoas sem conhecê-las – Bruno respondeu, aparecendo atrás delas.

As cinco tomaram um susto e Carol fez careta.

– Quem é você para nos dizer que não podemos julgar alguém? – ela bufou.

– Bom dia, Mandy – ele beijou a amiga na testa. – Bom dia para quem quiser ter um bom dia.

– Bom dia, Bruno – Anna sorriu.

Ele arqueou a sobrancelha.

– Então? O que acham que pode ser essa banda? – perguntou sorrindo marotamente.

– Esse sorriso não me engana. O que sabe sobre eles? – Amanda perguntou.

– Eu? Nada. Ouvi falar que usam máscaras – Bruno deu de ombros.

Daniel e Caio se aproximaram.

– Falando da nova atração? – Daniel quis saber.

– Eita, alguém chamou vocês? – Maya perguntou.

Caio franziu a testa.

– Bom dia pra você também, McFusty.

– Se ele tá sendo bom pra você, ótimo. Vou pra sala – ela sorriu, andando.

– Vou contigo – disse Carol, indo atrás.

Anna, Guiga e Amanda se entreolharam.

– Estamos apenas curiosas – Guiga disse. – Ouvi muitos comentários sobre eles, e vocês sabem como essa escola é fofoqueira. Vocês mesmos vivem espalhando boatos.

– Nós? Que isso, Guiga! De onde tirou essa ideia? – Daniel perguntou, horrorizado.

Amanda olhou para o cartaz.

– Acho que já ouvi esse nome antes – ela disse, franzindo a testa.

– Ouviu sim, é o nome do personagem principal daquele filme *Eurotrip*. "Scotty doesn't know"? – Daniel respondeu rapidamente.

Ela se virou para encará-lo, e o garoto estremeceu com a pouca distância entre eles.

– Parece que você já tinha a resposta na ponta da língua.

– Ele adora esse filme – Caio completou, beliscando Daniel por trás de Bruno.

Anna riu.

– Espero que não seja mais um grupo de *nerds* imbecis com flautas cantando o hino – ela disse, prendendo o cabelo em um alto rabo de cavalo.

Caio seguiu seus movimentos com a boca aberta, até que Bruno tossiu e ele se recompôs.

– Certo... – Guiga disse sorrindo, percebendo a situação. – Vamos meninas? Não queremos ser vistas falando com os perdedores, certo? – ela riu da cara deles. – Brincadeira, tenham senso de humor – Guiga sussurrou, andando.

Anna a seguiu acenando para eles e Amanda deu um peteleco no queixo de Bruno.

– Te vejo na saída, B. Você prometeu me levar pra tomar sorvete hoje – ela disse, seguindo as amigas.

– E você não vai se importar se eles forem comigo, vai? – ele perguntou apontando Daniel e Caio.

Ela parou e os encarou. Deu de ombros e voltou a andar, pensando em mil desculpas para desistir desse passeio. O que Bruno estava pensando?

– Você disse que não se importava – Bruno saiu andando em direção ao seu carro, com Amanda em seu encalço.

– E não me importo. Eu só quero que a Anna e a Guiga venham comigo. Algum problema? – perguntou.

Bruno negou, passando as mãos insistentemente pelos cabelos.

– Ainda bem que não trouxe as outras...

– Não mete a Maya no meio do seu problema com a Carol – Amanda disse brava. – Aliás, problema imbecil, visto que os dois ainda se gostam – ela abriu a porta do carro conversível de Bruno.

Era um modelo antigo de um carro popular, herdado de seu avô. Bruno tinha pedido para um tio mecânico tirar o teto e criar uma capota; ele se achava o máximo dirigindo com os cabelos voando, se sentia o próprio James Bond.

Guiga e Anna se aproximaram rindo e, logo atrás delas, Daniel e Caio.

– Corre com isso, não queremos ser vistas com vocês assim – Guiga disse, rindo.

Bruno estava irritado, dava para ver. O que Amanda tinha dito não tinha melhorado em nada o humor dele.

– Você se importa de sentar mais pra lá? – Anna perguntou a Caio.

Ele olhou com a testa franzida e negou, indo um pouco mais para perto de Daniel no banco de trás.

Anna se acomodou sem olhar pra ele.

– Ok, vamos logo – Amanda pediu. Bruno ligou o carro e saíram do estacionamento do colégio, cantando pneu, sendo observados por uma multidão de gente curiosa para saber o que elas faziam com os famosos bagunceiros.

três

Amanda ficou mexendo no rádio. Virava para trás de vez em quando, ouvindo Caio e Daniel conversarem sobre videogame, e percebia que Daniel estava olhando para ela. Ele sorria e desviava o olhar, timidamente. Ela balançava a cabeça rindo e voltava a encarar o rádio. Não sentia a mesma coisa por ele há muito tempo, mas não deixava de admirar como era fofa sua forma de falar, de rir, de tirar os cabelos do rosto...

– Para de sorrir que nem uma garota apaixonada e muda de estação... eu não estou para Westlife hoje – Bruno reclamou, acordando Amanda de um momentâneo transe.

– Oh, desculpe... – ela sorriu, respirando fundo e mudando a estação.

Guiga e Anna, que estavam seguindo os movimentos da amiga, se entreolharam.

– Uh! Pussycat Dolls! – Guiga gritou.

Anna começou a rir, ficando de pé e se apoiando no banco da frente.

As duas começaram a dançar *Don'tcha* com os cabelos voando por causa da velocidade do carro.

– *I know you like me, I know you do* – elas cantavam em coro com a música.

Caio e Daniel olhavam para as duas, rindo, enquanto Bruno estava com a mão na porta do carro, batendo no ritmo da música.

Amanda começou a rir.

– Vem pra cá dançar conosco, Mandy! – Guiga puxou o braço da amiga para parte de trás do carro.

Anna estava gritando e rebolando, fazendo Caio e Daniel ficarem apenas com sorrisos imbecis no rosto.

– Eu vou cair aí atrás desse jeito! – Amanda dizia, rindo – Caio, troca comigo – ela pediu, fazendo-o se levantar e ficar diante dela – Não olha pra mim assim, eu vou cair em cima de vocês se não for logo pra trás – ela disse rindo.

Caio concordou e pulou para o banco do carona, trocando um olhar engraçado com Daniel antes que Amanda sentasse entre ele e Anna no banco de trás.

"*I know you want it, It's easy to see, And in the back of your mind I know you should be on with me*", as três cantaram juntas.

Amanda olhou para Daniel, rindo, antes de se levantar e ficar ao lado de Guiga e Anna. As três estavam gritando, com os cabelos ao vento e dançando. Era um sentimento gostoso de liberdade.

– Se eles virem mais do que vocês querem por causa do tamanho minúsculo das suas saias, a culpa não é do meu carro – Bruno comentou rindo.

Amanda imediatamente segurou a saia rodada e começou a rir, vendo Caio fazer careta para ele.

– Não fique com ciúmes, cara! A saia nem é tão curta assim, e aposto que o Daniel não seria atrevido de ver mais do que deve.

– De forma nenhuma – Daniel disse, levantando os braços.

– Ok, essa música é um saco, mas é... boa – Caio disse, rindo, e olhou para Anna e depois para Daniel com cara de "o que eu faço?".

O amigo devolveu a mesma expressão e os dois riram.

"*Don't cha wish your girlfriend was hot like me? Don't cha wish your girlfriend was a freak like me*", elas cantavam.

Guiga sentou e reparou em Daniel, percebendo o jeito que ele olhava para Amanda e depois para Caio. Sorriu, balançando a cabeça. Ainda bem que ele era passado, pensou e levantou-se rapidamente.

– Então, vocês vão estar no baile de sábado? – perguntou quase gritando por cima da música.

– Não – Bruno disse, displicente – Isso é apenas mais um evento sacal criado pra confraternização entre pessoas que provavelmente nunca se falariam se não fosse a proximidade da sala de aula – ele filosofou malicioso. Todos no carro olharam para ele.

– Não seja ignorante metido a *cult* – Amanda zombou.

– Ele não está sendo – Daniel falou rápido – Temos coisas mais importantes a fazer.

– Ah, claro, jogar bolinhas de papel pro alto? – Anna perguntou.

– Não – Caio olhou ofendido – Somos pessoas ocupadas.

– Claro – Amanda riu e cantou: "*Don't cha wish your girlfriend was raw like me?*".

Caio riu.

– Só pode estar de brincadeira – ele voltou a olhar para Daniel, e os dois riram juntos.

As três continuavam cantando e dançando como se eles nem estivessem ali. Estavam se divertindo e não seriam três garotos esquisitos que mudariam a atitude delas.

– Fred vai estar lá no sábado? – Guiga perguntou, enquanto os seis estavam na mesa da lanchonete mais badalada da cidade, tomando sorvete.

O lugar era espaçoso, tinha um toque de anos sessenta, com piso de azulejos quadriculados e paredes bem brancas.

Bruno olhou para Caio, que olhou para Daniel.

– Não sei, pergunta pra ele – disse com um sorriso maldoso.

– Foi só curiosidade – Guiga pareceu ofendida.

– Sei... – Bruno disfarçou, tomando um gole do seu *milkshake* de morango.

Caio escondeu uma risada, olhando para as garotas.

– Então... – Daniel encarou Amanda, que estava ao seu lado.

Ela engoliu rapidamente a porção de sorvete na boca, pensando: "Não fala comigo, não fala comigo"; e ele sorriu.

– Vocês vão estar lá no sábado? – direcionou a pergunta a Anna.

Amanda agradeceu mentalmente.

– Por que não estaríamos? A festa vai estar cheia de gatinhos da escola.

– É, a gente precisa conhecer garotos mais interessantes – Amanda disse.

Caio tossiu, engasgando com seu *sundae*, e Daniel apenas abaixou a cabeça.

– Me perdoa se eu estiver errado, mas o que o time de basquete tem de interessante? – Bruno perguntou irônico.

– Quem falou no time de basquete? – Guiga pôs a língua para fora. Caio riu.

– Menos mal... Isso indica alguma formação de cérebro por debaixo desses cabelos todos.

– Hahaha. Muito engraçado – Anna debochou, olhando para ele.

Caio engoliu uma enorme colherada de sorvete com tamanha rapidez que fez seus olhos lacrimejarem.

– Você tá bem? – Amanda perguntou.

Ele concordou, olhando para o lado, quase chorando de dor na garganta por causa do gelo.

Nesse momento, a porta da lanchonete se abriu e alguns rapazes entraram. As garotas olharam rapidamente. Bruno bufou.

– Certo, molecada, nossa hora de sair – ele fez um gesto para se levantarem.

Anna olhou para ele.

– Por que estão indo embora? – perguntou.

Caio e Daniel se entreolharam.

– Não devemos? – Daniel olhou para Amanda, que estremeceu.

– Se quiserem... – ela respondeu, dando de ombros, sem olhar para ele.

Não podia acreditar nisso! Ela não podia nem olhar para ele! Virou-se rapidamente para Guiga e viu que ela estava encarando o garoto. Pela amizade dela.

– Acho melhor vocês irem.

– Eu sabia – Bruno sorriu. Beijou o topo da cabeça dela – Até amanhã cedo, Mandy – Acenou para as outras duas – *Miladies*...

– Tchau, Bruno – Anna respondeu.

Daniel se levantou devagar, encarando os próprios pés, e parou ao lado de Amanda, enquanto Caio se despedia delas.

– Posso falar com você?

– Melhor não, Marques – Amanda respondeu seca. – Eu não tenho nada pra falar, de qualquer forma – ela forçou um sorriso, não querendo ser rude.

– Então... até mais – despediu-se cabisbaixo, seguindo os amigos para fora da lanchonete, não sem antes olhar para os rapazes que entraram e fazer uma careta.

– Certo, o que foi isso? Sei que eles não são as melhores pessoas do mundo, mas nem estavam tão irritantes hoje – Anna comentou com Amanda, que balançou a cabeça.

– A presença deles meio que me irrita – Amanda disse, mas não era verdade.

Guiga franziu a testa, percebendo algo estranho.

– Sei que a gente ia tentar uma aproximação, pelo menos pra não sermos inimigos...

– Até pelo bem da Carol, você sabe – Anna disse.

– Sei... sei, me desculpem. Vou me esforçar mais.

– Não olhem agora, mas acho que a mesa da frente está prestando muita atenção em nós – Guiga mudou de assunto.

Anna e Amanda olharam ao mesmo tempo para os rapazes.

– Obrigada pela discrição!

– Estou fora, vou pra casa – Amanda disse, levantando-se.

Anna riu.

– Ah, mas você fica! Fica e vai se divertir! Essa de não estou com saco não cola conosco! – Anna começou a rir com Guiga.

As três se levantaram e foram até a mesa dos garotos.

– Certo, ela me odeia. O que eu fiz? – Daniel olhava de Caio para Bruno enquanto voltavam para casa.

– Você nasceu, meu amigo.

– Não seja ignorante, B! – Caio riu, imitando o jeito como Amanda fala. – Danny, ela simplesmente não serve pra você. Escuta, você acha que, se pudesse, eu não estaria com... com alguma delas?

– Com a Anna, pode falar – Bruno entregou.

– Eu não disse isso.

– Mas pensou.

– E você agora lê pensamentos? – Caio perguntou, rindo. – Não interessa, entendeu Danny? Não adianta fazer essa cara emburrada, seu fofo – ele zombou.

– É minha única – o garoto cruzou os braços. – O que eu não entendo é como alguém pode ser tão prepotente a ponto de se achar melhor que os outros?

– Não acho que ela se considere melhor – Bruno opinou. – Quem acha são os outros.

– Mas entendo o Danny – Caio olhou para Bruno –, apesar de saber que você tá certo. Droga, isso é difícil... – ele coçou a cabeça.

– Eu só queria entender por que diabos tenho de passar por isso – Daniel fechou a cara. – Isso não vai ficar assim.

– O que vai fazer? Escrever uma música pra ela? – Bruno riu.

– É, cantar suas dores num sábado à noite? – Caio disse, depois parou e olhou ao ver o amigo sorrindo. – Cara, que ideia genial!

– Ahá! – Daniel sorriu, batendo forte no painel do carro de Bruno. – Pensou a mesma coisa que eu?

– Isso vai ser lindo! Épico! – Caio gritou animado, enquanto Bruno apenas riu, balançando a cabeça enquanto dirigia.

quatro

– As pessoas só falam nesse baile, isso está ficando ridículo! – Carol dizia, enquanto as cinco andavam pelos corredores depois da aula. Seu sapato, com um salto um pouco mais alto e da última coleção de alguma grife famosa fazia barulho no piso de mármore devidamente limpo.

– Espero que seja muito bom – Guiga disse, mexendo na bolsa. – Não virei ao colégio num sábado à toa. E eu ainda preciso comprar uma roupa nova. Carol, você precisa me ajudar...

– É amanhã e ninguém ainda descobriu quem são os garotos dessa banda Scotty – Amanda lembrou, visivelmente curiosa.

– Eu nem quero saber – Anna disse rindo. – Estou mais preocupada com quem vai estar nessa festa...

– Todos vão estar! – Maya respondeu. – Todos que interessam.

– E isso exclui os marotos – Carol esnobou.

– Claro que exclui – Amanda concordou. – Bruno garantiu que vão encher o saco de outros no sábado.

– Que bom, então minha festa não vai ser um total fracasso – Carol disse animada.

– Elas perguntaram por mim, certo? – Fred repetiu isso durante toda semana.

Bruno, Caio e Daniel estavam cansados de concordar. – Cara, isso vai entrar pra história!

– Se pensar bem, cara, você é mais velho que a gente e tem mais chances – Rafael disse.

Fred deu de ombros, enquanto desciam as escadas em direção ao pátio depois das aulas. Bruno e Caio mexiam com as pessoas que passavam por eles e Daniel se matinha pensativo, alheio às zombarias dos amigos.

– Sou mais velho e mais bonito, mas ando com vocês... Acho que vou mudar de amigos – Fred sorriu para uns rapazes que pareciam do time de

basquete, acenou para eles e um deles mostrou o dedo médio em resposta.
– Nah, acho que vocês ainda são meus melhores amigos.

– Obrigado pela parte que nos toca – Rafael disse rindo.

Fred olhou para Daniel.

– Tudo bem por aí, Capitão Spock? Você não parece muito bem.

– Ele anda assim ultimamente – Caio explicou. – Coitado, parece definhar a todo instante – Daniel lançou um olhar ameaçador para ele.

– Ei, eu estou bem aqui! E estou apenas pensando sobre uma música... Vocês precisam ouvir.

– Ótimo. Vamos pra minha casa, ouvimos essa música e ensaiamos, porque amanhã...

Antes que Bruno terminasse a frase, Fred tampou a boca com a mão.

– A escola tem paredes, e paredes possuem ouvidos – ele sussurrou.

– Nós somos os ouvidos das paredes, Fred – Caio disse também, abaixando a voz, e Fred gargalhou.

– Verdade – respirou fundo. – Opa, olhem discretamente a uma da tarde, eu acho que temos companhia – e fez bico quando Amanda, Carol, Guiga, Anna e Maya passaram pelo corredor do primeiro andar em direção à grande porta que dava para a área de lazer do colégio.

Bruno sorriu para elas e as meninas apenas acenaram com a cabeça, menos Carol, claro. Os cinco pararam no meio do corredor para olhar para trás. Elas continuaram andando.

– Como é possível que elas andem na nossa frente à uma da tarde? Não faz sentido! – Rafael sacudiu as mãos, olhando para o lado direito e dando de cara com portas fechadas de salas de aula.

Fred deu de ombros, enquanto Caio olhava para o próprio relógio, confuso.

– Da próxima diz que tem meninas da meia-noite pras nove ou seis! – Caio comentou, fazendo todos rirem.

Daniel não riu. Estava imerso em pensamentos e pôde ver tudo em câmera lenta. O jeito que ela andava, o modo como seus cabelos balançavam e a forma como conversava com Carol sem parar. Voltou a olhar para o outro lado antes dos outros. Percebeu que Caio e Fred estavam praticamente babando e aí, então, sorriu. Seu plano realmente poderia dar certo.

Guiga olhou para trás a tempo de ver Fred sorrindo para Bruno que rebolava numa péssima imitação dela e das amigas. Riu com a cena, e o olhar dos dois se encontrou. Guiga arqueou a sobrancelha, como quem diz "fazer o quê?", e voltou a olhar para a frente.

Fred segurou no ombro de Rafael e Bruno, sem saber o que falar ou fazer.

– Danny boy? – ele chamou.

Daniel estava perdido ainda em reflexões, mas virou-se devagar para o amigo.

– Podemos conversar sobre essa sua música? Acho que tenho ideias...

– João Pedro, não precisamos de par pro baile! – Carol reclamou um pouco alto demais.

Guiga e Maya estavam mexendo no celular, enquanto Anna tentava se livrar de um garoto que puxava papo com elas e Amanda apenas olhava para as próprias mãos. Todas entediadas. João Pedro, ou simplesmente JP, tinha cabelos negros e olhos escuros pequenos. Era capitão do time de basquete, bonito, forte e cheirava a loção de barbear, como se tivesse mais de 17 anos.

– Mas num baile desses tem que ir com par como nos filmes... Ora, vamos Carol! Eu sei que você quer ir comigo – o garoto insistiu.

Na mesma hora todas as quatro amigas olharam para Carol. Ela riu.

– Não seja pretensioso, JP – disse.

Ele sorriu, chamando alguns dos amigos dele. O que estava conversando com Anna passou a mão nos cabelos.

– Nós somos os melhores pares que vocês poderiam arrumar. Nessa escola só tem perdedor! Olhem pra nós! Com a gente por perto vocês poderiam ser bem mais populares e...

– Não, obrigada – Anna repetiu, parecendo entediada.

– A última coisa que precisamos é de mais popularidade – Guiga disse.

Amanda concordou.

– Obrigada pela ideia, mas é totalmente fora de questão – ela falou, sorrindo, irônica.

– Ora, vamos! Todas vão ter pares no baile! – um outro menino disse.

– Certamente, não todas, porque nós não teremos – Maya respondeu.

Amanda revirou os olhos. Não aguentava mais aquela história de popularidade no colégio. Era ridículo! O que lhe adiantava ser popular e tudo mais? Ela por acaso tinha tudo o que queria? Naquele instante, avistou de longe os cinco garotos mais conhecidos por elas como marotos.

Conversavam com algumas garotas, em uma mesa do pátio. Provavelmente, exibindo-se para elas. As amigas não os tinham visto, mas ela ficou encarando. Franziu a testa ao ver Daniel sorrir para uma das meninas do primeiro ano, que era bem bonita e tinha peitos grandes.

– Mandy? – Anna a cutucou.

A menina balançou a cabeça e olhou para as amigas.

– Desculpe – ela disse.

Anna concordou.

– Eu admiro a coragem de vocês virem falar conosco – Carol disse, rindo –, mas infelizmente não precisamos ir com ninguém ao baile...

– Talvez... – Amanda franziu a testa – Talvez até não seja má ideia, pensando bem.

– Certo, explica pra gente o motivo – Maya cruzou os braços, séria.

– Deve ser divertido poder ter com quem dançar e... Ah, não sei. Não custa nada, certo?

Guiga arqueou a sobrancelha.

– É verdade... Não tem ninguém melhor nessa escola mesmo – ela disse, avistando a mesa mais à frente, onde Fred estava sentado ao lado de uma morena bonita, com o braço apoiado nos ombros dela.

Amanda percebeu que ela olhava para mesa dos marotos e abaixou a cabeça. Nada havia mudado.

– Bom... Se vocês acham – Carol deu de ombros. – Tudo bem, João Pedro. Eu vou contigo. Satisfeito? – ela perguntou.

O garoto a abraçou de lado, rindo.

– Perfeito. Vocês não vão se arrepender!

– Michel, então já vi que você será meu par – Anna disse encostando no ombro do garoto alto e loiro, que sorriu mais satisfeito do que nunca.

– E você, vai me dar o prazer da sua companhia? – Albert, um rapaz não muito alto, no estilo fortão, com os cabelos alaranjados e totalmente perfumado, perguntou segurando Amanda pelo queixo.

Ela sorriu.

– Se você prometer se comportar...

– Ah, que isso, meninas – um menino negro e alto chamado Roberto segurou Guiga pelo ombro. – Vocês nos conhecem e não é de hoje – ele piscou.

– Por isso mesmo – Amanda disse.

Albert apenas riu, e Maya olhou para Jonathas, rindo e balançando a cabeça.

– Certo, você me sobrou! – ela balançou a mão.

Ele passou a mão pelo cabelo liso comprido, sorrindo, e ela deu de ombros.

Aqueles garotos eram considerados os mais bonitos e populares do último ano do colégio. Todas as garotas mais novas queriam poder, ao menos, encostar nas roupas de um deles, e todas essas coisas nada a ver sobre popularidade. Mas elas nunca se interessaram por isso; afinal, eles sempre estiveram atrás delas.

Amanda já tinha ficado algumas vezes com Albert, e Carol já tinha saído com João Pedro, depois de Bruno, mas, como as amigas desconfiavam, ainda não conseguira esquecê-lo e, por isso, o namoro novo não deu certo. Roberto vivia atrás de Guiga e ela fazia charme para ele, enquanto Maya e Anna realmente não tinham nada com os garotos que iam levá-las ao baile.

É, talvez fosse divertido.

cinco

Daniel ria de algo que Fred disse quando olhou mais adiante no pátio. Amanda estava ao lado de um dos mauricinhos do último ano, sorrindo, enquanto ele parecia contar algo engraçado. Patético. As outras todas pareciam estar se divertindo. Viu o garoto pegar no queixo de Amanda e Daniel, nervoso, passar as mãos pelo cabelo. Bruno encostou em seu ombro.

– Ela não gosta do Albert.

Daniel olhou para o amigo.

– Mas está se divertindo com ele... Ele vai voltar a se exibir porque está com ela, e isso é ridículo!

– Danny, só você não percebe o quanto a minha pequena tá infeliz? Presta mais atenção... Ela sorri, mas o sorriso dela não é verdadeiro – Bruno mostrou.

Amanda, nesse exato momento, encarava a grama, cabisbaixa, e voltou a sorrir quando Albert chamou sua atenção.

Daniel fez bico.

– Ela parece triste.

– Quem parece triste? – Caio perguntou, voltando-se na mesma direção que os amigos. – Ah, isso – ele disse com desgosto. – Esses imbecis, acham que podem tudo...

– E podem, já viram os músculos deles? – Rafael torceu o nariz.

– Acho que elas vão com eles ao baile – comentou uma das garotas que estava na mesa ao lado de Bruno.

Daniel arregalou os olhos.

Fred estava concentrado em seu próprio cabelo, sem falar nada.

"Por que iriam com eles? O baile nem é pra isso e...", Daniel ia dizer, mas a garota loira com quem Fred estava conversando riu.

– Convenhamos, Marques, quem não gostaria de ir ao baile com eles? JP, Albert, Roberto... – ela pareceu sonhadora.

– Garotas são patéticas – ele irritou-se.

– Nós temos pares pro baile. Vocês deviam correr pra arrumar algum, mesmo achando que ninguém queira ir com vocês – uma morena de olhos puxados comentou ao lado de Rafael.

– Eu iria comigo mesmo! – Rafael protestou bravo.

– Eu iria com um de vocês – uma delas, a mais baixa e morena, disse rindo.

– Muito obrigado, Susana, mas não vamos ao baile – Caio comunicou.

As meninas se entreolharam.

– Por que não? Não estão curiosos pra saber quem são os Scotty e tal?

– Nem um pouco – Bruno respondeu, vigiando Carol.

Ela gargalhava, apoiada no braço de um dos trogloditas, e ele voltou a olhar para sua mesa.

– Eu vou ao baile – Fred disse. – Quer ir comigo, Susana? – ele perguntou, infeliz.

Susana riu.

– Mesmo você parecendo estar com cara de quem me odeia, eu vou com você sim. O baile é amanhã e eu não tenho ninguém mesmo – ela deu de ombros.

– Obrigado pela caridade – Fred riu.

– E da próxima vez que convidar uma garota pra sair, tente não pensar em outra, Fred. Isso não é certo.

– Eu não estou pensando em ninguém – Fred franziu a testa, olhando discretamente para o pátio.

– Certo. Daniel também não? – Susana perguntou rindo, vendo o garoto voltar a olhar rapidamente para a mesa.

– Eu? Claro que não!

– Até amanhã então, Fred – Susana se levantou e as garotas saíram todas de perto.

Os cinco sentaram em cima da mesa e ficaram se entreolhando.

O inspetor passou e mandou que descessem e sentassem direito, como gente educada. Então, sentaram nos bancos.

– Vai ser mais difícil do que imaginei – Caio passou as mãos pelo rosto de forma cansada.

– Não vamos desistir porque elas vão estar com seus devidos pares. A gente tinha de ter pensado nisso antes, pra não agir como um bando de idiotas – Rafael disse, sentando de novo em cima da mesa.

Bruno concordou.

– Que casem com eles, tenham muitos filhos e sumam de nossas vidas – brindou, levantando uma lata de refrigerante.

– Bruno, não seja ignorante... – Daniel disse rindo.

Todos sorriram e mexeram com o time de futebol, que naquele momento saía do treino, dando gritinhos afeminados e mandando beijinhos.

Daniel chegou em casa e jogou a mochila no chão. Andou lentamente até a cozinha, abriu a geladeira e tirou de lá tudo o que tinha açúcar. Uma barra de chocolate branco pela metade, um pedaço de torta de limão, sorvete de baunilha e uma lata de Coca-Cola. Quem o visse nesse momento, numa tarde ensolarada de sexta-feira, poderia adivinhar que estava na fossa. Amorosa mesmo, daquelas brabas. Ele não se importava. Chutou a porta da geladeira para fechá-la, andando de volta para sala e tirou os tênis sujos, largando-os no meio do tapete persa.

– Mãe? Pai? – ele gritou, e como esperado não obteve resposta.

Sentou-se no sofá, tirou a camiseta suada do colégio e ligou a televisão. Tinha que se distrair. De alguma forma, toda a tensão em volta do baile de sábado à noite e o fato de estar sendo ignorado pela garota que gostava o deixava nervoso, carente e um pouco exausto. Era cansativo tentar não se lembrar dela ou ignorar que, enquanto ele estivesse em cima do palco no dia seguinte, ela estaria beijando um cara todo musculoso do último ano. *Dançando coladinho*.

Além de cansativo, era patético.

Eles não pertenciam um ao outro, e Daniel sabia bem disso. Amanda nunca fora dele, apesar de gostar dela há muito tempo. Tinha o fator escola, o fator popularidade, o fator amigos, fatores e mais fatores. E a única coisa que ele sabia era o quanto gostava dela e o jeito que ela sorria quando olhava para ele.

Porque ela olhava.

No fundo, ele não era nenhum idiota e via muito bem quando seus olhares se cruzavam, fosse no corredor da escola ou no pátio. Ela evitava, virava o rosto, disfarçava e tudo mais; só que, no fundo, Daniel nutria a esperança de que ela olhava para ele. De verdade.

Sorriu abobalhado para a televisão. Surfando entre os canais, deparou com um de seus filmes prediletos e decidiu que não havia melhor forma de se desligar da realidade do que assistir *Eurotrip* – mesmo que fosse dublado. Daria boas risadas, ligaria para Bruno e tentaria ensaiar algumas músicas na casa do amigo mais tarde.

Mas o sorriso, bem ou mal, não saiu do seu rosto.

Amanda chegou em casa, jogando a bolsa no sofá. Sentiu um cheiro gostoso de assado e andou se arrastando até a cozinha, encontrando sua mãe sentada à grande mesa de madeira escura e debruçada em um livro de receitas. As duas sorriram.

– Já chegou? Achei que fosse passar a tarde na casa da Guiga – disse, olhando a filha de cima a baixo.

A mãe dava graças a Deus todos os dias por Amanda ter deixado os velhos tênis surrados no fundo do armário. Nada contra a amizade que ela tinha com Bruno, o garoto da rua de baixo, mas nunca concordara com o tipo de vida que seus pais levavam. Não era a forma certa de educar um adolescente. O garoto vivia sozinho, por Deus!

– Ah, a mãe da Guiga precisou ir pra fábrica e ela teve de ir junto – Amanda disse, abrindo a geladeira, olhando abobada e, então, fechando-a sem pegar nada; achava reconfortante fazer isso quando estava pensativa.

Tinha realmente combinado de ir à casa da amiga depois da aula, mas sabia como os pais dela eram rigorosos. Donos da maior queijaria da cidade, do tipo que revendia para mercados em vários estados do país, pretendiam manter Guiga sempre na linha, o que a impedia de, às vezes, passar o dia vadiando, apenas assistindo MTV, ou pintando as unhas. Uma droga, já que Amanda curtia fazer isso o tempo todo.

– Animada com a festinha de amanhã? Aquele menino que é uma graça... Albert? Ele vai com você? – a mãe perguntou, mexendo algo no fogão.

Amanda torceu o nariz inconscientemente.

– Hum... É um baile, mãe. Vou pro meu quarto – Amanda tentou sair apressadamente e bateu com o rosto na porta da cozinha.

– Cuidado, querida! Você é tão desastrada.

Mesmo sendo desastrada, ela se sentia distraída. Por que andava tão esquisita ultimamente?

seis

Finalmente, o dia do tão esperado primeiro baile tinha chegado! Era sábado à noite. Todos do colégio estavam ansiosos para saber quem eram os tais Scotty que iriam tocar. Diziam as más línguas que somente Fred Bourne, do terceiro ano, sabia quem eram, mas não dizia a ninguém, por causa de sua amizade íntima com o diretor da escola. Enquanto rolavam apostas sobre a identidade do grupo, as cinco meninas estavam na casa da Anna, se arrumando e esperando a chegada dos seus devidos pares para acompanhá-las à festa. Como em um filme americano!

Anna encostou no ombro de Amanda assim que ficaram prontas.

– Por que você parece triste? Não quer ir ao baile com Albert?

– Ele é legal, sem problemas – Amanda disse, forçando um sorriso. – Eu apenas não estou muito animada.

– Ok. E espero que isso não tenha a ver com um certo Daniel Marques...

– De forma alguma! – Amanda ficou nervosa e afastou Anna das outras. – Pelo amor de Deus, nem repita isso perto da Guiga!

– Então, nada com Daniel? – Anna arqueou a sobrancelha em suspeita.

– Claro que não! Não. Ele é passado, Anna, passado – Amanda repetiu confiante.

– Nunca se sabe... – Anna deu de ombros.

– Meninas! – Carol interrompeu, dando um susto em Amanda. – Acho que os garotos chegaram... E, uau, acho que é um carrão buzinando lá fora! Seu quarto é ótimo, Anna, tem toda uma vista pra rua, já te disse, e...

Maya e Guiga já tinham descido as escadas e corrido para o lado de fora da casa, dando risinhos histéricos. Amanda e Anna se entreolharam e riram, ajeitando os cabelos recém-arrumados e passando uma última camada de *blush* no rosto. Seguiram as amigas e encontraram Albert em pé, com o corpo saindo pelo teto solar do carro.

– E aí? Gostaram?

– Nossa, acho que nunca andei de limusine antes! – Anna confessou, animada.

– Então, entrem, garotas – convidou JP, que desceu do carro e abriu a porta para elas.

O som de *hip hop* estava alto, os garotos pareciam elegantes, com seus ternos e *blazers*, e todos seguravam uma garrafa de bebida nas mãos.

Elas balançaram a cabeça, achando que a noite prometia.

– Então... músicas preparadas? – Fred perguntou, olhando para os quatro mascarados à sua frente. Daniel bateu continência, rindo, mas sentia as bochechas suarem.

– *Esquecer você... You've got a friend* e *Pinball Wizard*, do The Who – Caio disse rindo e coçando a perna por cima da calça social.

Rafael concordou.

– Espero que ninguém descubra quem somos – Bruno sacudiu as mãos, girando as baquetas nos dedos. – Isso me deixaria de mau humor!

– Relaxa, amigo – Fred bateu em seu ombro. – As máscaras são um disfarce perfeito! Vocês parecem vindos de um filme de terror ou algum do Tim Burton...

– Se isso não assustar a plateia, é um começo – Daniel argumentou, balançando as mãos nervosamente.

– Que nada! Estamos mais bonitões que os loucos do Slipknot! – Rafael comparou.

Os quatro estavam de terno preto em padrão risca de giz. As máscaras eram brancas e deformadas, tampavam o rosto quase inteiro, deixando de fora apenas a boca, o queixo e os olhos. Os rostos tinham sido maquiados de branco e os cabelos estavam de forma diferente que costumavam usar, meio para cima, com gel. De jeito nenhum, seriam reconhecidos, até porque todos no colégio achavam que o único talento que eles tinham mesmo era o de arrumar encrenca.

O baile tinha começado, com um DJ contratado para tocar antes da atração principal, e estava lotado. A festa foi organizada no ginásio do colégio, um local imenso, cheio de enfeites e balões. Felizmente, a maioria dos alunos parecia ter gostado da ideia. A proposta de usar roupas formais – vestidos quase longos e ternos sem gravatas –, com música boa e comida de graça, havia animado a galera. Os mais velhos reclamaram da proibição de bebida alcoólica, mas era impossível o colégio permitir isso com tantos alunos menores de idade. Embora alguns tenham batizado seus drinques escondido... Ai se o diretor descobrisse! Fred e Susana já estavam no meio da pista de dança e rebolavam com alguma música do Ricky Martin, quando ouviram a balbúrdia. Alguém importante tinha chegado à festa, e Fred podia chutar quem era. Não deu outra.

Amanda entrou ao lado de Albert. O garoto estava com o terno aberto e sem gravata. Parecia um ator daqueles seriados americanos famosos. Ela usava vestido branco esvoaçante até o joelho, que a fazia parecer um anjo. Carol e Maya vinham logo atrás com seus pares, usando vestidos pretos e muito bonitos. Claro que o de Carol era mais justo e mostrava suas curvas, que mexiam com todos os garotos. Já Maya gostava de simplicidade e apostara em um tubinho discreto, mas de *grife*. Anna estava conversando com Michel, provavelmente mandando-o calar a boca, com um vestido azul decotado e um pouco acima do joelho, enquanto Guiga abusava do rosa claro com babados na barra e vinha no final com seu par.

Fred não sabia o que dizer. Muitos pareciam estar na mesma situação. As cinco estavam radiantes! Era impressionante como se destacavam entre todas as outras garotas do local – garotas que, aliás, pareciam babar pelos rapazes. Na opinião de Fred, eram todos sem compostura e com mau gosto para roupas, um bando de almofadinhas frescos. Mas Susana, ao seu lado, não parecia concordar com ele.

– Ai, esses garotos são tão charmosos! E olhe como elas estão lindas – comentou.

Fred apenas concordou, sem conseguir tirar os olhos de Guiga. Ela estava deslumbrante. Definitivamente. Os cachos dos cabelos extremamente alinhados, e ela mantinha um sorriso esplêndido. Ele adorava isso nela.

– Fred? – Susana o cutucou.

Ele olhou para a garota.

– Desculpe. Ignore todos eles e vamos rebolar – disse.

Susana concordou, rindo, e voltou a dançar.

Amanda olhou para a festa ao seu redor e pensou que poderia se divertir mais do que esperava. Estava animada e nem sinal de nenhum dos marotos. Não que ela soubesse bem por que se importava com isso. O que estava pensando?

– Adoro essa música! – Carol disse, ouvindo Beyoncé começar a cantar, e levou JP para a pista.

Maya sorriu, fazendo o mesmo com seu par, e Anna foi procurar uma mesa desocupada com Michel, enquanto Guiga ficou ao lado de Amanda reparando na festa.

– Olhe quem tá ali – Amanda apontou.

Guiga olhou e viu Fred. Respirou fundo ao perceber quão bonito ele estava de terno acinzentado. Seus olhares se encontraram, e ela virou o rosto. Não queria que ele nem Amanda percebessem nada, até porque ele parecia se divertir com uma garota. Pegou na mão de Roberto e o levou para o meio da pista. Amanda sorriu.

– Vamos dançar também? – Albert perguntou, perto de seu ouvido.

Ela concordou e ele a levou para perto de Guiga.

Meia hora depois, as cinco estavam sentadas em uma mesinha que Anna tinha arrumado do lado direito do palco. Bem à vista estava Fred, e elas sorriam com os comentários que os garotos na mesa faziam dele e dos amigos que não estavam presentes.

– Eles são uns babacas. Por que não vieram? – JP perguntou.

– Porque são uns babacas – Carol disse.

– Porque não gostam dessas coisas, de socializar e tal – Anna deu de ombros.

– Claro, não devem ter conseguido nenhum par e ficaram com vergonha – Michel opinou.

Anna balançou a cabeça.

– Cala a boca, Michel.

– Fred Bourne conseguiu um par – Maya reparou. – Meio estranho, ele é tão esquisito.

– Ele é mais velho e todos os professores, inclusive o diretor, gostam muito dele – Roberto disse. – Uns imbecis.

– Que bom pra ele – Guiga apenas acentuou.

Amanda riu.

– Ele é apenas desengonçado – ela falou, olhando Fred dançar música *hip hop* com passinhos dos anos 60. Todos na mesa riram.

Pouco tempo depois e algumas músicas da moda mais tarde, o diretor subiu ao palco. Todos ficaram calados e se levantaram ao lado de suas mesas, formando uma plateia diante dele.

– Boa noite, caros alunos! Fico muito feliz que tenham vindo participar dessa minha adorável ideia!

– Ideia imbecil – Albert disse.

Amanda lançou-lhe um olhar aborrecido.

– Espero que corra tudo bem para que possamos prosseguir com nossos bailes de sábado à noite – ele continuou, e todos aplaudiram. – Ok, ok, chega. Quero agora lhes apresentar a banda que nem eu mesmo conheço, mas confio em quem me apresentou e garantiu que são bons. Com vocês, Scotty! – apresentou, aplaudindo.

Cresceu o barulho de palmas e assobios. Na multidão, alguns esticaram o pescoço para enxergar melhor quem subia ao palco, que era de madeira e tinha uma cortina vermelha de fundo. Quatro garotos de ternos e máscaras em frente aos instrumentos. Amanda olhou pra Anna, que estava rindo. Fred e Susana aplaudiam animadamente.

O guitarrista foi em direção ao microfone do meio; havia três espalhados pelo palco.

– Essa música se chama *Esquecer você* – Daniel disse tentando, modificar a voz. Todos se entreolharam ansiosos quando as primeiras notas foram tocadas. Era agitada, mas com uma batida meio melancólica.

Ela tem esse olhar no rosto
Triste e solitário e então pensei
Se ela sorrisse assim pra mim
Mas não é bem assim
Então perguntei se poderia
Talvez ser sua companhia
E depois conversar, mas ela não entende
E eu não sei mais o que dizer

Enquanto a música rolava animada e alta, muitas pessoas voltaram para a pista e começaram a dançar. Todos pareciam gostar do ritmo daqueles garotos. Na mesa de Amanda, todas as meninas se levantaram também, menos ela.

– Quer dançar? – Albert perguntou.

– Agora não... Acho que estou cansada – ela sorriu, mentindo para ele.

Não estava cansada coisa nenhuma. Queria apenas observar melhor aqueles quatro garotos. Não lhe eram estranhos. De alguma forma, olhar para eles lhe dava uma sensação gostosa, um frio na barriga.

– Certo, vou pegar algo pra gente beber então – ele saiu de perto.

Amanda estava sozinha na mesa. Olhou para o palco e os viu cantando com toda sinceridade, como se aquela letra fosse algo verdadeiro para eles. Prestou atenção e abaixou a cabeça, sorrindo.

Você é como eu quero
E não sei explicar como é
Mas não posso viver nessa sombra
Então me ajude a te esquecer.
Nossos olhos cruzam quando ela me olha
E ela finge que não é um sinal
Eu não sei explicar, baby
Preciso esquecer você
O olhar vazio, triste e sem vida
Ela sorri e não é de verdade
E não é pra mim
Se ela me desse apenas uma chance
Nada teria que ser assim

Amanda olhou para o palco quando ouviu as últimas frases. Alguma coisa chamou sua atenção. A letra era tão verdadeira que desejou profundamente que tivesse sido escrita para ela. Porque parecia triste, e ela sabia disso.

Daniel sentia aquela música como se nada mais representasse tanto seus sentimentos. Olhou para mesa no lado direito e a viu sentada sozinha, mordendo os dedos, parecendo triste e impaciente. Queria, mais que tudo, ir até ela e tirá-la para dançar. Como estava linda! Sentia que ela olhava para ele, talvez se questionando. Só esperava que entendesse o sentido da música. Foi feita para ela. Eram os sentimentos dele.

Claro que Fred tinha ajudado. Afinal, o amigo também estava passando por uma barra, e, dali de cima, podia perceber muito bem o jeito que ele dançava, tentando se afastar de Guiga e de seu par.

Me ajuda a esquecer
Me ajuda a te esquecer
Não sei de verdade o que fazer
Então me ajude a te esquecer, baby
Me ajude a esquecer você

Daniel sentia sua música fluir pela plateia. Os casais apaixonados acabavam se beijando, ou então as pessoas ficavam se olhando e rindo. Era bonito ver tudo isso. Mas, ao reparar em Fred cantando a música, rezou para que ninguém percebesse que só ele sabia a letra.

Albert chegou à mesa, entregando um copo de refrigerante para Amanda. Ela tinha certeza que a demora era porque ele estava batizando tudo com álcool.

– Está gostando da banda? – ele perguntou.

Ela fez que sim.

– Muito... Essa música, essa letra. É tão... verdadeira.

– É, o cara que escreveu é bom – Albert se sentou. – Quem será que são? Não me parecem familiares.

– Não mesmo – Amanda concordou, apesar de achar, sim, aqueles garotos familiares, mas sem saber ao certo de onde os conhecia... Podia ser de algum filme de terror, alguma referência.

Quando a última nota da música foi tocada, ela e todo o salão aplaudiram. Os músicos se curvaram, agradecendo. Amanda ficou observando o guitarrista do meio, que passou quase toda a música olhando na sua direção, e ela percebeu. Quem quer que fosse, parecia estar cantando para ela, e isso não a fez se sentir bem. O que era estranho, porque Amanda estava acostumada a ter toda a atenção. Mas agora isso parecia diferente.

– Eu adorei! – Carol gritou para Guiga. A amiga estava rindo.

Os rapazes já haviam tirado as gravatas, enquanto as meninas conversavam no intervalo das músicas.

– Muito misterioso!

– Adoro esses mistérios! – Anna falou alto. – Estou quase subindo e agarrando um deles.

– E eu quebro ele depois – Michel disse irônico.

Anna rolou os olhos.

– Cadê a Amanda? Não quis vir dançar? – Guiga perguntou.

Maya olhou para mesa, vendo Albert e Amanda parados, sem conversar, apenas olhando para as pessoas.

– Ela deve estar cansada – Anna disse, sabendo que era mais do que isso.

– Perdeu. A música foi linda, re-al-men-te – Carol destacou cada sílaba do final da frase.

Fred passou por elas.

– Fala perdedor – JP provocou.

Ele virou-se para a rodinha e deu um sorriso debochado.

– Veja se não é a roda dos sem cérebro! Como vão? Espero que tenham gostado! – respondeu.

– Quer ver quem tem cérebro aqui, moleque? – Roberto perguntou grosseiro.

Fred riu.

– Desculpe se eu não resolvo as coisas no braço – ele disse se afastando –, mas se quiserem conversar, estarei disposto. De outra forma, boa noite e tenham um resto de festa agradável – se abaixou em uma reverência exagerada.

A zombaria fez Guiga rir alto sem querer. Fred percebeu e piscou para ela, sem que os outros vissem, deixando-a desconcertada e pensando por que ele tinha que parecer tão charmoso?

– Vou ver a Mandy – saiu apressadamente e sentou-se na mesa com Albert e a amiga.

– Parece que Fred andou arrumando encrenca – Amanda riu.

– Ele é um imbecil.

– Achei que você tinha dito que era bonito!

– Bonito, porém imbecil – Guiga rebateu rolando os olhos.

Amanda balançou a cabeça, concordando. Olhou para o palco quando os quatro garotos subiram novamente e começaram a tocar *You've Got a Friend*, um *cover* famoso de James Taylor. Guiga segurou na mão dela e Amanda voltou seu olhar para o chão. Sentia-se culpada por sentir o que sentia. Não queria perder a amizade de Guiga por nada no mundo. Nem por Daniel Marques.

Daniel desceu do palco após a última música, sentindo-se um pouco melhor. Não era satisfação por ter visto Amanda sozinha durante quase toda a festa, com a expressão triste, mas sim porque achou que ela prestara atenção no que ele quis lhe dizer, mesmo sem saber quem ele era.

– Ela está triste – disse a Bruno. – Ela... ela não está bem.

– Claro que não, ela está com um dos imbecis – Rafael deu de ombros.

– Eu vou tentar falar com ela – Bruno emendou. – Não se preocupe. Vou descobrir o que tá acontecendo.

– Ah, faça isso! Não consigo vê-la triste! Ah, caramba... Queria tanto poder fazer alguma coisa... – Daniel coçou a cabeça.

– Você já está fazendo, meu amigo. Você ama essa garota. É a melhor coisa que uma pessoa pode fazer pela outra – Caio encostou a mão em seu ombro, e ele sorriu.

– Mas não adianta nada se ela não souber disso.

– Existe a técnica do livro *O segredo*... – Rafael sugeriu baixinho fazendo Caio rir.

– Acho que ela não é burra, Marques – Bruno também riu. – Ela talvez esteja com medo.

– Não, ela não gosta de mim, e tenho de aceitar esse fato pra viver melhor. Cara, dois anos! Eu suportei muito até aqui, posso suportar mais – ele concluiu.

– Eu queria saber fazer isso – Caio disse enquanto saíam do baile pela porta dos fundos do ginásio, em direção à minivan de sua mãe. Não podiam ter ido no conversível do Bruno, pois alguém poderia ver e reconhecê-los. Sem falar que a bateria não cabia no carro velho dele. Caio teve de prometer lavar a louça pelos próximos três meses para convencer sua mãe a emprestar o dela. Pelo menos, tinha valido a pena.

– Saber fazer o quê? Amaaaaar alguém? – Rafael perguntou com uma voz brega romântica.

– Não... suportar essa situação. Não consigo.

– Talvez porque você não ame alguém... – Bruno deu de ombros, ligando o carro.

Caio olhou para os pés e se virou para encarar a escola ao longe.

– É... talvez – ele disse, visivelmente chateado.

Entraram no carro e foram todos para casa de Bruno terminar a noite com pizza e *playstation*.

sete

Amanda voltou para casa um pouco perturbada e, ao chegar, tirou o vestido de festa, jogando-o em cima da poltrona de tecido floral que decorava o quarto. Vestiu seu pijama, sentou na cama e abraçou o urso rosa de pelúcia que Bruno tinha lhe dado quando eram crianças. Estava caolho e encardido, mas ainda era fofo. Encarou o espelho em cima da penteadeira e percebeu quanto parecia doente. Por que isso estava acontecendo assim? Por que tudo era tão difícil? E logo agora! Sentimentos eram coisas tão incoerentes quando queriam ser.

Olhou para as suas fotos no quadro de metal pendurado na parede. Tinha uma com suas amigas na praia. Sorriu. Eram todas tão lindas e felizes! Ela não queria estragar isso. Não queria abafar o que sentia, mas começava a ficar inevitável. Desde que suas amigas inventaram que tinham que se reaproximar dos tais marotos por causa de Carol e Bruno, ela tinha começado a definhar de novo. Aquele amor juvenil de dois anos atrás? Tinha voltado, e ela não sabia explicar nem por que e nem como.

Tinha uma foto de toda turma da escola do ano passado. Encarou a si mesma sentada ao lado de Guiga e, mais acima, Bruno, Daniel e Caio. Rafael não era da sala deles, e Fred... bem, ele era um ano mais velho e, com certeza, não teria motivos para estar naquela foto. Viu que, por mais engraçado que fosse, Daniel saíra olhando para ela. Na foto escolar! Ele olhava para baixo, mas não, não era para Guiga ao seu lado. Era para ela, e Amanda sabia muito bem. Riu da situação, e também porque Bruno sorria que nem um imbecil enquanto Caio se aprumava. Claro que era porque Anna estava ao seu lado com cara de quem não gostaria de estar ali.

Reparou no rosto de Daniel mais uma vez e notou que ele não estava feliz como os outros aparentavam. Nem de longe ele parecia que poderia sorrir verdadeiramente. Ela ficou triste. Sua garganta deu um nó, e ela sentiu a boca seca. Respirou fundo. Sabia que Daniel sentia algo por ela, mas não podia fazer nada. Nada!

Foi quando percebeu. Levantou da cama e andou em direção à foto, cobrindo a boca com as mãos e sentindo um aperto no peito. Ela gostava de Daniel. Realmente, estava perdida.

Bruno entrou em casa rindo com os três amigos. Fred tinha ficado de ir para lá depois que muitos fossem embora, para não levantar suspeitas. A casa de Bruno era aconchegante; o primeiro andar tinha uma sala pequena, com sofás beges e uma TV grande de plasma, a escada para o segundo andar, uma porta para o lavabo e outra para a cozinha. As paredes eram todas brancas, mas precisavam ser pintadas novamente. Os pais de Bruno se mudaram definitivamente para a capital quando ele fez 15 anos e entrou para o ensino médio. Lá, seu pai poderia trabalhar sem ter de voltar aos finais de semana para Alta Granada. Sua mãe nunca trabalhou, mas decidiu ir junto para cuidar do marido, pois o filho já estava bem crescidinho e educado. Raramente voltavam para casa. Uma vez por semana, a faxineira aparecia para limpar e arrumar tudo e fazer alguma comida saudável para o garoto. Bruno pouco se importava, claro. Acostumou-se com a maneira como seus pais eram desapegados. Vendo Rafael ir para a cozinha em busca de algum lanchinho e Caio entrar no banheiro, ele se virou para Daniel.

– Cara – ele tocou em seu ombro –, você precisa fazer alguma coisa. Não vou simplesmente falar com a Amanda e resolver tudo.

– Preciso, é? – Daniel olhou para ele intimidado, porque a maquiagem tinha deixado Bruno pálido e assustador. – Olha pra sua cara! Claro, além dessa maquiagem horrível, você parece doente.

– Isso é normal, Torres! – respondeu irritado, chamando o amigo pelo sobrenome.

– Não, não é. E sabe de uma coisa? Isso foi longe demais! Essas garotas têm que aprender a dar valor às coisas. Não é porque elas podem mais do que querem, que devem esnobar os outros! Pelo amor de Deus, isso é ridículo!

– Você diz isso mais por você mesmo e pela Carol – Daniel deu de ombros, mas Bruno riu nervoso.

– Nunca mais repita isso. Estou falando sobre você e o Caio.

– Pare de se preocupar conosco, meu amigo, e cuide-se também. A gente te conhece, e você nunca foi tão amargo na vida.

– Sempre fui assim e não ouse me desmentir – Bruno ameaçou, meio irônico.

O telefone tocou na mesinha de madeira ao lado do sofá. Ele se virou para atender.

– Bruno? – Amanda disse chorando, assustando o garoto, que nunca tinha visto a amiga chorar daquele jeito pelo telefone.

– Mandy? – ele falou em voz alta, o que fez Daniel arregalar os olhos – O que foi? O que aconteceu com você? Quem lhe fez isso? – ele perguntou rapidamente, enquanto ela soluçava.

– Eu... eu não me sinto bem – disse entre soluços, chorando sem parar. Ela confiava em Bruno e, apesar de tudo, sabia que ele não iria rir dela nem nada. Era seu melhor amigo.

– Não se sente bem, é? Por quê? Me fala quem te fez isso que eu mato o desgraçado... – ele disse apertando os punhos.

Daniel ficou preocupado. Caio saiu do banheiro com o rosto limpo e ficou encarando a cena

– Amanda? Você tá aí?

– E-e-eu... eu... ai, Bruno, isso é injusto! – ela disse quase gritando. Gemia de tanto chorar.

Bruno começou a sentir as lágrimas se formando em seus olhos. Os amigos, ao seu lado, estavam ficando mais assustados.

– Querida, preste atenção. Pare de chorar, por favor. Por favor... – ele repetiu, apertando os olhos. Lágrimas desceram pelo seu rosto. – Olha só, você me espera? Eu vou praí agora mesmo...

– Você não precisa se incomodar, eu só queria...

– Você não me incomoda, Mandy. Espere, ok? – ele olhou para as suas roupas – Eu vou... trocar... o pijama e vou praí.

– Ai, eu te acordei, não acordei? Desculpa! – ela choramingou.

– Não, não me acordou de maneira nenhuma. Os meninos estão aqui, eles estavam comigo e...

– Eles... eles estão aí? – ela arregalou os olhos. – Não precisa se incomodar comigo – ela parou de chorar. Soluçava, mas não queria que Bruno deixasse Daniel perceber alguma coisa.

– Já era, estou indo praí – ele desligou o telefone e olhou para os amigos: – Céus, o que foi isso?

– Como ela está? O que está acontecendo, quem fez o quê? – Daniel bombardeou-o com perguntas.

Bruno balançou a cabeça.

– Pelo visto, ninguém fez nada, ela não está se sentindo bem... Disse que alguma coisa é injusta – ele deu de ombros, indo para o banheiro. –

Preciso ir pra lá urgente. Alguém me leva? Não posso dirigir nesse estado – ele abriu os braços e mostrou a mão, que estava tremendo.

Sempre é difícil ver ou ouvir alguém que você gosta sofrendo. Principalmente sua melhor amiga, a pessoa que ele protegia desde que se entendia por gente. Caio e Daniel concordaram e foram mudar de roupa rapidamente. O que quer que tenha acontecido, por menor que fosse, eles sabiam que Bruno se preocupava demais. E Daniel estava se sentindo da mesma forma.

– Se aquele imbecil fez algo com ela, eu o mato com minhas próprias mãos – Daniel disse ao volante.

Bruno sentou ao lado e Caio foi atrás. Rafael ficara em casa, esperando por Fred.

– Não se eu fizer primeiro – Bruno sorriu.

– Que injustiça! – Daniel bateu com os punhos no volante.

Caio olhou preocupado.

– O que é injustiça?

– Eu queria poder ajudar – afirmou Daniel.

– Não sei o que aconteceu com ela nem você, portanto... – Bruno olhou para fora, quando passaram pela rua onde moravam Carol e Anna.

Bruno e Caio ficaram observando as casas. Daniel apontou para porta da casa de Carol, onde ela se despedia de um rapaz mais alto com um beijo. E Bruno abriu a boca.

– Que absurdo! Que gente sem pudor...

– É isso aí, Madre Teresa – Daniel falou baixo.

Caio riu.

– Esquece, cara – balançou a cabeça.

Daniel virou na esquina, chegando à rua de Amanda, e estacionou em frente à casa. Bruno pulou fora do carro, apressado e ansioso.

– Se for demorar aviso, e aí vocês podem ir embora – ele caminhou em direção à porta dela.

Daniel e Caio saíram e se encostaram no carro, de frente para a casa, olhando o amigo apertar a campainha. Amanda atendeu. Ainda estava chorosa, de pijama, e segurava o urso que Bruno tinha lhe dado quando eram pequenos. Bruno sorriu para ela, que fez o mesmo, olhou para os dois garotos na calçada e acenou. Daniel e Caio imitaram, prontamente. Depois, Daniel virou de costas e apoiou a cabeça na capota do carro que estava levantada.

Amanda virou-se para Bruno.

– Não precisava ter vindo, você sabe como sou exagerada – ela abraçou o amigo, sentindo-se instantaneamente melhor. O perfume de Bruno era um calmante, e sempre foi desse jeito.

– Sei também, há mais de dez anos, que sempre que você me liga é pra eu vir aqui – ele passou a mão no cabelo dela. – E então? Vai me contar por que está nesse desespero todo?

– Entra... Os meninos querem entrar também? Quero dizer, meus pais não estão em casa e está muito frio aqui fora... – ela disse constrangida.

Bruno olhou para Caio e Daniel e riu. Talvez, fosse uma boa ideia.

– Hey, vocês dois! – ele gritou, quando Amanda entrou em casa.

– Algum problema? – Caio perguntou chegando perto dele. Daniel continuou apoiado no carro.

– Querem entrar? Está frio aqui.

Amanda estava perto da escada, mas conseguia ouvir os dois na porta.

– Acho melhor não, Danny não está se sentindo bem de estar aqui... Você entende... Acho que ele não iria querer entrar – Caio respondeu.

Bruno fez um barulho estranho com a boca e concordou.

– Claro... tudo bem. Eu não demoro – fechou a porta, vendo Caio enfiar as mãos no bolso do casaco e voltar para o carro, onde Daniel continuava encostado com a testa no teto do veículo. Bruno se virou para Amanda, que estava sentada no degrau da escada. Ela parecia uma garotinha assustada.

– Ele não quis vir, né?

– Não. Você sabe muito bem...

– Eu queria poder fazer alguma coisa – disse rapidamente, sentindo algo na garganta, quando Bruno se sentou ao lado dela.

– E não pode? – ele perguntou.

Amanda ficou com os olhos cheios de lágrimas e desabafou.

– Não, não posso. Isso não podia estar acontecendo! Daniel tinha que... sumir, sei lá.

Bruno limpou a lágrima que escorreu pela bochecha dela e sorriu.

– Ele não vai sumir. Nem os sentimentos dele. Você sabe bem como ele é idiota...

– Ele não cansa, não? Seria tão mais fácil pra mim, Bruno! Aceitar que é definitivamente pra eu esquecer e...

– Essa história toda da sua amiga é ridícula! Se é mesmo sua amiga, ela vai entender...

– Bruno, não! Eu não posso!

– Ok, então. É por isso que você está mal? – perguntou passando as mãos nos cabelos dela. Ele mesmo estava com um brilho diferente nos olhos.

– Eu estou mal porque eu não sei o que fazer e, quando não sei o que fazer, eu choro.

– E me chama...

Amanda esboçou um sorriso.

– Obrigada – ela abraçou o amigo e ficaram assim por um tempo.

Ouviram uma buzina. Bruno olhou para Amanda, achando estranho, e abriu a porta da casa. Caio saiu do carro e aproximou-se.

– Daniel... saiu andando e disse que ia para casa, Bruno. Você vai ficar aqui? Eu preciso ir atrás dele, ele não me pareceu bem – Caio gritou.

Bruno olhou para Amanda, que escondeu o rosto nas mãos e se culpou.

– Olha o que eu fiz...

– Não foi você. Eu...

– Vá atrás dele, Bruno. Amanhã a gente se fala!

– Vai ficar bem? Qualquer coisa me liga e, por favor, nunca mais chore daquele jeito porque você acaba comigo – ele abraçou a garota ternamente. Ela sorriu.

– Desculpa, mas eu não sabia mais pra quem ligar.

– Certo... Até mais, então.

– Até e... mande... oi pros meninos. Agradeça por eles terem vindo aqui – ela disse sem graça.

– Duvido que Daniel me escute – Bruno acenou e fechou a porta, correndo para o carro.

Amanda espiou pela janela e percebeu a expressão preocupada de Caio. Sentia culpa por fazer Daniel passar por tudo aquilo. E por mais que tentasse fingir que não se importava, era a coisa mais importante para ela naquele momento.

– Amanda se divertiu muito com Albert hoje – Carol comentou, abraçada com JP na porta de sua casa, quando Daniel passava pela rua escura, e ouviu. Ele olhou para o casal e continuou caminhando lentamente com as mãos no bolso do jeans velho.

– Você sabe como Albert se sente em relação a ela... Falta só pedi-la em casamento – JP sorriu, beijando Carol de leve.

– É, eu sei. Eu acho que a Amanda gosta dele também – ela respondeu.

Daniel chutou uma lata à sua frente, e os dois viraram-se para ele.

– Boa noite, perdedor. Vai assaltar alguma casa? – JP provocou.

– Esqueci que você não mora nessa rua – zombou

– Garoto esquisito... Fica andando a essa hora sozinho e a pé. Eu não sei o que esse pessoal tem na cabeça.

– Querem chamar atenção – Carol disse, observando Daniel pelo canto do olho, que continuava chutando a latinha, andando devagar. Voltou-se para JP: – Mas, então, estávamos falando que Amanda gosta do Albert – falou um pouco mais alto para o garoto ouvir. Daniel deu um bico na latinha com mais de força, e Carol se sentiu vitoriosa.

– Ele disse altas coisas sobre ela... E quer repetir o que aconteceu nesta noite...– JP piscou para Carol.

– Tá falando sério? Os dois... Eles? – ela perguntou sem terminar a frase.

– Fizeram tudo que tinham direito, e Albert contou nos mínimos detalhes.

Daniel parou de andar, deu meia-volta olhando para trás. Não estava mais tão perto, mas ainda podia ouvi-los.

– Que absurdo! – Carol gargalhou. – Vocês não deviam ter esse tipo de conversa.

– Sabe como é... Uns homens se gabam por pichar a escola, outros se gabam por dormirem com mulheres bonitas. Nós, definitivamente, estamos no segundo grupo – ele olhou de longe para Daniel e riu.

– Isso é ridículo! – Carol balançou a cabeça, vendo que Daniel sentara na calçada com as mãos no rosto.

Ele não sabia mais o que fazer, estava ficando cada vez mais irritado com a situação, e muito mais triste com tudo isso. E João Pedro não ajudava em nada, dizendo que a garota que ele amava tinha... se entregado dessa forma para um troglodita que só queria saber disso mesmo. Era um absurdo!

Eles ouviram o barulho de pneu cantando e viram o carro de Bruno virar na esquina, com Caio ao volante. Estavam muito rápido e pararam abruptamente ao lado de Daniel.

– Você tem problemas? – Bruno desceu do carro gritando. Olhou para mais algumas casas acima e seu olhar cruzou com o de Carol. Ambos fizeram cara de desprezo.

– Eu não podia ficar lá... não dava – Daniel levantou-se.

– Mas precisava sair andando assim? – Bruno continuava falando alto, raivoso.

– Vamos? – Caio desceu do carro e encostou no ombro de Daniel. – O que você faz parado perto da casa desses imbecis?

Carol olhou para eles com desdém, e JP, soltando a menina, encarou os três rivais.

– Quem é que você está chamando de imbecil?

– Ah, você tá aí? – Bruno se virou para Daniel. – Bom, Danny, dessa vez você exagerou. Parar perto de uma imbecil e de um idiota? Vamos.

Carol apenas abaixou a cabeça, mas JP não se calou.

– Seu amiguinho queria ouvir nosso papo, se você não sabe. Veio aqui saber que o amor da vida dele preferiu se entregar pro meu amigo idiota e não pra ele. Quem é o perdedor aqui?

– Cala a boca – Daniel retrucou, furioso.

JP riu, mas Carol tentou fazer ele se conter. Aquilo tinha ido longe demais. Era para ser só uma brincadeira no fim das contas.

– Você quer que eu cale a boca ou explique com todos os detalhes como foi a noite deles? Como ela gritava apaixonada pelo Albert e... – JP começou a interpretar a situação com gestos, enquanto Daniel inchava de raiva.

– Para com isso! – Carol deu-lhe um tapa e viu Bruno segurar o braço de Daniel, que se debatia furioso.

– Que direito você tem de me bater? – JP espumou de raiva e a empurrou para longe.

A garota bateu as costas com força no portão e ficou parada sem saber o que fazer. Bruno soltou Daniel e partiu para cima de João Pedro.

– Seu cretino! – ele berrou e deu um soco no rosto do rapaz.

Carol tapou a boca com as mãos, abafando um grito. Daniel e Caio correram até Bruno. Cheio de raiva e com os lábios sangrando, JP tentou esmurrar Bruno, que desviou, e acabou socando Daniel na maçã do rosto. Caio puxou Bruno para o lado enquanto via Daniel cair no chão. Carol pegou JP pelo braço.

– Vá embora daqui, JP... – ela pediu.

O garoto limpou o sangue da boca e encarou os três. Daniel estava no chão e Caio tentava ajudá-lo a se levantar. Bruno permanecia com o punho cerrado. Carol empurrou João Pedro até o carro dele e só voltou para perto dos outros garotos quando o viu dobrar a esquina.

– Ai, céus, me perdoem... – ela disse humildemente. Afastou Bruno, com uma das mãos, para chegar até Daniel, ajoelhou-se e examinou o machucado dele. – Você precisa de gelo, de um curativo...

– Não precisa ajudar, podemos cuidar dele – Bruno levantou Daniel, segurando-o pelo braço, com ajuda de Caio, mas o garoto gemeu.

– Ah, claro, você vai acabar machucando-o ainda mais – Carol disse. – Meus pais estão em casa... Seria impossível. E a Anna foi dormir na Guiga! Vamos pra casa da Amanda, aqui do lado. Ela pode ajudar com um curativo.

– Não – Daniel ficou em pé – Eu estou bem – Seu rosto ficara cortado e estava sangrando.

– Você não está nada bem, e eu tenho certeza de que não vai a um hospital.

– E quem se importa? Você? – Bruno encarou Carol. – Convenhamos... tudo isso é sua culpa.

– Minha culpa? Eu não tenho culpa se JP gosta de contar vantagem, e Daniel ficou aqui pra ouvir.

– É culpa sua, sim, já que você tem que ficar acompanhada desses... imbecis lunáticos, que só pensam em sexo e popularidade! Fútil! Isso é coisa de gente fútil. – Bruno criticou, virando-se e indo para o carro.

– Obrigado por tentar ajudar, mas ele vai ficar bem – Caio disse sinceramente, ao ver que Carol estava mordendo os lábios.

– Você têm certeza... Daniel? – Carol encostou no ombro dele – Olha, não gosto de você. Você não gosta de mim. Eu sei que você tem um problema com a Amanda... Mas isso é sério; sua bochecha está rasgada e você precisa de algum cuidado. Não custa nada ir até lá, sabe? Não vai te fazer mais mal.

– Eu – Daniel olhou para os amigos – não sei... Acho melhor não...

– Cinco minutos? A gente limpa isso e põe gelo. Aí você vai pra casa e se cuida sozinho. Não me deixe ficar com esse peso na consciência.

– Que consciência? – Bruno riu alto.

– Por favor – Carol o ignorou, e implorou.

O garoto abaixou a cabeça e sentiu como o rosto estava doendo. Gemeu alto e pediu o apoio de Caio para se manter em pé, porque sua visão estava embaçada.

– Tudo bem, eu não sei se quatro homens poderiam arrumar isso – Daniel disse, deixando Bruno abismado e Carol sorridente.

– Bruno, vamos com seu carro – Caio começou a andar, rindo e ajudando Daniel.

Carol seguiu o trio e ficou na parte de trás do conversível com o garoto, sem falar nenhuma palavra. Não sabia por que estava agindo assim, mas sentia que era o melhor a ser feito. Ajudar alguém que desprezava. Essa era boa!

oito

Carol bateu na porta da casa de Amanda. Bruno estava atrás dela com os braços cruzados, parecendo furioso, e Caio ajudava Daniel a ficar em pé. O rosto do garoto latejava, e ele só gemia porque não conseguia falar direito nem abrir o olho esquerdo. Carol olhou para eles e bateu na porta de novo.

Amanda atendeu e, ainda de pijama, tentou entender aquela cena. Os cabelos estavam em um rabo malfeito e descuidado. Seu coração quase saltou pela boca quando viu sangue no rosto de Daniel.

– Meu Deus, o que houve?

Ela largou a porta, avançando na direção dele. O garoto, surpreso com a reação, deu um passo para trás e, se não fosse amparado por Caio, teria caído. O olhar da menina, em ziguezague, foi de Bruno para Carol e depois para Caio, querendo saber o que aconteceu.

– Podemos entrar, amiga? – Carol perguntou. – Eu te explico tudo.

– Claro! Meus pais foram passar o fim de semana fora, não tem problema vocês estarem aqui a essa hora. Pelo visto, vocês precisam de ajuda!

– Não aconteceu nada – Bruno disse rapidamente assim que fechou a porta.

Amanda fez Daniel se sentar em uma poltrona e correu até a cozinha para pegar um pano, bacia com água e gelo. Caio e Carol ficaram no sofá.

– Apenas acabamos brigando com um dos imbecis, que não cansou de provocá-lo, e ele errou o alvo e bateu no Daniel – Bruno lançou um olhar para Carol, que balançou a cabeça.

– Foi uma briga infeliz, Mandy. Com o João Pedro – Caio explicou.

– Mas então o... Daniel não fez nada? Apanhou de graça do JP? – Amanda perguntou, voltando à sala.

Ela vestia um short muito curto e uma blusa larga branca como pijama, mas não ligava para isso. Estava mais preocupada com a situação do rosto do garoto do que com seu estado de beleza. Agachou-se na frente de Daniel, percebendo seu olhar em cima dela.

– Bruno é quem foi grosso – Carol entregou.

– Como sempre – ele próprio enfatizou.

– O que vocês estavam fazendo lá, pelo amor de Deus? – Amanda indagou.

Ela torceu o pano na água da bacia e ficou passando devagar no rosto de Daniel. Ele fechou os olhos, franzindo a testa, mas sentindo um carinho que aliviava a dor. Amanda olhava admirada, limpando lentamente o sangue coagulado das bochechas e da boca de Daniel, que reparou no brilho dos olhos dela.

– Daniel, como você sabe, saiu andando e estava apenas passando pela rua – Caio comentou. – Nada mais que isso.

– Hum... – Amanda murmurou, sem condições de dizer nada.

Hipnotizada pelo menino, ela limpava o sangue, delicadamente, fazendo com que a boca dele se abrisse e fechasse, enquanto os lábios se moviam de uma forma que a deixou sem reação. Depois de piscar fortemente, seguidas vezes, olhou para Caio e retomou a conversa.

– Isso ia acontecer uma hora ou outra.

– Era para o Bruno ter apanhado, e não o Daniel – Carol disse, nervosa, olhando de um para o outro. – Mesmo que... mesmo que injustamente.

– Injustamente? – Amanda repetiu, virando-se para Bruno, que deu de ombros, irônico.

– Esse sou eu, totalmente injustiçado pelas pessoas – falou com um riso forçado, olhando para Carol, que evitou encará-lo, enquanto Caio balançava a cabeça.

– JP provocou o Daniel, a Carol reagiu defendendo o Daniel – Caio contou, enquanto Amanda se virou para o garoto machucado novamente, limpando o sangue do corte. – JP reagiu, brigando com a Carol e o Bruno deu uma de machão, querendo brigar com JP. Pronto, esclarecido.

– Então Daniel apanhou porque Bruno defendeu a Carol? Ótimo... – Amanda concluiu. Daniel arqueou a sobrancelha com dificuldade e gemeu depois – Não que seja ótimo você ter apanhado, mas Bruno teve coração com outra pessoa novamente, e não foi comigo...

Daniel não podia acreditar na sorte de estar tão perto dela. Bruno, por sua vez, bufou.

– Ele é um cretino! Como pôde empurrar uma garota daquela forma? Não tem ninguém que não ficaria puto com uma situação dessa – Bruno se defendeu furioso.

– Pelo menos você bateu nele? – Amanda perguntou-lhe, deixando o pano na bacia e pegando o gelo.

– A boca dele não está mais bonita que a bochecha do nosso amigo – Bruno afirmou com satisfação.

– Ótimo – Amanda vibrou.

– Isso é ridículo... – Carol resmungou, bufando.

Caio se levantou para perguntar onde poderia beber água. Amanda, após apontar para a porta da cozinha, colocou o saco de gelo no rosto de Daniel e pressionou, fazendo o garoto se contorcer, e até ela mesma fez cara de dor por causa do sofrimento dele. Com todos ali na sala, Carol não gostou de ver que Bruno agora estava praticamente ao seu lado.

– Desculpe-me... Marques. Isso vai inchar muito amanhã, mas agradeça que não tenha sido bem pior.

– Vou lembrar de agradecer o troglodita na segunda-feira, por isso – ele falou com certa dificuldade, fazendo Amanda sorrir.

– E não seja tão sarcástico, estou tentando ajudar.

– Obrigado – ele agradeceu baixinho, mirando bem nos olhos dela.

Amanda ficou hipnotizada por uns segundos até se dar conta de que precisava fazer alguma coisa e se levantou.

– Podemos ir, certo? – Bruno também ficou de pé rapidamente, ouvindo Carol respirar fundo.

– Se vocês quiserem – Amanda disse recolhendo a bacia –, podem ficar por aqui também...

– Fred e Rafael estão lá em casa. Você sabe que não posso deixar os dois sozinhos por muito tempo ou vou ficar sem moradia – Bruno beijou a amiga na testa.

Daniel conseguiu se levantar e seguiu Bruno e Caio em direção à porta, tentando manter o equilíbrio.

– Obrigado por ajudarem de alguma forma – Caio agradeceu às duas meninas. – Foi algo que eu realmente nunca imaginei que as patricinhas de Beverly Hills poderiam fazer.

– Muito engraçado – Carol disse, rindo de verdade, e abraçou Amanda. – Não somos tão ruins quanto aparentamos.

– Quer sua carona pra casa ou não? – Bruno perguntou rispidamente, e Carol seguiu os três.

– Até amanhã, amiga – ela se despediu.

Amanda encostou-se no batente da porta ouvindo Caio dizer para Daniel que, se ele fosse o Goku de *Dragonball*, o João Pedro teria sido destruído. Daniel riu alto e depois gemeu, pois sua bochecha estava ardendo.

– Fred vai ficar furioso porque não estava aqui – Caio não parava de falar. – Ele ia querer ter apanhado no seu lugar.

Daniel tentava não sorrir de novo, enquanto Carol e Bruno apenas bufavam. Amanda, de longe, balançava a cabeça

– Rafael provavelmente teria saído correndo gritando como uma menina, o que poderia ter resolvido a situação, mas...

Eles ainda conversavam quando Bruno arrancou com o carro e Amanda voltou para dentro de casa, finalmente sorrindo de verdade naquela noite, mas sentindo uma pontada no coração, sentimento ainda estranho para ela.

– Jesus Cristo e os doze apóstolos, o que é isso? – Fred gritou, com uma voz fina, quando viu Daniel arrebentado entrando em casa com os dois amigos. Rafael desceu as escadas correndo ao ouvir o grito.

– Eita, a Amanda bateu nele?

– Quem dera fosse – Caio riu e virou alvo de Daniel, que lhe mandou o dedo médio.

– Se não foi a Amanda, então foi o namorado dela?

– Ela não tem namorado – Daniel retrucou indo para cozinha.

– João Pedro sem cérebro estava falando besteiras sobre a Amanda e o tal do Albert, o que deixou Daniel puto. Enfim, Carol ficou puta primeiro e brigou com ele e... – Bruno parou a frase no meio e franziu a testa.

– E Bruno resolveu defender a Carol e bateu em JP – Caio continuou, tirando o casaco que jogou em qualquer lugar.

– Sério, cara? Gostei – Fred tirou onda.

– Não foi bem assim, não. O cara não pode sair empurrando garotas de graça, sabe? Podia ser Carol ou aquelas amigas nojentinhas ou qualquer uma. São garotas, cara.

– Mas foi a Carol, né – Rafael ironizou. – Boa, cara.

Ele bateu nas costas do Bruno, que bufou, seguindo para cozinha também.

– E então? – Fred cobrava detalhes.

– JP bateu em Daniel sem querer e, acreditem ou não, fomos pra casa da Amanda – Caio explicou.

– Ahhh, eu queria ter ido! Tinha garotas lá? – Rafael perguntou.

– Amanda e Carol só. Enfim... Amanda cuidou de Daniel, limpou o machucado e botou o gelo.

– Ela falou com ele? Que avanço! – Fred riu.

– Foram simpáticas, mais do que imaginei que podiam ser, sabe? – Caio caminhou para a cozinha, seguido pelos dois. Daniel estava sentado com a testa encostada na mesa, a bolsa de gelo ainda no rosto. Bruno bebia uma cerveja.

– O que o mauricinho falava da garota pra você ficar puto, Marques? Foi tão sério assim? – Fred sentou-se do outro lado da mesa, vendo Daniel esticar o dedão, concordando.

– Estava... se... gabando – Caio se sentou também. – Foi ridículo. Se gabou pelo amigo que... disse que tinha dormido com ela.

– Grandes coisas – Rafael deu de ombros. Daniel trocou o polegar da concordância pelo médio de xingamento.

– E você ficou irritado por que o cara dormiu com a Amanda? – Fred perguntou, mas Daniel não respondeu nada e só olhou para os amigos. – Isso é sério.

– A gente sabe – Caio riu. – E por sinal, você não ficou feliz de ver a Guiga com o Roberto?

– Caraca! – Fred reclamou. – Que ridículo! Ela prefere aquela besta sem escrúpulos em vez de um cara digno como eu!

– Você perguntou isso pra ela? – Bruno pontuou, com Fred negando fervorosamente.

– Claro que não.

– Então, como você sabe o que ela prefere?

– Porque garotas como ela não estão preocupadas com dignidade – Daniel disse lentamente, ainda com o rosto na mesa. – Se os caras têm massa física e não encefálica, melhor ainda. Elas podem dominar eles.

– Faz sentido – Rafael concordou, com ar sonhador.

– Não acho que todas sejam assim – Caio discordou, levantando-se e pegando um copo de água. – Na festa, dali de cima dava pra ver quase todo mundo. Anna não me parecia feliz com aquele troglodita. E nem Maya – ele olhou para Rafael.

– Que eu-eu tenho com i-isso? – ele gaguejou.

– E nem Amanda – Fred completou.

– Isso não importa – Daniel, enfim, tirou o rosto da mesa e ficou de pé. – É com ele que ela está e eu não tenho nada com isso. Desculpem-me rapazes... vou dormir.

– Não antes de eu elogiar vocês pelo belíssimo show! Foi fantástico, todo mundo adorou a banda e ninguém chegou nem perto de descobrir que eram vocês! Chutaram até que era um grupo internacionalmente famoso – Fred exaltou, fazendo todos sorrirem.

– Gostaram mesmo? – Bruno perguntou, meio desconfiado.

– Tudo bem que *Pinball Wizard* e *You've Got a Friend* são músicas conhecidas, que o pessoal sabia cantar. Mas a música de vocês fez sucesso total! – Fred reforçou. – O diretor veio elogiar e disse que, no sábado que vem, vocês vão tocar novamente.

– Vamos? – Caio olhou para a turma.

– Se a máscara esconder isso – Daniel apontou para a bochecha –, é claro que vamos. Agora, boa-noite para todos, que a noite não foi boa pra mim – e saiu da cozinha.

– Achei mesmo que todo mundo tinha gostado da música.

Era Caio retomando o assunto e puxando uma cadeira, ao lado de Bruno, para se sentar. Os quatro passariam a noite rindo e discutindo sobre o show. Daniel já havia ido para o quarto de hóspedes onde sempre ficava quando vinha para casa de Bruno. Quando se deitou e olhou para o teto, ficou passando os dedos nos lábios. Fechou os olhos e adormeceu, cantando para si mesmo, não sem imaginar o que falaria para Amanda se ela lhe desse alguma chance.

nove

– Dezessete... dezesseis... – uma Amanda de 10 anos apertou os olhos encostados no braço fino e gelado que estava estendido na parede.

– Quinze – ela ouviu risadas atrás e, levemente, abriu o olho direito.
– Quatorze!

Ela bem sabia que era roubar e, normalmente, não faria isso. Mas, ali, as circunstâncias eram diferentes. Tinha aprendido nesses anos com seus amigos que, na brincadeira de pique-esconde, quem não fosse esperto sempre acabava contando.

– Treze, doze...

Amanda fechou o olho direito e abriu o esquerdo. Nada, tudo limpo. Será que eles tinham descido as escadas? A casa do Caio era muito grande, mas a regra também era bem clara: só vale no andar de cima

– Onze, dez...

Apurou os ouvidos para um barulho de passos logo atrás. Alguém estava se esgueirando, tentando fazer silêncio. Amanda riu. Vou pegar esse bocó assim que me virar, pensou satisfeita. Não era porque só tinha dez anos que Caio e Bruno iriam fazer dela uma idiota. Ela era esperta, afinal de contas.

– Nove, oito...

Amanda ainda sorria satisfeita, imaginando o instante em que apontaria seu dedo fino, branco e esquelético para cara de um dos dois. Ela iria rir a valer, e nunca mais seria chamada de "boba".

– Sete... seis... cinco...

Só faltavam quatro números, e ela ainda tinha impressão de que alguém prendia a respiração. Porcaria, pensou, deviam estar por perto!

– Quatro – ela se demorou de propósito. – Três. Dois.

Chegou a hora: eles vão se ver comigo.

– Um. Lá vou eu!

Amanda gritou, já sorrindo e se virando. Quase deu um encontrão com Bruno, que enfiou a mão, ao lado dela, direto na parede, tão rápido que só deu tempo de gritar.

– Pique um, dois, três. Bruno – ele disse sorridente, com aquela expressão presunçosa de quem tinha planejado isso por dias.

Amanda colocou as mãos na cintura e ia começar seu discurso, quando Caio apareceu no corredor e andou lentamente até eles. Olhou de Amanda para Bruno e para a parede.

– Pique um, dois, três... Caio! Mandy, tem certeza de que você ainda quer brincar disso? – ele falou com a maior naturalidade do mundo.

Amanda abriu a boca, parecendo mais furiosa e olhou para os dois amigos. Fez um barulho esquisito e saiu batendo o pé. Bruno ficou dando risadinhas, enquanto Caio olhava sem entender.

– O que você fez agora?

– Eu não fiz nada; por que sempre eu? – Bruno perguntou se fazendo de desentendido. – Os espertos não contam. Ela não foi esperta. Quer brincar de novo, Mandy? – ele gritou.

Em seguida, a porta do banheiro bateu com força. Bruno olhou para Caio e os dois riram baixinho.

Vinte minutos mais tarde, Amanda estava sentada no sofá marrom e aconchegante da casa do amigo menor, enquanto Bruno, de pé, imitava os passos de dança da Mary Poppins.

– Vamos pra praça? – Amanda sugeriu, tentando manter os olhos abertos.

O sono estava pesando. Caio olhou para a amiga, do outro lado do sofá.

– Você sabe bem que minha mãe não vai deixar; está ameaçando chover.

– Diga à sua mãe que você já é homem!

– Eu já fiz isso!

– Então, diga que arrumou uma namorada; você já tem dez anos!

Bruno se intrometeu no papo, sapateando no ritmo da música. Amanda aplaudiu.

– Acho que a Julia lá da sala te achou bonito! – ela disse, dando risinhos femininos, mas Caio pôs a língua pra fora.

– Eca – disse simplesmente –, vão vocês se quiserem, eu vou assistir *O rei leão*.

– Mas a gente viu ontem! – Bruno cruzou os braços, parando de dançar.

– Eu vou chamar a Anna pra ir dormir lá em casa com a Maya. Mamãe disse que eu posso levar amigos, mas estou cansada de vocês dois – Amanda se levantou do sofá, tropeçando no cadarço do tênis. – Farei novas amizades.

– Tanto faz – Bruno voltou à sua coreografia, enquanto Amanda ligava para sua mãe.

Pouco mais de dois anos depois, sentados no mesmo sofá marrom, Amanda lixava a unha, enquanto Bruno e uma nova figura disputavam um – não tão – emocionante jogo de Mortal Kombat. O garoto pequeno e magrinho, de cabelos claros e bagunçados, se chamava Rafael. Tinha se juntado naquele dia ao pequeno grupo de amigos, depois de levar seu bichinho de estimação para o colégio.

Caio entrou na sala com uma gaiola na mão, mostrando o enorme camaleão.

– Uau, ele comeu todas as moscas!

– É o que ele come, Andrade! – Amanda riu, olhando para o animal – Ele é lindo.

– Eu bem queria poder ter um – Caio falou com certo desgosto e, ao ouvir o barulho de carro estacionando, arregalou os olhos. – E vou morrer se mamãe vir esse bicho perto de mim!

– O quê? – Bruno pausou o jogo, fazendo Rafael gritar, e olhou para Caio – Sua mãe chegou? Você disse...

– Eu achei que ela só fosse voltar à noite! – o garoto gritou esganiçado. – Pega aquela toalha de mesa, rápido!

Bruno levantou, escorregando no tapete até o armarinho da sala. Pegou a toalha de mesa, enquanto Caio acomodava a gaiola no chão entre Rafael e o videogame. Cobriu o animal com a toalha, que ficou parecendo um pequeno banco deformado. Olhou e fez careta.

– Coloca o videogame aí em cima – Amanda sussurrou.

Rafael logo largou o Super Nintendo sobre a gaiola.

– Parece uma mesa – reclamou baixinho e com visível pena do camaleão, vendo a porta da sala se abrir.

Caio se jogou no sofá, enquanto Bruno correu para sentar e dar *play* no jogo pausado.

– EI! GANHEI!

Amanda deu uma risada alta, acompanhada de Caio, observando a expressão devastada de Rafael sendo vencido com seu Sub-Zero.

Uma senhora alta e bonita, com as bochechas bem vermelhas e não maquiadas, entrou na sala fixando o olhar diretamente para os meninos. Mirou de Caio para Rafael e depois para o videogame. Seu olho voltou em Rafael.

– Boa tarde, crianças. Amigo novo?

– Mamãe, esse é o Rafael. Ele é lá do colégio – Caio disse sorrindo, como se não tivesse nada para esconder, muito menos um animal esquisito no meio da sala.

Verdade seja dita, ele era um bom mentiroso!

– Prazer Rafael, sinta-se à vontade – ela sorriu. – Caio, você ofereceu bolo aos seus coleguinhas?

O menino fez uma careta.

– Eles não querem comer, mamãe.

– Senhora Andrade, muito obrigado! Eu aceito bolo, sim, Caio – Bruno falou.

– Eu também – Amanda emendou, deixando Rafael ligeiramente corado.

– Tudo bem por mim.

– O quê? Seus traíras – Caio levantou-se e seguiu para cozinha, pisando firme, enquanto a mãe subia as escadas falando para si mesma o quanto estava exausta e como precisava de um bom banho. Assim que sumiu no andar de cima, os três ouviram o videogame tombar de lado e viram a gaiola coberta se mexendo.

– Essa foi por pouco – Bruno respirou fundo, enquanto os outros dois riam e tentavam conectar de novo os cabos.

No ano seguinte, em uma sexta-feira, Bruno se reuniu com Caio, Rafael e mais dois novos amigos, Daniel e Fred. Todos estavam sentados em uma pizzaria na esquina da rua da casa de Bruno. O garoto estava com o celular nas mãos.

– Ela não atende. Mas marcou comigo – falou baixo e indignado.

Daniel mordeu os lábios, pensando na menina para quem Bruno tentava ligar. Era linda. Os cabelos castanhos sedosos e brilhantes, os olhos que logo focaram o garoto, os primeiros olhos que ele viu naquele colégio. Suspirou vendo o menino fazer careta ao seu lado

– O que está havendo?

– Cara, a Mandy já não sai conosco há um bom tempo, você não notou? – Caio disse calmamente. – É o ciclo da vida, agora ela tem um menstrual.

– Eca – Rafael disse olhando para pizza cheia de *catchup* à sua frente e fez uma cara de nojo.

Fred deu um leve tapa no menino.

– Acostume-se – riu. – Deixa ela pra lá, quem precisa de meninas em uma pizzaria?

– Mas ela marcou comigo! – Bruno fechou a cara, desligando o celular.

Daniel arqueou a sobrancelha.

– Liga pra melhor amiga dela, vai que aconteceu alguma coisa.

Todos os outros meninos olharam para Daniel.

– Cara, você gosta dela – Rafael falou, abrindo um sorriso.

– Lógico que não! – Daniel arregalou os olhos. – Eu não sei nem quem ela é, foi só sugestão.

– Cara, claro que gosta – Rafael ria baixinho.

Daniel abriu e fechou a boca algumas vezes, sem dizer palavra nenhuma.

– Se apaixonar por alguém na oitava série é burrice – Caio disse, enfiando um pedaço de pizza na boca. – Ainda mais por você ser novato. Espera até ser do terceiro ano.

– Muito sábio da sua parte, Andrade! – Fred balançou a cabeça.

Bruno estava conversando com alguém no telefone, mas não era Amanda.

– Certo, obrigado, tia. Desculpe incomodar. Quando ela chegar pode pedir pra me ligar? Obrigado – ele desligou. – Ela não está em casa, a mãe dela disse que ela foi pra casa da Anna. Clássico.

– Ciúmes da Anna? – Fred perguntou.

– Que fiquem juntas, meninas se merecem – Bruno riu.

Daniel concordou, mas queria que Amanda tivesse ido à pizzaria. Queria poder olhar para garota mais uma vez. Mas não queria que os novos amigos soubessem disso. Não por enquanto.

dez

— Então eles vieram aqui ontem... Fazer o quê? — Guiga perguntou, penteando o cabelo.

Amanda estava deitada na cama, ainda de pijama. Guiga e Anna tinham ido visitá-la e aproveitado para acordá-la.

— Problemas... — Amanda bocejou, se espreguiçando.

— Você não acha que vai ficar sem nos contar, não é? — Anna riu, sentando na ponta da cama.

— E por que vocês estão tão interessadas?

— Ora, ora — Guiga se virou para ela —, Carol e Bruno na mesma sala já é algo pra querer saber em detalhes.

— É verdade que eles brigaram? — Anna perguntou.

— Acho que não. Na verdade, tudo aconteceu porque Bruno defendeu a Carol, acho... Pelo menos, foi o maior motivo de terem vindo pra cá — Amanda pôs os pés para fora da cama.

— O quê?! — as duas amigas reagiram juntas, em voz alta. Anna gargalhou e Guiga largou a escova.

— Está brincando, né? Quero dizer, Bruno defendeu a Carol? Mas ele não queria vê-la morta?

— Como se eu acreditasse em tudo que o Bruno diz — ironizou Amanda, levantando-se da cama. — Eu não sei direito, acho que o idiota do João Pedro estava falando alguma coisa de mim, ou da Carol, sei lá. Daniel ficou puto e JP brigou com a Carol.

— Isso não faz sentido — Anna afirmou.

— Sei que não, mas foi o que Caio me disse.

— Ele também esteve aqui?

— Anna, se você sorrir um pouco mais, juro que vou achar que tem alguma coisa a mais — Guiga riu da cara da amiga.

— Sai pra lá, pelo amor de Deus...

– Sim, ele esteve aqui ajudando os outros. Enfim, acho que JP brigou com a Carol, e o Bruno bateu nele, que revidou e socou o Daniel.

Amanda colocou os chinelos e foi para o banheiro, lembrando-se de várias cenas da noite passada. Também sentiu um arrepio momentâneo subindo pela espinha e agradeceu por elas não terem visto sua expressão emocionada.

– Como assim, ele socou o Daniel? – Guiga a seguiu até a porta do banheiro.

– Hum, preocupada, hein? – Anna lhe devolveu a ironia.

Guiga negou tudo, fervorosamente. Amanda apenas abaixou a cabeça, quando sentiu a crescente preocupação dela.

– Fica tranquila, ele levou um soco, mas não aconteceu nada demais. Sorte dele o João Pedro ser um frango... – Amanda continuou lavando o rosto, ainda remoendo o mal-estar da noite passada – Eu o ajudei com o machucado e tudo mais, mesmo ele querendo evitar que eu fizesse isso...

Guiga e Anna se entreolharam sem que ela percebesse. Ambas sorriam vitoriosas. Sabiam que Amanda não tinha esquecido aquela paixão. Desde que era um pouco mais nova, ela gostava de Daniel, embora sempre negasse qualquer coisa. As duas só não sabiam se isso seria positivo para Amanda. Afinal, gostar de um dos caras mais problemáticos do colégio não era exatamente algo bom no mundo das garotas.

– Tá melhor, cara?

Era Fred acordando Daniel, com seu rosto muito perto dele. O amigo soltou um grito e rolou para o lado, desabando no chão. Bruno e Rafael começaram a rir, recostados na parede do quarto.

– Você gosta de se machucar, Marques – Rafael zombou, enquanto Daniel se levantava. – Isso está se tornando constante.

– Obrigado, Fred – ele colocou a mão nas costas doloridas – O que é que você quer?

– Calma, cara, queria apenas saber se está melhor – Fred sentou-se na cama.

– Que horas são? – Daniel se espreguiçou.

– Quase dez – Bruno olhou o relógio.

– Hum, então não estou bem... Está ceeedo – ele disse ainda se espreguiçando.

– Qual é, Marques? Vamos perder nosso domingo na cama?

– E você acha que eu vou sair assim? – ele apontou para a bochecha inchada.

– Pelo menos, não foi o olho nem nada pior... – Bruno se encostou no batente da porta.

– Estou com fomeeeeeeee – Rafael gritou pelo corredor.

Todos ouviram o barulho de panelas no andar de baixo.

– Oh, droga, esquecemos o Caio sozinho na cozinha – Fred se levantou e saiu do quarto, seguindo Rafael.

Bruno se aproximou de Daniel e falou.

– Está melhor?

– Já me perguntaram isso.

– Não, estou falando sério...

– Não cara, nada de diferente. Só está mais dolorido – ele tocou a maçã do rosto e fez uma careta – Ontem foi... muito estranho.

– Eu que sei – Bruno sentou-se na cama, vendo Daniel trocar de camisa. – Eu nunca... imaginei brigar por causa dela de novo.

– E eu nunca imaginei que ela fosse me tratar bem.

– Cara, somos dois imbecis. E vamos comer, pois somos dois imbecis famintos.

Os dois saíram do quarto. Daniel foi até o banheiro do segundo andar e se viu no espelho. Arregalou os olhos.

– Ah cara, que coisa horrível! Esse almofadinha vai pagar caro – ele desceu a escada atrás de Bruno. – E eu nem estou com tanta fome assim...

No domingo à tarde, Amanda, Anna e Guiga passaram na casa de Maya e de Carol. Todas iriam ao *shopping* da cidade, como sempre acabavam fazendo nos fins de semana.

Anna tinha pegado o carro emprestado com os pais, depois de lhes prometer que voltaria cedo, e estavam todas descontraídas ouvindo música alta, enquanto riam e falavam do baile.

– Sério, quatro garotos talentosos... pensem, pensem! – Guiga dizia, atiçando a curiosidade de Amanda e Anna.

– Eu não conheço nenhum. A não ser talentos pra futebol, basquete, pra encher o saco, pra fazer provas... Desses aí temos aos montes – Amanda sugeriu.

– Verdade, nunca ouvi falar de ninguém que tocasse bateria aqui, por exemplo – Carol deu de ombros.

Amanda se lembrou vagamente de algo na sua infância, mas não sabia muito bem o que era. Achava que já tinha escutado alguém falar que queria ser baterista quando crescesse, só que não se recordava de mais nada.

– Parece que o Marcus toca guitarra – Maya contou. – Aquele alto narigudo do último ano, sabem?

– Mas ele é muito grande pra ser um deles – Anna disse.

– E muito burro – Amanda falou, e todas riram.

– Sabe, eu estive observando eles durante o show... Eram tão... fofos – Guiga afirmou e ficou meio sem graça, quando todas olharam para ela.

– Você anda muito sentimental, minha amiga – Maya bateu nas costas dela.

– Mas é sério... Sabe a primeira música? Ah, droga, esqueci o nome.

– *Esquecer você* – Amanda falou, despertando nova algazarra. – O quê? Eita, eu só prestei atenção na canção, só isso.

– Então... essa música. Eles pareciam estar tocando pra alguém sabe? De verdade, tinha sentimento – Guiga arregalou os olhos.

– Vai ver um deles fez pra ex-namorada! – Carol sugeriu.

– É, ou então pra garota que eles gostam – Anna deu seu palpite.

– São tantas as chances de terem escrito pro ego deles mesmos quanto pra ex-namoradas – Amanda riu.

– Foi verdadeiro, convenhamos. – Guiga defendeu.

– É, eles parecem ser bons atores – Amanda suspirou. – Anna, vai devagar, você vai perder o retorno!

– Ok... – disse a motorista.

– Bons atores, com certeza. De um filme de terror – Carol riu.

– Que ideia de máscara era aquela? Tinha que ser coisa do diretor mesmo, ninguém merece. – Maya comentou.

– O pior é combinar aquelas roupas, que convenhamos, são lindas, com máscaras horríveis de filme do Tim Burton.

– Não tinha relacionado a ele, mas faz todo sentido – Anna concordou.

– Devem ser alguns malucos da cidade vizinha – Guiga deu de ombros. – Vamos mudar de assunto, isso está ficando cansativo.

– Certo... certo, que filme vamos ver hoje? – Anna perguntou, estacionando o carro.

– Vamos ver filme é? Espero que tenha atores muito gatos! – Carol saiu do carro animada, e todas riram enquanto entravam no *shopping*.

onze

Na segunda-feira, os comentários na escola não eram diferentes. Todos falavam do baile, e palpites sobre os misteriosos mascarados rolavam soltos pelas rodinhas de conversa. O que aquela banda tinha para esconder de todos no colégio? Ainda era um enigma. Fred ajudava a instigar os boatos e, depois, morria de rir por causa disso.

– Ei, quem foi que te bateu? Sua namorada? – um garoto baixo e troncudo do terceiro ano gritou quando Daniel passou.

– Não. Foi ontem à noite com sua mãe. Você não sabia que ela adora apanhar? – ele gritou de volta. – Aff, odeio chamar atenção...

– Sei que odeia – Caio disse, ajeitando os cabelos e segurando os livros de lado. – Cadê o Fred?

– Provavelmente cantando alguma garota – respondeu Rafael, procurando por ele no pátio. – Ah, não disse? – Rafael apontou logo adiante.

Bruno e Caio seguiram para lá e se aproximaram do amigo.

– Nem achei tão bom assim; ouvi dizer que o baterista, na verdade, é uma mulher e... – Fred olhou para os dois. – Olá, meus amigos, como estamos?

– Com um imbecil que adora chamar atenção – Bruno apontou para Daniel.

Ele estava mostrando para algumas meninas da oitava série o machucado. Rafael estava aproveitando a deixa, e Caio jurou que o viu mancando.

– Já estou vendo tudo – Fred riu. – Estava aqui contando para essas lindas senhoritas que eu nem gostei muito da banda de sábado.

– E eu estava dizendo pro Bourne que ele é louco! Adorei a banda; eles são ótimos! – uma das meninas disse.

– Não sabemos de nada, preferimos ir pra outro lugar menos barulhento – Caio fingiu desinteresse.

– Vocês não vieram? – uma delas perguntou espantada, deixando Caio ofendido por não ter sido notado. – Mas foi "O" evento do ano!

– Nem tanto assim, nem tanto – Bruno retrucou, irônico. – Convenhamos que eu não estava querendo mesmo ouvir uma bandinha tocar pop rock.

– Vocês teriam gostado – Susana disse, chegando perto deles – Vamos meninas.

– Tchau, Caio – uma delas sorriu, exageradamente, antes de correr atrás de Susana.

Fred encostou no ombro do Caio e provocou.

– Essa você já ganhou, meu amigo.

– Nem brinca, não quero nem saber.

Os três ouviram mais risadas e, quando olharam para trás, viram Daniel e Rafael se divertindo com as meninas mais novas.

Em seguida, cinco garotas saíram do estacionamento e seguiram em direção à entrada do colégio. Para os marotos, o dia parecia ter nascido de novo. Brega? Tinha que ver o que estavam pensando. O andar delas, os cabelos, as saias... Todas se encaixavam perfeitamente. Anna estava com os cadernos nos braços e rindo de algo que Carol e Maya falavam. Guiga, como sempre, mexia no celular, enrolando o cabelo com os dedos, e Amanda lia alguma coisa num papel em sua mão.

– A vida pode ser linda – Fred disse.

– Ou podem torná-la bonita, se não for – Caio riu.

– Bonita é uma palavra simples, Caio – Fred se virou para ele.

– Vocês são patéticos – Bruno balançou a cabeça.

Ele viu como Amanda mudou na hora em que passou por Daniel, Rafael e as outras meninas. Daniel não reparou que as cinco amigas estavam ali. Amanda de repente perdeu a expressão sorridente, amarrando a cara de uma maneira que Bruno só lembrava de ter visto na noite de sábado; se virou pro lado e abaixou a cabeça.

– Bom dia – acenou Fred quando elas passaram.

Rafael e Daniel também olharam para elas, quando perceberam que já estavam ali perto.

– Pra você também, Bourne – Anna disse, acenando irônica.

– Seu amigo está melhor? – Carol perguntou para Caio.

Ele fez que sim com a cabeça, e ela apenas sorriu e saiu de perto. Amanda não disse nada, andando atrás de Guiga, que ainda estava ao telefone.

— Tchau — Fred disse, virando-se para os amigos.

Daniel se aproximou, ainda olhando para as garotas entrando pelo corredor.

— Carol perguntou por você — Caio disse rindo.

— Que bom que ela se preocupa — Daniel deu de ombros como se não se importasse — Por que a cada dia que passa elas parecem mais... bonitas?

— Esse é o meu garoto. Eu sempre digo isso, mas o Bruno aqui me chama de patético! — Fred protestou.

— Isso é ser patético! Ora, essas garotas não dão a mínima pra gente, mas, se derem, aposto que será por pena, porque elas acham que somos perdedores — Bruno falou.

Rafael se aproximou correndo quando viu os colegas indo para a sala de aula.

— O que na verdade é um pensamento grotesco dos mamutes que andam com elas.

— Esses mamutes vão ter troco pelo que fizeram ao Marques — Fred prometeu, com certo brilho no olhar.

Todos se entreolharam e concordaram, antes de seguirem para suas salas.

Algumas horas depois, o tempo não parecia ter passado. As aulas eram as mesmas, os professores implicavam com os quatro da mesma forma e, vez por outra, alguém perguntava a Daniel o que tinha feito pra ganhar aquele roxo no rosto. A cada resposta, ele inventava uma história diferente. A última versão era sobre ter sido raptado por um Vulcano, depois de ter roubado uma nave interestelar. E mesmo assim, as coisas não pareciam distraí-lo.

— Certo, está tudo escrito aqui — Bruno sussurrou, entregando um papel para Rafael por debaixo da mesa.

— Cinco minutos... — ele murmurou de volta, olhando o relógio.

Jorge, o professor de Português, escrevia no quadro negro sem dar muita atenção aos alunos. Daniel sacudia sua caneta, impacientemente, pensando no fim da noite de sábado. No que JP tinha dito de Amanda. Na grosseria que ele tinha cometido. Enfim, pensava em tudo aquilo ao mesmo tempo. Caio era um dos poucos que prestavam atenção à aula.

Cinco minutos depois, Rafael levantou a mão.

— Vou ao banheiro — disse.

O professor concordou, e então ele colocou no bolso o bilhete que Bruno lhe dera e saiu da sala. Os corredores estavam vazios. Rafael andou com cautela, pisando devagar e olhando para os lados, até ouvir um 'psiu' quando passou em frente dos armários.

– Ô M.I.B., chega mais – Fred sussurrou encostado na parede – Bem na hora, trouxe o papel?

– Yep – Rafael entregou-lhe o bilhete.

– Certo, vejo vocês no intervalo.

Ele saiu andando. Rafael encostou-se à parede e, alguns minutos depois, voltou para a aula.

Fred sorriu ao entrar em outra sala, que era ao lado da dos amigos e onde Amanda, Guiga, Carol, Anna e Maya estudavam.

– Com licença, professora Márcia?

A mulher olhou para ele, assim como toda a turma. Guiga estourou a bola de chiclete ao vê-lo ali dentro.

– Sim, Bourne, o que deseja?

– Estou com um probleminha... – ele começou, meio sonso, estendendo um livro de química do último ano. – Achei este livro aqui no corredor, mas eu não falo com o dono dele, que é da outra sala e...

– Novidade – um garoto interrompeu, e várias pessoas riram.

Anna e Amanda se entreolharam.

– Palhaço – Fred falou para o garoto e se virou para a professora – Bom, eu não falo com o cara e não queria deixar na secretaria porque... Sei lá, podem esquecer de entregar pra ele.

– Certo, Frederico, prossiga – a professora disse.

– E como a namorada do garoto é dessa turma... – ele acenou pra Amanda. – Será que você pode entregar isso pro Albert?

Amanda olhou para as amigas e, quando foi apanhar o livro, Fred o deixou cair no chão de propósito. Uma folha voou, mas Amanda logo pegou

– Desculpe-me – Fred sorriu para ela. – Obrigado e me perdoe, querida professora – ele beijou a mão da mulher, que pareceu feliz, e saiu da sala sentindo o sabor da vitória.

– Livro do Albert? – Amanda sentou-se na sua cadeira, com o papel na mão. – Estranho...

– Esse garoto não cansa de incomodar – Maya reclamou.

Guiga estourou novamente uma bola de chiclete, mais alto que o normal.

– O que diz nesse papel? – Anna perguntou.

– Eu não vou ler algo que estava dentro do livro dele. – Amanda falou rindo, aumentando a curiosidade de Anna e Carol.

– Qual é, você nem namorada do Albert é... – Carol disse.

Amanda sorriu novamente e abriu o bilhete. Mudou da cor vermelha para roxa em instantes e, ao terminar de ler, ficou pálida. Passou o papel para Anna quando a professora mandou que ficassem quietas.

– Como você sabe que isso vai funcionar? – Daniel perguntou.

Rafael mostrou-se confiante, sentando numa das mesas do pátio, já na hora do intervalo.

– Fato. Garotas são os seres mais fofoqueiros do mundo, e eu não as culpo; faz parte da natureza delas.

– Certo, você não é uma garota – Bruno disse pensativo.

– Claro que não sou – Rafael balançou a cabeça. – Enfim, garotas sentem ciúmes de seus namorados e não perdem a oportunidade de xeretar a vida deles.

– Ei, você tem certeza de que não é uma garota? – ironizou Bruno, arregalando os olhos.

Rafael olhou para Daniel, que estava achando graça.

– Eu pensei nessa probabilidade, comentei com Bruno e ele, aparentemente, se amarrou na ideia.

– Foi realmente boa, apesar de eu estar estranhando sua sexualidade, cara – Bruno brincou.

– O negócio é o seguinte, meu bom amigo – Fred segurou Daniel pelo ombro –, Amanda vai ler o que está escrito no papel e, então, já era o namoro dela com Albert.

– Se ela for esperta – Caio ressaltou. – Porque tem garota que gosta de cara cafajeste.

– Não duvido que ela goste – Daniel afirmou, sentando ao lado de Rafael.

– Se tudo der certo, estaremos assistindo de camarote aqui – Fred apontou para a mesa onde JP, Albert, Roberto e os outros estavam, logo perto da deles.

Daniel olhou malicioso.

– O que tinha naquele papel?

– Se tudo der certo você vai ouvir... – Rafael fez mistério. – E se não der... eu te conto.

Segundos depois, Amanda apareceu pelo corredor com o livro nas mãos e o rosto cheio de lágrimas. Daniel olhou para os amigos que estavam calmos, como se tudo isso fosse normal.

– Albert? – Amanda chegou discretamente ao lado dele.

Guiga, Anna, Carol e Maya vinham andando logo atrás. Albert virou-se para Amanda.

– Olá, lindona!

– Não me chame de lindona – ela mostrou-lhe o papel. – O que significa isso?

– Eu não sei, onde arrumou isso?

– Albert, você é ridículo! – Anna criticou, chegando mais perto.

O rapaz olhou para as cinco garotas sem entender nada.

– Do que se trata essa conversa, posso saber? – JP perguntou.

Amanda se aproximou ele.

– João Pedro, você é um babaca, e eu sempre soube disso. Mas, primeiro, eu gostaria de saber por que você – ela apontou para Albert – mentiu a meu respeito? A nosso respeito? Contou mesmo que eu fui pra cama com você?

– Eu... eu – o garoto ficou pálido.

Os amigos o encararam em silêncio. Amanda queria matar Albert!

– Bota sua massa encefálica pra funcionar um pouco. Você acha mesmo que eu dormiria com você, Albert? Um cara como você a gente não... – ela botou a mão na testa respirando fundo para não falar bobagem, e falou para JP: – E você não tinha nada que se intrometer na nossa vida, de forma alguma. Queria muito saber por que te importa tanto eu ter dormido com Albert ou não...

Ela tentava falar num tom de voz que não chamasse a atenção das pessoas em volta, sem sucesso, a mesa próxima deles estava olhando atentamente.

– Foi por isso que... – Amanda olhou em direção aos marotos.

Eles logo viraram o rosto, tentando disfarçar, mas Daniel não. Ele continuou olhando porque simplesmente não conseguiu evitar.

– Foi por isso que você bateu nele?

– Bati nele porque errei a mira. Era o outro perdedor que eu queria acertar – JP explicou como se fosse algo óbvio, enquanto Roberto ria e Albert não entendia muita coisa. – Mas e daí? O que isso te importa?

– Albert mentiu pra você e você mentiu pra eles – Amanda disse, secando as lágrimas – Eu não dormiria com ele nem que me pagassem pra isso; e você... – ela apontou para JP – se gabar pelos amigos não é realmente algo a se vangloriar, sabe?

– Eu só disse o que o garoto estava querendo ouvir – ele falou.

Daniel parou de olhar para a cena.

– Você mentiu. E você – ela se voltou para Albert –, nunca mais olhe na minha cara.

Amanda jogou o livro de química no lixo que estava perto. Saiu andando, e as amigas a seguiram.

No meio daquela confusão, Daniel olhou para Albert, observou a expressão irônica de João Pedro e, então, encarou os amigos.

– Certo, o que tinha no papel?

– Eu, com minhas habilidades máximas – Bruno começou a explicar –, forjei três tipos de letras diferentes.

– Trocando as canetas – Rafael completou.

– Isso, troquei de caneta, claro. Escrevi exatamente o que eu ouvi e o que você me descreveu na noite em frente à casa daquela que eu detesto nomear – Bruno rolou os olhos. – Inventei uma conversa entre JP e Roberto sobre Amanda ter dormido com Albert, e ele ter contado para alguém e, depois, Albert concordando com a história. Amassei o papel, fingi que estava bem gasto e *voilà*.

– Minha teoria foi confirmada; garotas são fofoqueiras.

Rafael e Bruno bateram as mãos num gesto de comemoração.

– Certo, e agora?

– O imbecil do Albert tomou uma lição por ter se gabado de uma mentira, que eu sabia que era mentira, convenhamos – Bruno afirmou.

Daniel, porém, tinha pensado que aquilo tudo que ouvira era verdade. E agora se sentia imensamente bem ao ter certeza do contrário.

– E o JP vai ficar sem namorada e sem credibilidade diante dos próprios amigos. Não é divertido? – Bruno vibrou.

– Se ela não tivesse lido, vocês estavam ferrados – Caio gargalhou.

– Mas ela leu e, o melhor, jogou meu livro no lixo – Fred exclamou. – Amo essa garota!

– Vocês não acham que ela vai ficar mal por ter lido tudo isso? – Daniel perguntou preocupado.

– Maricas, escuta só – Rafael se aproximou –, ela vai ficar melhor sem ele.

– Fato – Bruno concordou.

– Vocês estão certos – Daniel passou as mãos nos cabelos.

– Vamos nos divertir mais um pouco – Fred saiu andando.

Os outros se levantaram e foram atrás. Quando se aproximaram da mesa de Albert, Fred perguntou para Bruno.

– Sabe quem dormiu com meu melhor amigo, cara?

– Não, quem? – Bruno ficou rindo, quase imitando um macaco.

– A mãe do Albert, cara.

Albert encarou os dois com raiva.

– O quê? – Daniel perguntou, engrossando a voz. – Mas eu achei que ela tivesse dormido somente comigo!

– Não, não JP... Por favor, não me bata! Eu sei que sou bonito demais e sei que você tem inveja de mim, mas... – Fred parou de falar, e Daniel lhe deu um soco, de brincadeira.

– Ah, bando de inúteis – Albert se levantou. Estalou os dedos, com João Pedro ao seu lado.

Mas nada aconteceu, porque a inspetora do colégio passou no meio do bate-boca.

– Sem brigas aqui dentro, e vocês cinco saiam daqui – ela espantou Fred e os outros para longe.

– Avisa pra sua mãe que ela é muito ruim de cama – Daniel ainda gritou.

Enquanto eles saíram rindo sob o olhar da inspetora, Albert bufou e voltou a sentar. Olhou fixo para JP.

– Você e sua boca...

– Cara, eu juro que não sei como ela descobriu – o menino se defendeu.

– Será por que você falou na frente da amiga dela?

Só Roberto riu.

– E perto dos perdedores, não é? Eles devem ter ouvido...

– Claro – JP bateu na mesa. – Claro que ouviram. Eles me pagam.

doze

A professora de Educação Artística entrou na sala e encarou a turma. Amanda estava de cabeça baixa, Carol mexia em seu celular, Maya lixava as unhas, Guiga e Anna liam revistas de fofocas.

– Por favor, quero que prestem atenção em mim por um minuto – ela pediu.

Todos olharam para ela.

– Obrigada. Bom, como faltam algumas semanas para as provas, e eu estava pensando em um trabalho bonito e divertido para aumentar as notas, gostaria de propor a mesma atividade que propus na outra turma. Será algo interessante que valerá pontos e poderemos ter mais contato com outros alunos, o que acham?

A turma ficou agitada e animada, mas Amanda e suas amigas resmungaram e fizeram caretas.

– Podem reclamar à vontade, está decidido. O diretor, além de criar os bailes de sábado à noite, que eu achei incrível – ela falou e todos concordaram fervorosamente –, aceitou essa ideia de braços abertos e disse que será bom para a criatividade de vocês. E como essa é uma aula de Artes, para mentes artísticas, espero que entendam a proposta da atividade.

– Escreveremos algum livro? – uma garota no canto da sala perguntou.

– Não, Juliana, não escreveremos livro nenhum. As duas turmas serão unidas, o que significa que cada aluno daqui fará dupla com um de lá, e passaremos algumas semanas escrevendo uma música. Será como um novo dia dos namorados ou da amizade. Vai ser lindo!

– Isso é um absurdo! – Carol protestou. – Quero dizer, eu nem gosto tanto de música assim...

– Como eu disse, senhorita Carolina Moraes, vocês não precisam gostar da atividade. Faremos algo interessante e, o melhor de tudo, todos serão liberados de algumas aulas para isso.

Quando a professora falou isso, todos comemoraram.

– É, pode ser uma boa – Guiga disse satisfeita.

Amanda sorriu, mas logo voltou a abaixar a cabeça.

– Como serão escolhidas essas duplas? – Maya perguntou.

– Eu não quero ficar com aqueles garotos da outra turma – uma garota da primeira fileira pediu.

– Se o Caio Andrade quiser, eu posso ser a dupla dele – outra menina falou e todas suas amigas deram risinhos.

Os olhares de Amanda, Anna e Guiga se cruzaram.

– Deus me livre – Anna rebateu.

Guiga e Amanda riram, sem estarem convencidas.

– Não, Joana, você não pode escolher seu par, embora eu acredite que o senhor Andrade ficará muito contente ao saber disso – a professora deu uma piscadinha para a garota, provocando mais risos na classe. – Os pares serão escolhidos por mim, pois só eu sei da capacidade produtiva de vocês, e não quero deixar alguém que esteja com a média baixa na matéria com outra pessoa com as mesmas dificuldades. Isso prejudicaria a dupla. Direi com quem cada um ficará amanhã, no ginásio do colégio, um pouco antes do intervalo. Portanto, hoje espero apenas que façam os exercícios da página 264 sobre as pinturas impressionistas que estudamos na última aula.

– É uma boa ideia – Caio comentou, jogando seu livro para cima, enquanto saíam pelo portão do colégio –, só espero que ela não me coloque com nenhuma daquelas garotas escandalosas amigas da Susana.

– Aposto que vai colocar, o destino é fatal nesses casos – Bruno sentenciou.

Os amigos entraram no carro dele.

– Temos apenas que tomar... cuidado, vocês sabem – Daniel disse, sorrindo e acenando para um grupo que passou. – Eita, droga, João Pedro e sua trupe de circo à vista.

– Entra no carro logo! – Rafael mandou.

– Mas e o Fred? – Daniel perguntou, pulando para o banco de trás com Rafael, pois a capota estava abaixada.

– Aula extra, parece que ele tomou alguma detenção – Bruno explicou, ligando o carro.

Todos riram e, então, partiram.

— Eu não acredito, isso é totalmente esquisito – Guiga disse a suas colegas, enquanto andavam para fora do colégio. – E se nos colocarem com alguém que odiamos?

— Quem você odeia? – Carol atiçou.

— Bom, quero ver se te colocarem com o Bruno – Guiga respondeu.

— Só se eu fosse muito azarada! – Carol fez uma careta.

— Sabiam que eu acho isso loucura? Escrever músicas? Quem eles pensam que somos? Scotty? Acho que o diretor ficou muito animadinho – Anna reclamou.

Amanda apenas escutava sem dizer nada.

— Quero ver se nos colocarem com os *nerds* tocadores de flauta – Maya disse.

— Isso ia ser engraçado – Guiga voltou a rir.

— Amanda? – Anna chamou a amiga.

A garota parecia acordar de um transe até que olhou para ela.

— Quê?

— Você está bem?

— Não acho que eu esteja bem depois do que o imbecil do Albert fez...

— O JP é realmente um babaca... Eu te disse – Carol falou, com entonação de culpa.

— Bom, você não me contou o que ele tinha dito nem o que falou para os meninos – Amanda encarou a amiga.

— Olha, eu estava um pouco alta, lembro de ter brigado com ele e depois... – Carol se enrolou.

— E depois o Bruno te defendeu? – Guiga perguntou.

Carol concordou e, antes de reclamar, bateu na testa.

— Ah, foi ridículo. Ele podia ter ficado na dele, sabe? Não tinha nada que ter se metido, eu ia lidar bem com o João Pedro e...

— Foi romântico – Maya concluiu, e todas olharam para ela. – Convenhamos, é um ato estúpido brigar por uma ex-namorada, mas, se não viesse de um dos marotos, eu apenas diria que foi romântico.

— Pois é, mas como veio do Bruno, não pense que foi romantismo. Ele provavelmente queria se mostrar – Carol demonstrou uma ponta de ressentimento, percebida pelas amigas.

Amanda continuou andando com as quatro colegas, quando viu Albert e os amigos se aproximarem. Passaram direto por eles, sem nem olhar para a cara dos rapazes, o que provavelmente deixou Albert furioso.

Ela não sabia por que os garotos faziam isso. Se gabar porque dormiram com uma menina? E bom, até quando não fizeram isso? É ridículo! Não fazia nenhum sentido! Mas ela parou para pensar. João Pedro tinha se gabado na frente de Daniel e, como ficou marcado no rosto do próprio, ele não tinha gostado de ouvir. Amanda sorriu sozinha, sem que as amigas percebessem. Talvez nem tudo estivesse perdido.

– Escutem isso.

Era Daniel descendo as escadas da casa de Bruno com o violão na mão, vestindo uma calça jeans com os botões e zíper abertos e uma camiseta branca enorme. Rafael largou as cartas, Caio e Bruno também pararam de jogar para ver o que ele teria a dizer.

– Escutem essa música que eu escrevi.

Todos prestaram atenção. O amigo parecia afobado.

Não dá pra acreditar
Que encontrei alguém como ela
Uma garota que mudou minha vida
De todos os jeitos que podia saber
Ela de repente se virou pra mim
E me deixou triste, sem querer
Porque seus olhos eram tristes
Eu não sei o que ela soube
Mas eu estou feliz de não ser o cara
Que deixou ela tão mal

– É... bonita – Bruno disse.

A música era lenta e um pouco animada, o que mostrava a ironia da situação. Daniel concordou com a opinião do amigo.

– Acho que estou pegando o jeito.

– Talvez possamos passar em educação artística usando os dotes do Danny aqui – Rafael alertou.

– Não somos tão ruins assim – Caio salientou.

– Mas não sabemos quem poderá ser nossa dupla, né? Talvez aquela garota magrela com aqueles aparelhos ortopédicos horríveis...

– Ou então aquela grunge que não lava a cabeça? – Rafael sugeriu, colocando a língua para fora.

Todos riram fazendo caretas.

– Será que podemos burlar o resultado? – Daniel perguntou e Caio bateu na cabeça dele.

– Claro, vamos até a casa da professora Regina fazer uma lavagem cerebral nela – Bruno fez voz de zumbi –, repetindo "me coloque com a Amanda, me coloque com a Amanda"!

– Cala a boca, eu não quero ser a dupla dela – Daniel falou rindo.

– Ah não? Você é mesmo um idiota!

– Se Bruno ficasse com a Carol ia ser engraçado – Rafael deu de ombros.

E Bruno mostrou o dedo do meio.

– Acho que não, meu caro amigo... Acho que não...

– Deveríamos pensar nos testes, isso sim – Caio bateu no baralho. – Acho que o diretor está pouco se lixando pra eles.

– Assim como nós – Daniel riu, pegando algumas cartas. – Posso jogar? O que é? Pôquer?

– E você acha que o Rafa sabe jogar pôquer? – Bruno zombou. – Não, é apenas rouba monte. Quer tentar?

– Beleza – Daniel concordou.

Caio cruzou os braços, balançando a cabeça e debochando da dificuldade de Rafael ao tentar embaralhar.

No dia seguinte não se falava em outra coisa. Todos queriam chutar e adivinhar quem seriam seus pares, mas a professora fez mistério até que todos os alunos do segundo ano estivessem na quadra. Amanda e suas amigas se sentaram no meio da arquibancada rindo, tentando adivinhar com quem ficariam.

Alguns degraus acima, Bruno, Daniel e os outros atiçavam a curiosidade das pessoas à sua volta. Até Fred fugiu da sua aula para assistir à seleção. As fileiras da arquibancada do ginásio estavam abarrotadas de alunos falantes e sorridentes do segundo ano.

– Todos calados! – a professora gritou.

Os alunos olharam para ela e fizeram silêncio.

– Bom-dia, primeiramente, e quero lhes informar que eu, ontem à noite, examinei todas as notas e os nomes de cada um.

– Ferrou – Bruno disse alto, e todos riram.

– Certo, ferrou mesmo, senhor Torres. Mas essa é mesmo a proposta. Que possam se enturmar com pessoas diferentes de vocês.

– Não tão diferentes, certo? Não terei que aturar alguém muito feio, não é? – uma menina loira de cabelos enrolados perguntou ao lado de Carol, provocando mais risos.

– Eu prefiro não responder a isso, Marcela – a professora balançou a cabeça. – Bom, vamos aos nomes. Vocês são quarenta alunos, o que facilitou muito a escolha toda.

Ela pegou uma pasta e abriu. Todos se olhavam apreensivos.

– Muito bem... Joana Parlas? Você fará par com o Guilherme Simão – ela apontou para os dois alunos, deixando a menina extremamente corada.

– Ah, sem Caio, meu amor – Anna olhou para ela.

Os outros riram e, agora, foi Caio quem sentiu as bochechas esquentarem.

– Senhorita Anna Beatriz... – a professora riu e apontou para o outro lado da arquibancada –, você pode ficar com o ex-par da senhorita Joana, Caio Andrade.

– O quê? – Anna agitou-se.

As amigas riram e Caio olhou assustado.

– Mas, hein? – ele sentiu a face pegando fogo e, engasgado, começou a tossir.

– Muito bem, muito bem – Fred repetia.

– Frederico Bourne, o que faz aqui? – a indagação da professora, de repente, fez todos na arquibancada se virarem para o garoto.

– Apenas... assistindo ao show de horrores, professora querida – ele respondeu, com um sorriso tão brilhante que a mulher só meneou a cabeça e voltou aos nomes.

Depois de uns dez minutos, muitas duplas já estavam formadas. Guiga iria ficar com um garoto sardento, que ela considerava *nerd* tocador de flauta, e Anna ainda se lamentava da sua própria dupla. Caio, por sua vez, permanecia calado.

– Carolina Moraes? Está prestando atenção, querida? – a professora chamou a atenção da garota.

– Sim, senhora.

Carol não escondia sua apreensão. Amanda fez figa, brincando com a amiga.

– Certo, você fará par com o Bruno Torres, já que o desempenho de ambos é muito bom, embora ele seja melhor nessa matéria do que você.

– Você só pode estar de brincadeira! – Carol exclamou nervosa.

– Professora, eu não acho... – Bruno franziu a testa.

– Torres, você não tem que achar nada. Ponto final.

Na troca de olhares, Carol e Bruno pareciam que iam vomitar. Foi nesse momento que Anna e Guiga agradeceram por seus pares.

– Mariana Almeida, querida, você fará dupla com o Felipe Dias, e Maya McFusty com o Rafael Martins.

– Isso foi combinado! – Maya sussurrou com Anna, que achou graça.

Rafael estava fazendo algum tipo de dança da vitória, o que deixou as pessoas em volta dele sorrindo envergonhadas.

– Marcela Álvaro com Luiz Maurício... Fernanda Seixas com William Marcone... – a professora ia dizendo os nomes, sempre fazendo pares, de preferência.

Amanda olhou apreensiva para as amigas, quando a professora disse o nome dela.

– Querida, você fará par com Daniel Marques.

– O quê? – foi a vez de Daniel gritar de onde estava.

Amanda virou-se para ele. Os dois se encararam por um tempo. Ela fechou os olhos e abaixou a cabeça, sentindo que essas seriam as semanas mais difíceis de sua vida.

treze

Amanda e Daniel caminhavam lado a lado sem trocar uma palavra. A professora tinha destinado aquela aula para que todos pudessem começar as tarefas, mas os dois não sabiam o que fazer. Era desconfortável. Enquanto Amanda sentia a barriga doer de ansiedade, Daniel pensava que seu coração ia saltar pela boca.

Ele estava com um estranho sorriso no rosto, embora o machucado não lhe permitisse tanto. Amanda sorriu quando lembrou do rosto roxo do menino.

– Melhor? – apontou.

Daniel olhou para ela e sorriu.

– Um pouco – disse.

Voltaram a andar em silêncio. Estavam mesmo desconfortáveis, embora gostando muito da companhia um do outro.

– Vamos sentar por aqui? – ele perguntou

Os dois chegaram ao gramado do colégio, onde tinha várias árvores, algumas pessoas conversando e estudando. Amanda concordou, e se sentaram no chão.

– Eu já vou avisando que sou péssima pra escrever qualquer coisa – ela afirmou.

Daniel sorriu, arrancado um punhado de grama do chão, como sinal de nervosismo.

– Também não sou tão bom – ele mostrou modéstia.

– Aposto que é, sim – ela riu. – Eu lembro que você escreveu aquelas...

Amanda quase mencionou algumas cartas que o menino lhe escrevera, quando eram mais novos. Ele a olhou e ambos começaram a rir. Amanda sentiu seu rosto corar.

– Eu desisti de escrever cartas de amor. Elas não servem pra nada.

– Ah, claro que servem! – Amanda se sentiu envergonhada. – Eram lindas!

– Se você diz que servem pra alguma coisa – ele deu de ombros –, obrigado.

Amanda encostou as costas no tronco da árvore.

– Aposto que Bruno e Carol estão se matando nesse momento – ela tentou mudar de assunto.

A garota não conseguia parar de olhar para o perfil dele, o nariz bonitinho e cheio de pequenas sardas clarinhas, os olhos grandes e verdes, o enorme sorriso que todo mundo gostava tanto, enquanto Daniel ficava mirando a grama, com aquele terno preto comprido que geralmente usava por cima do uniforme escolar.

– Bruno é um idiota – ele riu.

– Os dois são.

– Eles se gostam, né? E ficam enrolando, e tudo mais – Daniel virou-se para ela.

– Odeio pessoas assim – ela disse e sentiu a bochecha ficar vermelha.

Ele sorriu e voltou a olhar a grama.

– Não querendo me meter, mas... Você e o Albert voltaram? – perguntou.

Amanda franziu a testa e negou.

– Não. Eu não voltaria a ficar com ele depois daquilo tudo. Na verdade, nunca quis mesmo ficar com ele.

– Nunca quis?

– Eu... eu...

Ela olhou para os lados sem saber o que dizer. De repente, viu Guiga passar pela calçada com um dos *nerds* e virou-se para Daniel. Não queria que a amiga os visse juntos assim, envergonhados. Não por maldade, mas não queria que ela pensasse que estava gostando de estar com ele. Pela amizade delas.

– Com licença – e puxou ele para perto dela, escondendo os dois atrás da árvore grossa.

Daniel ficou assustado, a poucos centímetros do rosto de Amanda, enquanto ela fitava a calçada. Ele fechou os olhos e aspirou o perfume da garota. Tentou se ajeitar, porque estava todo torto, mas só piorou a situação, pois acabou mais encostado nela. Quando Guiga passou, Amanda voltou a olhar para ele, mas, ao virar o rosto rapidamente, seus narizes se encostaram, e ela se sentiu tonta, mirando diretamente os olhos de Daniel. Ofegante, ele tentou tirar a mão, apoiada atrás dela, fazendo com que ambos se entortassem mais. E quase caiu por cima da garota.

– Desculpa, eu... – disse sem graça, tentando se afastar.

Amanda abaixou o rosto.

– Sou eu quem peço desculpas – ela puxou o braço que estava atrás das costas dele.

Daniel ainda a encarava, como se não conseguisse se desviar. Voltou a sentar e abraçou os joelhos ainda olhando para Amanda.

– Alguém passou, certo? – perguntou.

Amanda permaneceu de frente para ele e se sentiu nervosa com a intensidade do olhar de Daniel.

– Você não quer que nos vejam juntos assim, não é?

– É sim – ela concordou, achando melhor que ele pensasse isso mesmo. – Espero que não me entenda tão mal, mas vocês não são realmente uma companhia animadora...

– Entendo – o garoto mordeu os lábios. – Tudo bem, estou acostumado.

– Certo – ela falou, encolhendo as pernas também.

Daniel reparou que ela tinha as pernas mais bonitas que já tinha visto, com uma pele clara e macia.

– Bom, a gente precisa fazer alguma coisa, né? Você toca algum instrumento? – Ele se forçou a desviar seus pensamentos, que estavam ficando impróprios.

– Não. Na verdade, eu tenho um violão velho, mas o Bruno nunca conseguiu me ensinar a tocar, e bem... ele não é lá grande coisa como músico, né?

– Verdade – disse rindo. – Pode trazê-lo na próxima aula? Podemos, sei lá, fazer alguma coisa funcionar com música de verdade.

– Você sabe tocar? – ela perguntou arregalando os olhos.

Daniel fez uma careta. Não podia deixar que ela soubesse que se sentia um dos melhores guitarristas do mundo.

– Não muito bem, mas acho que a gente pode arranhar alguma coisa. Acho que tocar violão, baixo e tudo mais é meio perda de tempo. Afinal, aonde isso vai te levar? Ao baile do colégio? – ele ironizou e Amanda riu.

– Tem aquela banda que tocou lá... Vocês deviam realmente ter visto.

– Não estou interessado em ver mascarados em cima de um palco, obrigado – Daniel falou, cruzando as pernas.

– A banda era realmente interessante. Os músicos eram tão... verdadeiros – ela pareceu bem animada.

Ele queria sorrir, queria abraçá-la! Mas, em vez disso, apenas deu de ombros.

– Ouvi falar por aí.

– Eu gostaria de conhecê-los... – ela suspirou, admirando as cores das folhas na árvore perto deles, sem notar que Daniel mordia os lábios.

– E por que não faz isso? – sugeriu, rindo por dentro.

– Não poderia. Eles usam máscaras, obviamente não querem ser reconhecidos.

– Se você diz...

Voltaram a ficar em silêncio por mais um tempo.

– Podemos usar uma de suas cartas como música – ela sugeriu.

– Eu não tenho nenhuma cópia das porcarias que escrevi.

– Eu tenho – Amanda sentiu o olhar fixo em cima dela.

A expressão de Daniel era de espanto. Ele não esperava por isso. Amanda riu.

– Eu guardo tudo que me dão... – ela ficou sem graça, tentando corrigir.

– Entendo... deve ganhar bastante coisa – Daniel balançou a cabeça, tentando não soar irônico.

– Na verdade, não... Se tiver suas cartas e mais alguns bilhetes de colégio naquela caixa é muito.

– Se você achar alguma coisa que goste lá...

– Eu trago pra você ver – ela disse e ele concordou, já se levantando.

– Vamos? A aula deve estar pra acabar.

– Certo... foi... legal falar com você – ela disse.

– Não foi muito ruim, né? – ele sorriu marotamente, colocando as mãos nos bolsos da calça, enquanto voltavam para a sala de aula em silêncio.

– Que inferno! – Bruno disse quando entrou na sala.

– Foi tão ruim assim? – Caio perguntou.

– Ela ficou fazendo a porcaria da unha a aula toda, olhando pro nada e sequer trocamos uma palavra! Eu vou ser reprovado em Artes por causa dela! – Bruno bufou, sentando numa das carteiras.

– Seja homem, meu amigo – Rafael tocou em seu ombro, mostrando um papel. – Vê? Eu e Maya progredimos muito.

– O quê? Escreveram alguma coisa já? – Caio perguntou curioso.

– Ela é inteligente, embora muito rabugenta – Rafael riu. – Escrevemos uma música sobre os *nerds* da escola.

– Ótimo assunto – Daniel vibrou.

Babi Dewet

– E você por que está com esse sorriso todo? O que aconteceu, hein, Marques? – Bruno bateu nas costas do amigo.

– Foi tudo bem – Daniel balançou a cabeça. – Fora ela continuar confirmando a teoria de que não quer que ninguém a veja comigo.

– Então, como pode ter sido tudo bem? – Rafael questionou.

– Ela... – Daniel sorriu – sugeriu que usássemos alguma das cartas que escrevi pra ela na oitava série.

– Oh! – Bruno espantou-se. – Isso significa que ela gostou, cara – ele sabia que Amanda gostava de Daniel, mas não entendia o porquê disso tudo.

– Parece que sim – Daniel ajeitou os cabelos. – Ela vai trazer violão na próxima aula e vamos ver no que vai dar.

– Não foi muito melhor que a conversa entre eu e Anna – Caio deu de ombros. – Além de passarmos vinte minutos em silêncio, os outros vinte falamos mal de músicos e bandas.

– Pelo menos vocês se falaram – Bruno disse.

– E ela não tentou esconder você das pessoas – Daniel reforçou.

– Eu não tenho o que reclamar, adoro mulher difícil – Rafael piscou.

Todos estavam rindo alto quando o professor de Matemática entrou, e eles tiveram que ficar quietos.

– Ele entrou no meio da conversa, oferecendo-se pra ajudar. Falou que a professora mandou ele fazer isso e que já tinha passado em todas as duplas – Guiga comentou.

As cinco garotas, mais uma vez, saíam juntas do colégio no fim da manhã.

– Fred não passou por mim e Caio.

– Nem por mim e Rafael – Maya riu.

O celular da Carol tocou e ela saiu de perto para atender.

– Acho que o Fred gosta de você – Amanda sugeriu.

Guiga ficou vermelha na mesma hora.

– Corta essa!

– Minha aula foi legal, o Caio foi simpático como sempre – Anna largou a bolsa e o fichário dentro do carro.

– Rafael foi... não sei... Sabem que eu mal tinha ouvido falar dele? Sempre escondido atrás dos outros! Ele foi engraçado, eu não conseguia parar de rir. Fizemos uma canção sobre os *nerds* – Maya contou.

– Que bom que se deram bem. Ou, pelo menos, se deram melhor do que os outros.

— Você e Daniel brigaram? – Guiga perguntou.

— Não... foi tudo bem – Amanda coçou a cabeça, parecendo nervosa. – Mas não progredimos em nada.

— Certo – Guiga se virou pra Carol, que estava um pouco distante. – Ainda com isso? Desliga logo e vamos embora!

Anna olhou para Amanda e viu que ela mordia o lábio, preocupada. Sabia a razão de tanto nervosismo, mas não entendia o motivo de sua amiga estar tão para baixo ultimamente. Teriam de conversar, uma hora ou outra.

quatorze

Amanda entrou no banheiro de casa e se olhou no espelho. Mal conseguia se reconhecer depois de tantos anos. Fechou os olhos e desejou profundamente estar de volta a algum momento em que realmente se sentira bem. Não queria mais estar ali.

Quando abriu os olhos, estava dentro de uma sala de aula. As carteiras eram coloridas, com várias redações penduradas em uma tira de barbante, como um varal. Amanda sorriu. Estava de volta à oitava série, e aquela era sua sala de aula. Olhou para trás e viu Anna concentrada, copiando algo do quadro. A amiga era bem mais nova e a fez sorrir. Sentiu um cutucão e olhou para o lado. Era Caio, parado ali, rindo e bastante vermelho. As bochechas mostravam que ele estava com um pouco de vergonha.

– Odeio ser pombo-correio, pega logo isso, Mandy! – ele soltou um papel dobrado em sua mesa.

Eles eram amigos. Amanda arqueou a sobrancelha vendo-o mandar dedo para dois garotos sentados no fundo. Amanda viu Bruno, com o caderno na mão, rindo da situação. Os cabelos estavam maiores, e ele parecia bem mais rebelde que nos dias atuais. Logo atrás dele, estava Daniel. Expressivamente bonito, o rosto corado e as mãos sujas de tinta de caneta. Ela sorriu e ele acenou de volta. A garota sentiu borboletas no estômago ao abrir o bilhete em cima da sua carteira.

Amanda abriu os olhos novamente. Ainda estava em seu banheiro e, respirando fundo, caminhou até seu quarto. Entrou em seu pequeno *closet* e passou os olhos pelas prateleiras. Encontrou o que procurava e voltou para o quarto, sentando-se na cama com uma caixa rosa nas mãos. Ficou olhando com certo receio e, então, a abriu. Foi tirando cartas, bilhetes, fotos... Uma coisa de cada vez e analisando-as. Eram tantas lembranças dos primeiros anos do colégio! Viu uma foto dela, Bruno e Caio no brinquedo de um parque e se lembrou de quanto eles costumavam brincar juntos. Caio sempre fora mais na dele, e Amanda sempre se deu muito melhor com Bruno, mas não deixou de pensar em como era estranho agora. Caio era quase ninguém na vida dela. Bruno até era, mas não na frente dos outros. Como pôde ter deixado as coisas mudarem tanto assim? Lembrou que, de uma hora para outra, começou a ser mais ousada, mais feminina, e acabou atraindo a atenção de muita gente. Essas coisas mudam as pessoas, mudam seu caráter e suas prioridades. E as dela foram alteradas. Assim como as de suas amigas, que foram abrangidas por essa... popularidade involuntária. Então, os meninos com quem costumava andar quando mais nova a deixaram. Eles mesmos se afastaram.

Ela abaixou a cabeça e pegou uma das cartas que ganhara de Daniel pouco mais de dois anos atrás, como ainda se lembrava. Riu com a letra bonita do menino. Apesar de bagunceiro, ele era caprichoso. Abriu devagar e começou a ler.

Depois que terminou de ler a primeira não sentiu que poderia ir para a segunda. Essa era perfeita. Sentiu as bochechas esquentarem e o sorriso bobo no rosto, ao guardar a carta em sua mochila. Por mais imbecil que fosse, estava se sentindo feliz com a nova atividade de Artes. E acreditava que poderia ser uma chance de esclarecer todos esses sentimentos que ela não conseguia definir muito bem.

Era quinta-feira. Na escola, todos estavam empolgados com os trabalhos. Aqueles que detestaram no início, agora, estavam se empenhando ao máximo para ganhar uma boa nota. Maya e Rafael pareciam se divertir, rindo das besteiras que escreviam, embora brigassem boa parte do tempo. Caio estava ensinando Anna a tocar violão, porque decidiram por fazer uma dupla musical, e ela estava achando interessante essa nova experiência com alguém que, antes, ela nunca imaginara poder gostar de estar perto. Guiga começava a estranhar o fato de Fred aparecer em todas as aulas, sempre lhe oferecendo ajuda.

– Eu não preciso de nada.

– É, isso mesmo, ela não precisa – o par de Guiga disse meio desajeitado, arrumando os óculos de lentes grossas no rosto.

– Cala a boca, tampinha – Fred sentou-se entre a dupla, ignorou o menino e ficou olhando para ela. – Como eu estava dizendo...

Na verdade, Guiga estava adorando tanta atenção de Fred, mas não demonstrava. Carol e Bruno é que eram o maior problema.

– É claro que não podemos fazer uma música com esse tipo de coisa, é fútil e desinteressante – Bruno resmungou, passando as mãos nos cabelos.

– E o que você sabe de música, Torres? – Carol cruzou os braços.

– E o que você sabe? Nada! Eu, pelo menos, sei de Artes e posso lhe afirmar que isso aí é uma bosta.

Bruno amassou o papel que ela havia lhe entregado e jogou no lixo. Carol não se conteve, dando início a um rápido bate-boca.

– Seu cretino!

– Por que você não se senta em casa e põe pra fora seus sentimentos? Pode funcionar – ele ironizou.

– É o que vou fazer.

Carol saiu da sala, batendo a porta. Bruno encostou a testa na mesa, bufando. Como todos já sabiam, isso não seria fácil.

Amanda estava sentada no gramado, debaixo da mesma árvore da primeira aula, com o violão nas mãos e a carta de Daniel. Dedilhava algumas coisas que sabia, rindo do espanto das pessoas que passavam. Daniel, ao chegar, apoiou-se na árvore.

– Você toca bem – elogiou.

Ela tomou um susto com a presença do garoto.

– Não queira me agradar.

– Não sou como todo mundo – rebateu o comentário, sentando-se diante dela.

Amanda riu das roupas que ele costumava usar. Sempre muito bem arrumado, com algum toque excêntrico

– Vamos à carta? Trouxe?

– Claro – ela apanhou e percebeu que estava trêmula.

– Você releu?

Ele estava nervoso, mas não queria demonstrar. Já era difícil o suficiente ficar perto dela desse jeito. Ela apenas entregou-lhe a carta, sem dizer nada. Daniel abriu o envelope e começou a ler. No fim, deu um sorriso, mantendo a testa franzida, como se não acreditasse que alguém pudesse escrever aquilo.

– É... realmente profundo – ele estava vermelho, como Amanda logo notou. – Eu costumava ser muito idiota.

– Eu sei... – ela disse e ele riu. – Não é idiota, não, mas...

– Careta? Antiquado? É, isso também.

– Não quis dizer isso – ela olhou para o chão. – Nos dias em que eu achava que ninguém gostava de mim porque eu era... metida e... esquisita, apenas lia suas cartas, e elas me traziam conforto. Eu sabia que alguém, por mais que eu não conhecesse bem, gostava de mim.

– Que bom que servi pra alguma coisa.

Ele mostrou um sorriso contagiante. Alvoroçado por dentro, queria abraçá-la mais que tudo. Nunca sentira a dor de ouvir algo assim de alguém que ele tanto gostava, mas não podia ter.

– Aliás, você nunca foi esquisita.

– Daniel, olhe pra mim – ela disse, entregando-lhe o violão. – As pessoas idolatram algo que não conhecem.

– Eu idolatro algo que conheço. – O garoto sorriu e pegou o violão sem conseguir encará-la. – Você nunca foi esquisita – repetiu. – Os outros todos eram esquisitos perto de você.

Amanda passou as mãos nos cabelos, sem graça.

– Claro, você sempre foi metida... Não, sempre não. Pelo que sei você costumava se misturar com a plebe quando era mais nova.

– Não seja rude, eu... não sou mais assim – ela sentiu vergonha, ficando vermelha.

Ele sorriu, mas ainda sem olhar para Amanda.

– Você e suas amigas serão sempre desse jeito enquanto os outros tratarem vocês assim. Quero que saiba que eu não vou falar nada mais que a verdade para você. Sempre. Não vou ficar te agradando porque quero passar em Artes ou o diabo que for – ele a encarou. – Eu queria poder te agradar sem ter motivo nenhum.

– Eu... – ela olhou para os lados, começou a sacudir os pés, nervosa. – Podemos mudar de assunto? Eu não posso falar sobre isso.

– Amanda – ele colocou o violão de lado e se aproximou dela, ainda sentado.

Ela chegou um pouco para trás.

– Por favor, Daniel, facilite pra mim – pediu chorosa. – Você não sabe como isso é difícil...

Ambos ficaram em silêncio por um tempo.

– Acho que não sei, não – ele recuou para onde estava, tirando o sorriso do rosto. Pegou o violão e tocou uma nota. – Como quer colocar a carta? Em forma de canção de amor?

– Olha, acho que essa história de carta de amor foi... idiota, eu não deveria ter sugerido isso. Desculpe-me.

Ela se levantou apressadamente, com o papel na mão, e saiu correndo para dentro da escola. Daniel ficou com o violão, paralisado, sem saber o que fazer. Encostou na árvore, pensativo. Sorriu sozinho. Em algum lugar, lá no fundo, ele sabia que um dia iria conseguir o que queria. Mas isso não seria fácil.

– Amanda, você está chorando – Guiga disse quando a amiga se aproximou.

– Preciso ir ao banheiro – ela correu para a porta mais próxima.

Guiga foi atrás dela, já seguida por Anna.

– O que aconteceu? O que aquele imbecil do Daniel fez? – Anna perguntou.

– Ele... – Amanda encarou o espelho – não fez nada; eu que sou uma idiota mesmo.

– Quer nos contar o que houve?

Amanda se virou e abraçou as duas amigas.

– Não, obrigada. Só estou fazendo o melhor que posso – disse, ainda com lágrimas nos olhos.

– Tudo bem... qualquer coisa conte conosco, a gente vai estar sempre aqui pra você – Anna franziu a testa.

– É isso aí; faremos tudo pra que você nunca se machuque, ok? – Guiga soltou a amiga.

– Eu também. Farei tudo pra não machucar vocês... – Amanda encarou Guiga e sorriu. – Nunca.

quinze

— Respirem fundo — Fred disse para cada um, ajustando as máscaras. — Vocês estão horríveis.

— Valeu, cara — Caio bateu no ombro dele.

— Isso ajuda, você é um grande amigo — Rafael apertou as mãos.

Daniel e Bruno estavam se olhando no espelho do camarim improvisado, atrás do palco montado no ginásio da escola.

— Ainda nervoso? — Fred ajeitou a gola do terno de Rafael, que concordou. — Isso é bom, cara. Significa que vocês estão sentindo bem o que é subir num palco.

— E o que você sabe disso? — Bruno virou-se para Fred.

— Devo ter sido algum *rockstar* em outra encarnação.

— Certo. Como estou? — Daniel fez pose diante do espelho.

— Sexy — Fred mandou-lhe um beijo.

Sem perder a deixa, Daniel colocou uma das mãos na cintura e, com a outra, desmunhecou. Os dois riram, enquanto Bruno passou a batucar na mesa.

— Vamos logo antes que eu arrume onde enfiar essas baquetas...

— U-uuhhh... — Rafael zombou.

— Não se esqueça, você vai dormir comigo hoje, lindinho... — ele disse chegando perto, e Rafael correu para perto de Caio, que também estava rindo.

— Eu não devia ter vindo — Amanda sussurrou para Anna.

— Fica quieta e sorri. Você muda muito de humor, amiga, típica canceriana — disse Anna, cutucando Amanda.

— Desde quando você entende de signos?

— Eu entendo de tudo...

Elas avistaram Guiga, Carol e Maya, que já conversavam na porta da escola, radiantes. E se aproximaram do trio.

– Nossa, que demora, foram fabricar os vestidos? – Carol disparou.

– Gucci fabricou pra mim, querida – Amanda deu um rodopio, exibindo seu tomara-que-caia rosa-claro.

– Certo, vamos lá? Espero que esse baile não seja um fiasco! – Maya desejou.

– Estou louca pra ver o Scotty – Guiga deu pulinhos.

– Larga de ser assanhada! – Anna bateu no ombro dela. – Você nem sabe se são horrorosos, deformados e mancos!

– Credo! – Amanda balançou a cabeça. – Hoje estamos com um humor divino, não é?

Com enormes sorrisos, as cinco entraram no salão.

– Elas vieram? – Caio perguntou.

Rafael colocou a cabeça para fora do *backstage* e voltou a olhar para os amigos.

– Nop.

– Oh, droga... – Daniel bateu nas próprias mãos. – E se ela não vier?

– E daí? Se vier também não vai fazer diferença – Bruno respondeu, batucando sem parar, agora com as baquetas nas pernas de Caio.

– Albert, Roberto, JP e os outros macacos estão aqui – Rafael voltou a pôr a cabeça na lateral do palco –, mas nem sinal das... ooopaaa... Cinco garotas lindas à vista, entrando pelo salão, identificadas como dor de cotovelo dos meus amigos!

– Cala a boca!

Daniel colocou a cabeça por cima do ombro dele. Viu Amanda chegando ao lado de Anna. Ela estava rindo, e seus cabelos soltos balançavam enquanto ela andava. Seu vestido era bem colado ao corpo, mas, mesmo com as sandálias altas, era parecia uma garotinha. Amanda era a mulher perfeita, Daniel pensava. Ah, como ele queria poder ir lá falar com ela!

– Sai de cima de mim, cara – Rafael mandou e Daniel se desculpou, olhando para Caio.

– Vai ser *O outro cara* mesmo?

– Isso... – Daniel concordou, já sentindo calafrios.

Eles haviam escrito essa música inspirados em todos os problemas que estavam tendo. Amavam ser músicos exatamente por isso. Podiam extravasar os sentimentos..

– O que está acontecendo? – Bruno chegou perto de Rafael.

– JP está falando com Carol, que parece beeeem preocupada com as unhas.

– Típico – Bruno bufou.

– O macaco alado... Michel? É isso? Bem, está tomando uns esporros da namorada do Caio.

– Quem me dera... – Caio suspirou.

– Você virou canal de fofoca? – Bruno fez careta.

– E a Amanda? O que ela está fazendo? – Daniel perguntou, interessado.

– Meu novo alvo está dançando com Amanda. As duas aparentam estar bem felizes...

– Novo alvo? O que é isso, Rafael? – Caio sacudiu a cabeça.

– Maya McFusty – ele piscou para os amigos. – Nunca achei que fosse ser tão patético como vocês, mas ela me deu mole!

– É isso aí – Daniel olhou para Caio e Bruno. – Sejamos os patéticos que vão perder pro Rafael.

– Que desaforo! – Caio ironizou, e todos riram.

– Eu não estou perdendo nada – Bruno desconversou.

– Sei que não, meu amigo – Daniel sorriu.

– Opaaaaa... opa, fofoca braba! Parece que Albert chamou Amanda pra dançar – Rafael informou. – Guiga está dançando com Maya agora.

– Fala da Amanda, por favor! – Daniel suplicou.

Rafael deu uma risadinha debochada.

– Ela está ignorando o brutamontes, mas ele a pegou pelo braço e... EI, IMBECIL! – Rafael gritou e depois colocou a cabeça para dentro – Droga.

– O que houve? – Daniel se mostrou impaciente.

– Albert estava... forçando ela a dançar, sei lá. E acho que me viram aqui.

Rafael se afastou da cortina e foi se sentar. Bruno começou a rir outra vez. Daniel, porém, parecia muito preocupado.

– Forçou ela, foi? Mas ele soltou?

– Não, cara... Estava forçando ela a dançar.

Daniel mordeu as unhas e ficou apreensivo. Onde estaria Fred numa hora dessas?

– Albert, sai de perto de mim, já falei – Amanda reclamou.

Guiga chegou mais perto da discussão.

– Você não se toca mesmo, não é?

– Cala a boca, sua... – Albert não teve tempo de completar a frase porque sentiu um toque em seu ombro; era a mão de Fred, que apareceu sorrindo.

– Tudo tranquilo? – ele perguntou normalmente.

Guiga deixou um sorriso escapar.

– Tudo bem, Fred. Obrigada – Amanda se soltou das mãos de Albert. – E vê se não encosta mais em mim.

– Sai de perto, perdedor – Albert apontou para Fred.

O rapaz arqueou as sobrancelhas irônico.

– Você devia tentar falar mais pausadamente, Albert. Eu não entendi nada. Mas com essa baba toda fica difícil, né?

Aliviadas, Amanda, Guiga e Maya esboçaram um sorriso.

– Ah, é; você vai se ver comigo! – Albert segurou Fred pela gola. – Primeiro, você trama com seus amiguinhos perdedores pra cima de mim! Faz minha garota não me querer mais e agora vem querer defendê-la? Qual seu problema? Está apaixonado por ela?

– Solte ele, seu imbecil – Amanda tentou puxar Fred de lado, mas Albert ignorou a garota.

– Se eu estou apaixonado pela Amanda? – Fred sorriu. – Desculpe, linda, mas você não faz meu tipo.

– Pouco me importa – ela sacudia as mãos. – Albert, deixa de ser babaca!

Foi quase um grito; o rapaz olhou para ela e largou Fred no chão.

– Obrigado por não amarrotar mais meu terno – ele zombou, ajeitando a gravata.

Albert bufou e Guiga riu. Fred olhou fixo para ela.

– Sei que não fui de muita serventia, mas se precisarem... – ele fez uma reverência e saiu de perto.

Maya cutucou Guiga, e as duas riram. Amanda cruzou os braços.

– Albert, suma da minha frente.

– Ele tramou aquela história do livro! Foi ele quem escreveu aquilo! Ele e aquele imbecil do Daniel Marques – Albert denunciou.

Amanda vacilou e olhou para os lados. Em seguida, aprumou-se.

– Não interessa; tudo era verdade, não era? Os meios pouco importam! – afirmou. Mas Amanda ficou confusa. Será que Daniel tinha tramado aquilo? Por quê?

– Você está cometendo o maior erro da sua vida – Albert disse com um dedo na cara dela.

– Vai procurar alguém pra se gabar, Albert – ela rolou os olhos, saiu de perto e foi para junto de suas amigas na pista de dança.

Amanda estava calada e pouco dançava. Pensou em Daniel e olhou para os lados mais uma vez. Como queria que ele estivesse ali. Anna deu um jeito de esbarrar nela enquanto girava no salão.

– Não fica assim, a noite está começando. Daqui a pouco, os Scotty chegam e...

– Eu não estou com espírito pra Scotty nenhum.

– Pelo menos finge...

A música do DJ parou, e o diretor subiu ao palco para anunciar a tão esperada banda da noite. Os quatro garotos, de terno e máscara, foram recebidos com calorosos aplausos e gritos. Estavam começando a se tornar ídolos.

– Boa noite – Daniel falou no microfone, tentando modificar a voz. – Vamos começar com uma música chamada *O outro cara*.

Ao som das primeiras notas, todos aplaudiram e seguiram batendo palmas no ritmo. Menos Amanda, que encarava os quatro no palco com curiosidade. A canção era uma baladinha, um pouco melancólica, apesar de soar feliz.

Não dá pra acreditar
Que encontrei alguém como ela
Uma garota que mudou minha vida
De todos os jeitos que podia saber
Ela de repente se virou pra mim
E me pôs pra baixo sem querer
Porque seus olhos eram tristes
Eu não sei o que ela soube
Mas eu estou feliz de não ser o cara
Que deixou ela tão mal

Porque você é a rainha da beleza
O tempo passa diante de mim
E eu fico só imaginando
Quem foi que te deixou assim
Mas estou feliz de não ser esse cara
Porque a vida sem você, baby
Seria como uma noite sem fim

Eu não saberia onde estaria
Mesmo não sendo o cara que te deixou assim.

Amanda ficou parada, enquanto todos à sua volta dançavam. Como em um sonho, viu um dos integrantes da banda descer do palco e chamá-la para dançar. Depois de alguns minutos balançou a cabeça. Estava definitivamente ficando louca.

Deu meia-volta e saiu do salão sem ninguém perceber. Ficou andando pelos corredores do colégio, ouvindo a banda tocar ao fundo. Encostou em uma das paredes e foi escorregando até sentar no chão, apenas ouvindo e imaginando como seria bom se cantassem aquela música para ela. Se Daniel cantasse aquela música para ela.

Sorriu, sentindo-se boba. Estava ali, sozinha, sentada no piso frio e sonhando com um garoto que ela não podia ter. Sentiu-se patética.

dezesseis

O som da música já tinha parado. Amanda continuava sentada no chão, com a cabeça apoiada nos joelhos. Tinha perdido a noção do tempo. Continuava imaginando e sonhando se um dia poderia estar perto de quem gostava sem magoar ninguém. Era como um filme em sua cabeça. Não queria machucar uma de suas melhores amigas por uma paixão adolescente, por alguém que ela achava tão patético quanto a si mesma. E nem ao menos sabia por que se sentia assim. Esse embrulho no estômago, e a vontade constante de chorar. O ritmo acelerado do coração quando sentia o cheiro dele ou via seu sorriso. A vontade de sorrir ao pensar nas expressões engraçadas de Daniel. Era insano. Não sabia se era loucura ou se, realmente, sentimentos assim aconteciam tão rápido.

Anna olhou para os lados e não encontrou Amanda. Chegou perto de Carol.

– Onde ela está?

– Com alguém por aí? – sugeriu a amiga, desentendida.

– Você sabe que ela não está por aí com alguém... – Anna bufou.

Guiga e Maya também perguntaram, mas ninguém notou que Amanda tinha desaparecido do salão. Guiga andou para trás, ainda procurando pela amiga quando esbarrou em Fred.

– Ah, desculpe-me – ela pediu sinceramente – Não queria atropelar ninguém.

– Desculpas aceitas porque você está especialmente bonita hoje. Posso me intrometer e saber o motivo de estarem que nem quatro baratas tontas? – Ele olhou e contou de novo. – Ih, quatro! Não falta uma?

– Exatamente, inteligência – Maya disse rindo. – Amanda sumiu.

– Como assim? Não está lá fora com algum brutamontes? – ele perguntou.

– Seja mais simpático, Fred – Anna bufou. – Estamos tentando uma comunicação extraterráquea contigo, e espero não ter que brigar com você...

– Certo. Mil perdões. Querem ajuda?

– Mas você não está ocupado? – Guiga perguntou.

– Pra você eu nunca estou ocupado.

– Ai, sem galanteios. Vamos tentar encontrá-la. Amanda não pode ter evaporado do salão, assim do nada – Anna sentenciou.

Fred sorriu para Guiga e seguiu a garota. Segundos depois, o celular dele tocou.

– Fala, cara – atendeu vendo que era da casa de Bruno.

– Como estão indo as coisas aí? Daniel está na pilha, querendo saber onde está Amanda, que não viu o show todo.

– Pois é. Não é que estamos procurando por ela?

Fred viu Anna se embrenhar no meio dos alunos, na pista de dança, e a seguiu.

– Como assim, procurando por ela? – Bruno perguntou.

– O que houve? – Daniel pegou o telefone.

– Calma, cara, as amigas só não conseguem encontrá-la... – Fred ia dizendo tranquilo, quando Anna se virou para ele.

– Será que Albert levou ela? Ele também não está aqui.

– QUEM LEVOU ELA? – Daniel gritou. Fred tirou o telefone do ouvido.

– Não repete isso, não. Daniel está aflito aqui no telefone.

Anna gargalhou e pegou o telefone da mão de Fred.

– Daniel Marques? – ela perguntou.

– Quê? – o garoto gelou do outro lado da linha.

– Se está tão preocupado, por que não vem aqui nos ajudar? – ela riu.

– Vol... ir pro baile? – Daniel olhou para Bruno.

– Não está tão ruim assim. Não que eu precise de você aqui, nem nada, você me entende... – ela disse irônica.

– Entendo – Daniel engoliu em seco. – Entendo, sim.

– Então... ou para de importunar o Fred que está me ajudando ou vem ajudar.

Ela desligou, entregando o telefone para o dono. Saiu andando com Fred na cola, entre risadas.

Amanda cansou de ficar sentada. Pegou o celular, que estava sem sinal, e viu que passou quase uma hora sonhando acordada. Estava confusa, não sabia o que fazer. Queria uma resposta, um sinal. A toda hora, como em filmes hollywoodianos, ela olhava para o final do corredor esperando ver Daniel correndo para encontrá-la. Sorria e se sentia estúpida. Estava começando a cansar de se sentir assim.

Levantou-se e decidiu voltar ao salão. Quem sabe não encontraria alguém que pudesse fingir que era com quem realmente queria estar? Quando estava andando tranquilamente pelo corredor, ouviu um barulho.

– Amanda?

Ela ouviu a voz de alguém. Ficou parada e sentiu as pernas tremerem. Olhou para trás e viu Daniel no fim do corredor. Riu para si mesma. Mais uma miragem.

– Amanda? Você está bem? – ele perguntou, indo até ela.

Usava uma calça preta, All Star e um suéter vinho. Estava incrivelmente bonito! Como seus delírios estavam ficando mais reais! Ele foi se aproximando, parecendo preocupado, e tocou no braço dela. Amanda levou um susto e se afastou um pouco, saindo de seu transe.

– Oh, céus, Daniel? – ela perguntou.

Ele olhou para os lados e o corredor estava vazio.

– Você... não tinha me visto?

– Eu... tinha, mas... não imaginei que fosse real – ela confessou e ficou corada.

– E por que eu não seria real? – ele percebeu que ela tinha ficado sem graça.

– Eu... não... sei... – ela balançou a cabeça. – O que está fazendo aqui?

– Procurando você.

Amanda arregalou os olhos, sentindo o perfume de Daniel. Ela queria poder encostar nele. Sentia uma eletricidade à flor da pele.

– Com que propósito? Achei que você detestasse esse baile!

– E detesto – ele mentiu. – Mas suas amigas estavam tão preocupadas com você, e o Fred... bem, acho que ele estava mais cantando a Guiga do que qualquer outra coisa.

– Oh, céus, esqueci das meninas – Amanda botou a mão na cabeça. – Eu... fiquei perdida em meus pensamentos.

– Viu o show? – ele perguntou nervoso. O aroma dela era ótimo. Fascinado, Daniel viu que ela estava próxima dele, muito mais do que de costume. Ela negou.

– Foi justamente quando me perdi em pensamentos. – Amanda olhou para o garoto e viu que ele sorria – Daniel?

– Hum?

– Por que você veio atrás de mim?

– Eu fiquei preocupado.

Amanda sorriu. Era isso. Não aguentava mais a necessidade de ficar perto dele, de sentir a pele do garoto na sua. Era um imã, que fazia sua pele se arrepiar, formigando de eletricidade.

– Daniel? – Ela chegou bem perto dele, respirando mais rápido.

Daniel sentiu as mãos trêmulas ao ver a garota de seus sonhos, ali tão próxima

– Eu... – ela disse baixinho, com o rosto colado nele. Sentiu a respiração do garoto em sua pele e se arrepiou mais ainda. Era bom. Ele soltava o ar nervosamente e fechou os olhos, sentindo o perfume dela. Ambos ficaram em êxtase por alguns segundos, quando ouviram um barulho e vários passos.

– Deus do céu, até que enfim! – Guiga exclamou.

Ela avançou pelo corredor. Ao seu lado, estavam Anna, Fred, Caio e Bruno. O casal tomou um susto, e Amanda afastou-se rapidamente, colocando a mão no peito. Daniel encostou-se na parede e tornou a fechar os olhos.

Os cinco vinham andando na direção deles. Anna chegou perto e pegou no rosto da amiga. Bruno apoiou a mão no ombro de Daniel, preocupado. Ninguém parecia ter percebido nada.

– Está bem? – Anna viu Amanda dizer que sim com a cabeça.

– Ele... – ela apontou para Daniel, sem conseguir dizer nada, e tentou esconder o nervosismo. – Putz, vocês me assustaram.

Anna sorriu e, de rabo de olho, flagrou Daniel ainda de olhos fechados e com uma cara de quem ia ter um ataque do coração. Fitou Amanda e viu que ela estava da mesma forma e, então, percebeu tudo.

Como tinha sido idiota.

dezessete

– Como fui idiota! – Anna repetia enquanto dirigia, levando Amanda para casa.

– Anna? Eu não tenho culpa – a garota roía as unhas nervosa.

– Por que você não me disse nada? Me faria sentir menos boba, sabe?

– Eu não tenho certeza de nada.

– Como não? Estava quase beijando o garoto quando chegamos.

– Eu sei – Amanda olhou para fora do carro, ficou sentindo os pelos do braço arrepiarem, e quebrou o silêncio. – Eu gosto dele.

– Mas... oh céus. Isso é sério mesmo?

– Não é de hoje, mas tenho mantido segredo por causa... – ela sentiu um nó na garganta.

– Por causa da Guiga?

– Isso.

– Entendo... Meu Deus, achei que isso tinha terminado quando... quando terminou teoricamente – Anna começou a rir.

– Eu também... – Amanda sorriu. – Mas então tentamos essa aproximação por causa da Carol e do Bruno. Aí, simplesmente me dei conta de que eu ainda gosto dele. Isso é ridículo.

– Certo. Mas o que pretende fazer? Você sabe de quem estamos falando. Daniel Marques. Um babaca, perdedor, maroto e um dos caras mais problemáticos que conhecemos. Ah, claro, ele também é alvo de uma de suas melhores amigas, além de ser o queridinho de várias garotas loucas naquele colégio.

– Obrigada por me lembrar de tudo que me impede de ficar com ele – Amanda choramingou triste.

– Conte sempre comigo pra isso... Eu não gosto muito dele, na verdade, mas não sou eu quem tenho que gostar. Você vai ter que pensar em algo.

– Eu sei... Mas essas aulas de Artes não ajudam em porcaria nenhuma! – Amanda riu, nervosa.

– Pra mim tem sido gratificante. Caio é inteligente e vai acabar me passando na matéria, com a maior facilidade.

– Ele é um fofo – Amanda lembrou-se dos momentos que passaram juntos na infância.

– Tenho que admitir...

As duas começaram a rir e a listar coisas fofas nos garotos que conheciam. Pelo menos, isso contrabalançava a noite desastrosa de Amanda.

– Cara, você está bem? – Bruno viu Daniel encarar a parede da cozinha da sua casa com muito interesse.

– Estou – o garoto respondeu baixo, olhando para ele abobalhado.

Rafael e Fred ficaram observando a dupla, enquanto Caio se levantou, dizendo que ia embora.

– Vou pra casa. Minha mãe vai achar que me mudei pra cá. Ela já vive reclamando.

– Qual problema nisso? Tem quarto suficiente, você sabe que a casa é grande, e eu moro sozinho mesmo – Bruno deu de ombros.

– Se você insiste – Caio saiu da sala contente –, vou ligar pra ela e avisar que volto quando você me expulsar. Ela vai ter um ataque de nervos!

– Danny? – Bruno chamou.

– Santo Deus, que foi? – Daniel pareceu nervoso.

– Você não é o Daniel – Fred pegou em seu ombro –, sai capeta, sai desse corpo que não...

– Sai pra lá você, Fred! – Rafael empurrou o amigo, e ambos riram.

– Eu só estou um pouco nervoso – Daniel admitiu. – Me desculpem... me desculpem.

– Podemos ver isso – Bruno pegou uma garrafa de cerveja, atraindo o olhar interessado de Rafael.

– Onde comprou mais dessa? Você gasta toda sua mesada nisso, safadinho...

– Fred já é maior de idade – o amigo disse entre goles e levou um soco fraco de Fred.

– A menina do mercado me adora, sabe como é. Da próxima vez você vai comigo.

– Vai nos contar o que está havendo? – Bruno sacudiu a garrafa na frente dele.

– Fora a Amanda, né – Rafael falou.

– Esse é o problema. Não tem problema fora ela – Daniel resmungou.

– Você é um inútil, meu rapaz... – Fred balançou a cabeça. – Por que você não agarra essa garota e pronto?

– Ah, claro, e perder toda a credibilidade da minha vida?

– Que credibilidade? – Bruno sacudiu a garrafa de novo. – Você já é considerado um perdedor pra ela!

– Sou, né? – Daniel ficou chateado.

– Escute, meu amigo – Fred sentou-se ao seu lado –, você só precisa conquistar essa garota aos poucos. Você mesmo disse que quase se beijaram no corredor, e ela não resistiu!

– Foi, sim. Mas não sei se ela queria e...

– Corta essa Marques, sério – Rafael interrompeu. – Ela leu sua carta de amor, cara!

– E ela não tentou fazer as unhas enquanto faziam o trabalho de artes – Bruno fechou a cara.

– Ela te ajudou com o machucado – Fred lembrou, fazendo Daniel começar a sorrir.

– Cara, presta atenção – Rafael deu um tapa na cabeça dele. – E vamos dormir, porque a noite foi estressante. Preciso de pepino nos olhos! As olheiras vão acabar com meu visual.

– Ok, ok – Daniel se levantou, parecendo mais feliz. – Vou tentar começar do zero. Eu não sei realmente porque ela me evita, mas vou descobrir e então...

– Então você casa e tem filhos – Fred concluiu, enquanto Rafael começou a chorar imitando um bebê.

– E você vira popular na escola porque namora com ela – Bruno riu.

– Com quem que ele namora? – Caio perguntou, entrando na cozinha.

– Ainda com ninguém... – Daniel riu – ainda...

dezoito

Na manhã seguinte, Amanda acordou cedo. Tomou um banho rápido e desceu para comer alguma coisa. Sentada à mesa da cozinha, mexia em sua tigela de sucrilhos com leite, enquanto seus pais não paravam de discutir. Eles sempre discordavam um do outro, mas era uma discussão saudável. Nunca brigaram para valer em quase vinte anos de casamento. Mudavam de assunto com facilidade, iam de problemas do trabalho à viagem ao deserto do Saara da irmã de não sei quem. Amanda fingia que escutava, mas só conseguia pensar na noite anterior e resolveu tomar uma atitude. Ela nunca foi boba assim. Subiu apressadamente e pegou seu violão no quarto, enfiou a carta de Daniel no bolso da calça jeans, gritou algo para sua mãe e saiu de casa. Ele provavelmente estava na casa de Bruno, então era para lá que ela iria.

Daniel ouviu uma batida na porta e gemeu. A batida persistiu, até que Fred entrou no quarto com os cabelos escondidos sob uma toca de tricô colorida.

– Acho melhor você levantar AGORA – ele sugeriu.

Daniel esfregou os olhos, reclamou da maçã do rosto, ainda inchada, que parecia mais dolorida quando acordava. Jogou um travesseiro em direção de Fred, que se desviou.

– Quem morreu? – perguntou mal-humorado.

– Ninguém... ainda. Levanta, bota uma roupa e desce, cara – ele saiu do quarto.

Daniel se espreguiçou e levantou cantarolando. Tomou uma chuveirada quente e trocou de roupa. Quando estava saindo do banheiro, com os cabelos pingando, deu de cara com Rafael.

– Você demora mais que uma garota.

– Nossa, vocês estão apressados hoje! Que houve?

– Você tem visita – Rafael desceu a escada.

– Ah, claro, como se alguém fosse me visitar em pleno domingo.

Daniel foi falando enquanto entrava na sala de estar da casa de Bruno. Arregalou os olhos quando viu Amanda sentada com Fred no sofá. Ela estava de calça jeans clara e justa, uma camiseta branca larga e com os cabelos molhados soltos. Dedilhava o violão e cantava algo absurdamente engraçado, fazendo Caio gargalhar da cozinha com Bruno.

– Bom-dia – ela parou de tocar quando o viu chegando.

Daniel demorou um tempo para absorver a informação e sorriu.

– Bom-dia.

– Espero não incomodar. Estava me sentindo inútil em casa, e como perdemos a última aula de Artes porque... bem, eu fui ridícula – ela corou –, achei que, sei lá, pudéssemos fazer alguma coisa hoje.

– Hoje? – Daniel surpreendeu-se, e Rafael retirou-se para a cozinha.

– Ahn? Ah, claro, se você não quiser tudo bem – Amanda disse.

Daniel não se lembrava da última vez que ela tinha parecido tão simpática.

– Claro que eu quero, não tenho nada pra fazer mesmo – ele bateu na cabeça, tentando se explicar. – Não quis dizer que quero fazer isso porque não tenho nada mais útil, eu só...

– Eu entendi – ela sorriu.

– Então é isso, minha gente – Fred se levantou –, vou tomar um café forte para acordar e deixo vocês fazendo o trabalho aqui na sala. Qualquer coisa – ele piscou para ela –, se Daniel te importunar, grite.

– Geralmente, esse é o papel do Bruno.

– Eu ouvi isso – Bruno gritou da cozinha.

– Obrigada, Fred. Eu não sabia que você era legal assim.

– Sou muito mais! Vocês é que julgam as pessoas pela casca, lindinha. Não esqueça de espalhar pras suas amigas, ok? – ele foi para a cozinha.

– Não quer sentar aqui? Digo, não é minha casa, mas às vezes eu costumava ficar muito tempo nesse sofá, esperando a donzela do Bruno se arrumar – Amanda disse.

– Cara, eu estou ouvindo vocês dois. Com licença – Bruno fechou a porta da cozinha, deixando os dois sozinhos na sala.

– Certo – Daniel coçou a nuca e sentou-se no sofá em frente a ela, meio nervoso – Por onde começamos?

– Por onde paramos – ela pegou a carta e entregou nas mãos dele. – Eu acho realmente bonita.

– Obrigado – ele pegou o papel e releu a carta, com o rosto quente. – Isso é realmente muuuuito brega.

– Daniel! – Amanda protestou sorridente.

Ele adorou ouvir seu nome com a voz dela. Ainda mais rindo daquele jeito

– Me dê essa carta aqui, e anota o que vou te dizendo – ela mandou.

O garoto levantou e correu até o quarto para pegar caderno e caneta. Seu coração estava a mil.

– Pode dizer – ele sentou-se novamente com os cabelos caindo nos olhos.

Ela mordeu a boca, relendo a carta. Enquanto seus olhos corriam pelo papel, ela pensava no que estava fazendo. Soltou uma risadinha quando terminou.

– Eu disse que estava brega!

– Eu não ri porque está brega, Marques. Eu ri porque me deixa feliz.

– Outch! – Fred exclamou baixinho para Bruno. Os dois continuaram a escutar a conversa, com os ouvidos colados na porta da cozinha.

– Certo. – Daniel se sentiu instantaneamente muito feliz, mesmo sem saber como expressar seu contentamento sem soar idiota.

– Começo onde?

– Aqui você diz... – ela sentiu a voz tremer – querer abraçar e estar com a pessoa que gosta.

– E que eu destruiria o mundo por ela – ele completou.

– E que você se sente mal, doente, porque não tem quem você queria ter.

– E eu quero parar o mundo, fazer tudo que puder só pra mostrar o quanto eu amo... quem no caso... eu amo – ele continuou, se sentindo envergonhado. – Certo, como é o início?

Meio sem graça, Amanda ficou admirando Daniel por um tempo. Ele disse a palavra "amo"?

– Então, começa com... *Diga que você me quer*.

– Tá – Daniel sorriu.. *Eu te quero*, pensou.

– Por que está rindo? Se não gosta faz você mesmo – a garota falou brincando e Daniel parou de rir.

– É estranho ver alguém organizando as minhas palavras em música – se defendeu. – Só isso.

– Certo, você organiza e eu escrevo – ela pegou o caderno de suas mãos, entregando-lhe a carta.

— Se você insiste — ele tossiu. — Fred? Rafael? Caio? — e gritou — BRUUUUUNOOOO!

Bruno abriu a porta. Ele e Fred olharam para os dois.

— Quê? — perguntaram juntos.

— Podem me trazer um café? Estou sem comer nada e...

— Oh, Daniel, me perdoe — Amanda franziu a testa. — Olha só o que fiz, eu te acordei e você nem comeu e...

— Nah, nah... Fica na tua — Bruno disse para ela. — Faremos um café da manhã especial pro Danielzinho, porque ele tá com a cara ferrada e merece um consolo por isso.

— Poxa, obrigado.

— Não se acostume — Bruno bateu a porta da cozinha.

— Eles só vão fazer isso por você, vou me aproveitar.

— Seus amigos te amam — a garota riu.

— Você acha mesmo? — Daniel gargalhou.

— Bom, talvez não o Bruno, pelo visto.

Pouco depois, ambos se olharam em silêncio.

— Vocês vivem sempre por aqui, né?

— Os pais do Bruno nunca ficam aqui e, você sabe — Daniel mordeu os lábios —, os meus não se importam muito. Meu pai sempre viaja por causa do trabalho, indo de fábrica em fábrica da empresa que ele coordena. Agora, abriu uma nova filial no Canadá. E minha mãe passa o maior tempo na rua ou visitando a minha vó na capital.

Amanda, olhando para os lados, sentiu saudade de quando era mais nova. Sorriu, vendo que a sala estava como sempre fora e que poucas coisas tinham mudado. Reparou em um pedaço de madeira na estante onde ficava a TV e alguns livros.

— Aquilo é uma baqueta? — ela franziu a testa.

— Ahn? — Daniel ficou nervoso.

— Baquetas! Eu sabia que conhecia alguém que gostava de bateria. O Bruno aprendeu a tocar? — a garota pareceu curiosa e confusa.

Amanda tinha vaga lembrança do amigo ter dito que queria ser um astro do rock quando mais novo, embora nunca o tivesse visto com algum instrumento.

— Ah... bateria? O Bruno? — Daniel se esforçou para rir debochadamente — Acha mesmo? Ele até tentou fazer aulas, mas você sabe como ele é todo desorganizado e sem jeito... e faz tanto tempo.

— Sei, sim, é verdade.

Ela se convenceu de que Bruno nunca iria se focar tanto em algo que exigisse esforço físico. Além do mais, os dois nunca tinham conversado sobre isso desde que ela se distanciou, então não devia ter se tornado algo importante. Se fosse, ele teria mencionado.

– Certo... então, *Diga que você me quer* – Daniel pigarreou, tentando voltar a atenção dela para a música.

– Ouvindo assim parece idiota mesmo.

– Eu disse...

– Bom, se você não quiser... pode mudar.

– Não! Vamos manter assim. – Ele fez cara de poeta e começou a recitar. – *Diga que você me quer, diga que nada é em vão. Diga o que eu quero ouvir e eu farei o mundo parar pra você!*

– Oh, isso não ficou romântico.

– Não mesmo... Mas quem disse que era pra ser, certo?

Ele riu. Amanda não resistiu e sorriu junto. Nada disso podia ser proibido. Nada.

No fim da manhã, eles deduziram que tinham feito uma música. Horrível, na opinião dos dois. Mas concordaram que, pelo tempo em que tinham bolado tudo, ficou suficientemente bom. Ainda mais, se nenhum dos dois tinha talento para o mundo musical, como ela pensava. Amanda não sabia como definir aquele momento com Daniel. Tinha sido surreal. Nunca se imaginou numa situação como essa.

– Nos vemos amanhã, certo? – ele disse.

Amanda já havia se levantado, preparando-se para ir embora. As coisas pareciam estar mudando, mas ela ainda não tinha certeza disso.

– Ok – ela respondeu.

– Certo, prefere que eu não fale com você na escola? – ele perguntou sério.

– Não é porque – ela mordeu o lábio inferior – não queira falar contigo, Daniel, mas...

– Eu entendo... Entendo perfeitamente.

Ele buscou uma entonação bem natural. Não entendia porcaria nenhuma, mas o plano não era conquistá-la?

– Sério? – ela sorriu.

Ele pensou que tinha valido a pena mentir para poder vê-la sorrindo daquele jeito

– Ai, obrigada... Um dia, quem sabe, você possa entender isso.

– Vou contar os dias – falou o garoto.

– TCHAU, BRUNO – ela gritou – Tchau, meninos!

Ouviu várias vozes vindas da cozinha e deduziu que eles tinham se despedido.

– Então, até mais – saiu andando pela rua.

Daniel acenou e fechou a porta de casa. Ficou um tempo parado, absorto em pensamentos.

– O que foi isso? – ele entrou na cozinha correndo, extasiado.

Todo mundo começou a rir.

– Você foi um idiota, mas valeu – Caio atirou bolinhas de papel alumínio no lixo que estava no colo de Rafael.

– Eu... eu... ahahahaaaaaaa – Daniel começou a gargalhar.

Ele ainda não tinha assimilado bem. O coração ainda parecia que iria sair pela boca.

– Sim, ela veio te procurar. Mas e daí? Isso é apenas um sinal pro seu plano ser colocado em prática – Fred, sentado na pia, fazia carinhas de ketchup nos pratos sujos.

– Certo. Certo. Certo – Daniel repetiu, sentando-se em uma cadeira ao lado de Bruno. – Eu fui muito idiota?

– Não cara, você foi bem. Até achei que você fosse pirar e mandar ela embora, mas agiu certo. Ela parece ter gostado – Bruno disse.

– Será mesmo? – Daniel sorriu.

– Veremos amanhã... Outch, Caio! Cuidado, é pra acertar no LIXO, e não na minha cara! – Rafael gritou quando uma bolinha de papel bateu no seu olho.

– Ah, não era pra te acertar não? – Caio perguntou e todos riram.

– Acabei de voltar da casa do Bruno – Amanda disse ao celular, enquanto caminhava na rua perto de casa.

– Oh, céus, o que você fez? – Anna prendeu a respiração do outro lado.

– Fui atrás do Daniel.

– VOCÊ O QUÊ? Você ficou louca? E a Guiga? E... e se...

– E se nada, não mudou nada. Apenas queria tirar aquela impressão estranha de ontem. Ele foi simpático, agiu como se fosse meu amigo há anos.

– Ok, certo. Mas o que exatamente vocês fizeram até agora?

– Escrevemos o trabalho de artes. Ai, Anna, a música é meio piegas, mas, sei lá, como foi baseada na carta dele pra mim, acaba sendo tão...

– Para de enrolar e me leia essa música agora!

– Certo... Só um pedaço, ok? – Amanda pegou o papel do bolso. – *Quero poder te abraçar e dizer o que sinto. Meu céu está negro sem você e isso está me sufocando.*

– Uh, isso é forte.

– Eu sei. Olha isso agora... *e eu farei tudo que me pedir porque eu quero muito te abraçar.*

– E você não abraçou ele, não?

– Claro que não – ela respondeu rápido. – Não foi por falta de vontade – as duas gargalharam. – Ai, essa situação é ridícula! Estavam todos os meninos na casa do Bruno.

– Todos? – Anna perguntou interessada.

– Até o Caio...

– Não perguntei isso.

– Ahhn, ok... Anna, vou desligar. Cheguei em casa agora e estou atrasada pra almoçar na casa do meu tio. Minha mãe já me olhou feio por aqui.

– Ok. Até amanhã? Quer que passe pra te pegar?

– Pode ser, eu iria com Bruno se a cambada não estivesse alojada na casa dele. Até amanhã então. E olha, tudo é segredo ainda... Não quero que ninguém saiba que eu fui lá e...

– Esquenta não, amiga. A Guiga ainda não vai saber de nada – Anna riu.

– Eu me sinto tão mal fazendo isso – Amanda falou com voz triste.

– É pro seu bem e pro dela, não é? O que há de mal nisso? Bom, até mais. A porcaria do cachorro está latindo que nem louco aqui, e eu preciso dar comida pra ele. Meu pai às vezes é inútil pra essas coisas...

– Até – Amanda desligou o celular subindo a escada para trocar de roupa.

dezenove

Anna e Amanda chegaram à escola e deram de cara com Guiga e Maya conversando com Rafael e Fred na entrada. Elas pareciam animadas. Amanda e Anna ficaram curiosas, mas deram de ombros. Bruno, Daniel e Caio passaram por elas com os cadernos nas mãos. Caio usava um chapéu de bobo da corte.

– Bom dia, princesas – fez uma reverência.

As duas riram, achando engraçado.

– Bonito chapéu, Andrade. Ficou perfeito – Amanda zombou.

– Por que está vestido assim? – Anna perguntou.

Daniel ficou na frente delas e colocou um nariz de palhaço vermelho. Bruno fez o mesmo.

– Vocês são malucos, sai de perto – Amanda brincou.

– Treinamento pro dia nacional de combate ao câncer infantil no mês que vem, princesa – Daniel apertou o nariz, fazendo reverência também. – Não somos palhaços sempre, mas gostamos de espalhar alegria pra quem precisa de uma força.

– Ah, claro! – Anna riu.

– Quer um nariz também? – Bruno perguntou.

As duas se entreolharam e viram Fred e Rafael tentando convencer Maya e Guiga a também usar nariz de plástico.

– Se a gente pegar a droga do nariz, vocês saem de perto? – Amanda sussurrou.

– Como a vossa majestade mandar – Daniel gargalhou.

Anna pegou o nariz de Bruno e Amanda o de Daniel. As duas se viraram e saíram andando.

– Guiga? Maya? Alô, vamos? – Anna chamou.

As duas amigas também roubaram os narizes de Rafael e Fred e foram atrás. As quatro se olharam rindo em direção à sala de aula.

– Nada como a bela vida de bobo da corte de volta – Caio sentenciou feliz, enquanto algumas pessoas passavam. – Bom-dia, cortesã. Já pensou em fazer uma criança mais feliz?

– Eles cheiraram cola? – Guiga divertiu-se.

As outras três estavam com os narizes na mão e se olharam.

– Aposto que foi ideia do Rafael, sabem? Quando estávamos na aula de Artes ele veio com ideias parecidas com essa sobre uma campanha a favor dos *nerds* – Maya contou.

– Isso não deixa de ser uma atitude fofa – Anna apertou o nariz na sua mão.

– Vocês estão se dando bem, então? – Amanda perguntou.

Guiga e Anna deram risadinhas provocativas, mas Maya fez uma careta.

– Nada disso, ele ainda é um imbecil, esqueceram?

– Claro que não – Amanda riu. – Cadê a Carol?

– Não vimos ela por aqui – Guiga respondeu.

– Ligo pra ela agora ou quando a aula começar? – Anna indagou.

– Liga agora. Se ela estiver dormindo, qual a utilidade de acordá-la na hora da aula? Ela já perdeu mesmo! – Amanda sorriu para algumas pessoas que passaram pelo corredor e as cumprimentaram. – Quem são esses?

– Nem ideia – Guiga riu.

– Uma garota me deu bom-dia por tanto tempo que acabei achando que ela era uma grande amiga – Maya ajeitou os cabelos ruivos.

Anna saiu de perto para ligar para Carol.

– Dormiu bem ontem? – Guiga perguntou.

– Domingos são sempre entediantes – Amanda falou sem querer estender o assunto.

– Quando temos Artes mesmo? – Guiga se virou, e Amanda agradeceu a sorte.

– Por quê? O que tem de interessante no *nerd* flautista da sua dupla? – Maya provocou.

– Nada. Descobri que ele toca bateria. A Marina Rios, do primeiro ano, estava comentando com as amigas dela... Vai que ele é do Scotty? – Guiga disse sem muita certeza.

– Claro que não é no *nerd* que ela está interessada. – Anna se aproximou – Fred a visita durante todas as aulas de Artes.

– Ele diz que visita vocês também – Guiga se defendeu.

– Lá debaixo da árvore ele nunca deu as caras – Amanda riu.

– Nem na sala onde eu e o Caio ficamos – Anna fechou o celular.

– Nem que Rafael quisesse... Por favor, né? Já chega um – Maya debochou.

– Pelo visto é contigo, amiga – Amanda cutucou Guiga, que ficou vermelha.

– E a Carol? – ela mudou de assunto, entrando na sala.

– Resfriada. A gente passa lá depois – Anna combinou ao ver a professora entrar também. – Ah, não, alguém aqui concorda que Álgebra é a pior matéria do segundo ano?

Todas levantaram as mãos enquanto se sentavam.

– O que vocês estão fazendo? – perguntou Susana ao chegar perto de Fred e Daniel, ambos com nariz de palhaço.

– Campanha – Fred riu. – Por que acha que estaríamos vestidos assim?

– Achei que finalmente tinham se assumido – a garota saiu andando.

– Hahaha – Daniel sacaneou.

– Deixa isso quieto, cara, e me conta: como está hoje?

Os dois caminharam pelo corredor, vendo as pessoas se dirigirem para suas salas.

– Em relação a...?

– Não seja panaca – Fred deu-lhe um tapa na nuca. – Em relação ao Caio e ao Rafael que não é.

– Certo – Daniel acenou para pessoas que passavam, que começaram a rir dele –, eu estou bem; quero dizer, não tanto quanto gostaria de estar, mas enfim...

– E como vamos com a garota?

– Você mesmo viu, ela não fala comigo mais do que fala com vocês.

– Normal, Marques – Fred sorriu – É normal que garotas como ela não queiram falar com garotos como nós na escola. Veja o exemplo da minha rainha! Ela não quer me ver nem de palhaço, acredito eu. Mas eu ligo? Não. Um dia ela vai gostar de mim.

– Queria ter essa certeza toda que você tem.

– Olhe bem nos olhos da garota, cara. E você vai logo ver se deve cair fora.

– A Amanda... Eu nunca sei o que ela sente quando olho nos olhos dela. Certo dia eu pensei que ela estava realmente comovida com a minha carta, mas foi questão de tempo pra que ela pirasse de novo – Daniel ia contando enquanto Fred ria. – Depois, teve uma vez em que ela se virou pra mim e nossos olhos se encontraram, você sabe como é.

– Piegas.

– Mais ou menos – Daniel continuou falando –, mas foi... mágico, foi surreal; ela realmente olhou pra mim.

– Certo, eu imagino que você não seja invisível.

– Não me faça perder as esperanças, meu amigo. E no baile, aquele dia? Cara, quase que aconteceu algo épico nesses corredores. Eu não sei o que se passava com ela. Talvez estivesse triste por causa de um dos orangotangos do colégio e querendo se divertir, sabe?

– Bruno nunca falou desse lado dela.

– Eu sei que não – Daniel passou as mãos pelos cabelos –, mas a verdade é que ela me confunde. Ela me odeia ao mesmo tempo que elogia minha carta; ela me ignora, sorri pra mim e depois me esnoba.

– Como diria aquela moça bonitona na MTV, *hot and cold*... São realmente muitos sentimentos – Fred disse, rindo. – Cara, relaxa. Siga seu coração e os olhares dela.

– Vou tentar – ele bateu nas costas do amigo –, até o intervalo.

– Numa festa, o carinha que você gosta está com outra garota. Você, opção a: finge que não viu; opção b: inicia uma aproximação; ou opção c: começa a puxar papo com o amigo dele? – Guiga leu o teste da revista *Sensação*.

Maya fez um barulho estranho pelo nariz.

– Que babaquice, isso está mesmo escrito aí?

– Com todas as opções.

– Eu não faria nada disso. Se o cara que eu gosto aparece com outra garota, ele morre. Na hora.

– Maya! – a amiga riu.

Guiga começou a folhear as páginas em busca de algo interessante. Aqueles testes eram épicos quando era mais nova, mas agora todos pareciam meio ridículos. Ela se sentiu velha.

– Ei – Anna chamou Guiga baixinho.

Era a hora da troca de aulas e o professor de Espanhol ainda não tinha entrado. Os alunos começaram a conversar e virar para trás nas cadeiras.

– Vamos tomar sorvete hoje?

– Meu pai mandou ir cedo pra casa, parece que vou ter que vigiar meu irmão quando ele for pra fábrica. Saco! – Guiga lamentou, entregando a revista para Maya.

– Eu não posso também, minha mãe está implicando com meu quarto. Acho que finalmente vou tentar trocar o papel de parede! – Amanda fez figa.

– Olha isso na revista! – Maya escondeu uma risada. – Esse teste é bom, sobre traição entre amigas. Vem, Anna, sua vez de responder!

Naquela tarde, já em casa, Amanda ficou um tempo se examinando no espelho do banheiro, perdida em pensamentos. Queria que tudo fosse diferente. Que não tivesse mudado quem era antigamente. Que não sentisse coisas pelo amigo imbecil de seu melhor amigo. Ela lavou o rosto com água fria e respirou fundo. Sentimentos são coisas inevitáveis. Ela não tinha como controlar.

No dia seguinte, as duplas se juntaram para a aula de Artes. Depois de se despedir de Bruno e Rafael na porta da sala – Caio já tinha corrido antes pra encontrar seu par –, Daniel saiu andando lentamente pelo pátio com as mãos nos bolsos da calça jeans. Olhava à sua volta e via pessoas conversando e rindo, se divertindo. A grama estendida por toda volta do colégio tinha algumas árvores, e vários alunos passavam os intervalos, recreio e aulas enforcadas por ali, sentados em troncos, conversando, jogando cartas, comendo e, muitas vezes, namorando. Ele balançou a cabeça.

– *Life is getting harder day by day* – cantarolou uma de suas músicas preferidas.

Quando viu Amanda sentada embaixo da árvore, parou e sorriu. Pensou em como ela ficava mais bonita a cada dia. Pelo menos aos olhos dele. Os amigos garantiam que ela sempre foi desse jeito. Daniel viu a menina com o violão no colo, olhando um pedaço de papel. Ela tinha um sorriso descontraído nos lábios.

– *And I don't know what to do or what to say, yeah* – "obrigado por interpretar meus sentimentos, McFLY", ele pensou agradecendo à banda predileta de Bruno.

– Quando você quer, tem a voz bonita, Daniel – Amanda elogiou quando ele se aproximou.

Daniel congelou. Tinha esquecido que não podia sair por aí mostrando seus dotes musicais de forma alguma.

– Fale por você mesma, eu discordo – ele sentou-se. – E então? Fazendo o quê?

– Além de aderir a uma campanha extremamente simpática contra o câncer? Tentando achar um ritmo pra nossa música.

Ele adorava ouvi-la falando isso. *Nossa*.

– Pena que você não sabe usar o violão – ele riu.

– Que absurdo! Como você ousa falar assim comigo?

– Vai chamar o JP pra me socar de novo?

– Daniel – ela fez bico –, me desculpe por isso.

– Por que deveria? – ele franziu a testa.

Ela olhou para ele com uma cara triste

– Quero dizer, por que está me pedindo desculpas, se isso não tem nada a ver com você?

– Sei que ele estava falando de mim, Daniel.

Ele apertou os lábios sem saber o que dizer.

– Eu, sinceramente, acho que foi horrível da parte dele e...

– Não esquenta, é inútil pedir desculpas por algo de que não teve culpa. Eu não sei o que deu em mim, de qualquer forma. Não costumo agir como idiota, embora vocês todos discordem disso. Vamos ao que interessa?

– Ahn... ok – ela ficou séria. – Pega esse violão, eu não sei mesmo o que ainda faço com ele nas mãos.

– Não! Não, eu estava brincando... Queria apenas dizer que você tem que apertar as cordas com mais força ou o som sai diferente do esperado – ele ensinou.

Ela sorriu enfim. Ele amava o sorriso dela.

– Você não tem jeito, Marques. Olha, eu não te conheço muito bem...

– Porque não quer, estudamos juntos há alguns anos – ele riu.

– Eu sei, mas às vezes eu me sinto patética aqui conversando com você...

Daniel parou de sorrir.

– Eu não sabia que... Bom, eu sei que é ruim pra sua popularidade manter contato com alguém como eu, mas não sabia que chegava a ser trágico assim, me desculpe!

– Ahn? – Ela franziu a testa. – Não! Não foi isso que eu quis dizer – ela falou rápido. – Convenhamos que vocês não sejam o melhor pra massagear o ego, mas têm se mostrado legais... e, bem, nunca foi tão bom perder uma aula.

– Imagino que não, o dia está lindo – ele sorriu olhando o céu azul.

Com poucas nuvens, a luz do sol refletiu em seus olhos, deixando-os mais verdes que o normal. Ela amava o rosto dele. Adorava o brilho dos olhos dele. Como estava se sentindo boba naquele momento.

– Mas o que quis dizer em se sentir patética comigo? – ele perguntou, cortando seus pensamentos.

– Eu não te conheço muito... Você também só conhece, no máximo, o que o Bruno balbucia ou, então, o que as paredes do colégio te contam sobre mim – ela mexeu com as mãos –, mas estamos escrevendo uma música tão... com tantos sentimentos assim. É estranho, Daniel.

– Não deixa de ser verdade. Quer sair pra tomar sorvete? Podemos nos conhecer melhor? – ele disse de uma forma cafajeste.

– E depois você me leva pra algum motel e, amanhã, eu finjo que nada aconteceu? – ela riu, encolhendo as pernas.

– Se você – ele gargalhou – não me pedir em casamento antes. Porque as meninas costumam se apaixonar por esse corpinho todo aqui.

– Ah, claro, algo bem provável que eu faça.

– Eu não sei se aceitaria – ele fez cara de desdém – o casamento.

– Ah, não? Vai me largar grávida assim mesmo?

– Talvez – ele disse pensativo –, como vou saber se o filho é meu?

– Você teria que confiar em mim – ela riu. – Somos dois patéticos.

– Não exatamente – ele se deitou na grama. – Se eu fosse um cafajeste, essa seria uma história interessante.

– E então eu seria a patética.

Amanda continuou mexendo nos cabelos, meio tímida. Mas ela estava amando ver o garoto naquela posição.

– Eu não deixaria isso acontecer.

– Ah, claro, e ia fazer como para me proteger?

– O Bruno existe pra isso.

Ele riu e ela deixou o violão de lado, encostando-se à árvore.

– Pobre Bruno, ele não sabe no que se meteu.

Os dois ficaram em silêncio por um tempo.

– Eu não sou um cafajeste – ele afirmou do nada.

Amanda arqueou a sobrancelha e olhou para o garoto, que encarava o céu distraidamente.

– Eu não disse que era.

– Eu sei que não – ele se apoiou no cotovelo para olhar melhor para ela –, só estou explicando pra que você não negue meu pedido.

– Que pedido? – ela arregalou os olhos.

– De tomar sorvete e ir pro motel – ele disse e ela gargalhou. – Mas, em vez disso, podemos jantar juntos, o que acha? Um encontro totalmente despretensioso, na minha casa. Eu cozinho.

– Você acha isso uma boa ideia mesmo? – ela sentiu a voz tremer.

Céus, não podia cair na tentação de aceitar aquilo! Que absurdo, como conseguiria disfarçar o nervosismo? O que os outros diriam se soubessem?

– Acho uma grande ideia. Ninguém vai te ver comigo, você pode continuar sendo popular.

– Não fale assim, faz eu me sentir um péssimo ser humano! Eu realmente não ligo taaanto pra essas coisas.

Eles ouviram vozes quando algumas garotas da oitava série passaram pela grama. Estavam olhando para os dois e cochichando. Amanda abaixou a cabeça.

– *Você está vendo?* – uma delas falou.

– *Ouvi dizer que eles estão fazendo trabalho juntos.*

– *Ouvi dizer que o namorado dela quebrou a cara dele porque pegou esse perdedor dando em cima dela.*

– *Você viu ela no baile.*

– *Ele e os amigos idiotas...*

– *O quê? O Albert e ela?*

– *Ela é linda, não sairia com um cara desses...*

– *Nem brinca, ela seria louca...*

Ouviram vários rumores do grupo que passava. Amanda mantinha a cabeça baixa, mas Daniel sorria.

– Bom dia – ele acenou, ainda deitado, para as pessoas.

Alguns alunos olharam e saíram de perto o mais rápido possível.

– *Idiota.*

– *O que ele disse?*

– *É um otário mesmo, achando que ela vai querer algo com ele...*

– *Otário* – saíram comentando.

Amanda olhou para Daniel.

– Não se importa que o chamem de otário por estar aqui comigo? – perguntou preocupada, se sentindo mal pela situação toda.

– De forma alguma – ele se levantou ouvindo o sinal tocar –, além de estar acostumado, eu sei quem sou. E a última coisa que sou, estando aqui com você, é otário.

Ela sorriu. Como alguém podia ser tão fofo assim?

– Então está combinado? Na minha casa, amanhã, às oito? – Daniel saiu andando e acenou.

Amanda não teve nenhuma reação. Depois se sentiu estúpida por não ter recusado. Esse jantar ia ser um fiasco!

– Amiga, toma cuidado – Anna dizia ao telefone rindo.

Amanda estava de toalha olhando para o guarda-roupa.

– O mais incrível é que eu vou tomar.

– Isso é surreal... Quero dizer, você está indo jantar na casa de um dos marotos? Há alguns meses, eles eram tão ignorados por nós quanto a turma do coral do primeiro ano. Quer dizer, é realmente estranho... O que anda acontecendo com o mundo?

– Girando – Amanda disse –, acho legal estarmos amadurecendo e aprendendo a conhecer as pessoas, por mais que a maioria não faça isso.

– É assustador o quanto eu me divirto nos meus trabalhos com o Caio. Quero dizer, ele sempre vai ser meio imbecil, mas é tão diferente de um tempo atrás...

– Talvez se conhecêssemos os tocadores de flautas, eles poderiam ser assim também.

– Nem pensar. Já bastam os marotos.

– Eu quero aprender a não ligar pro que os outros pensam de mim, amiga. E sei que o Daniel pode me ajudar nisso.

– Sei que pode... Sei que devemos aprender isso, mas não é fácil mudar.

– Não mesmo. Mas a gente se esforça, certo? Por falar nisso, meu guarda-roupas está se esforçando pra me deixar com raiva... Com que roupa eu vou?

– Como quer que eu adivinhe, estou de pijama na frente da minha TV – Anna riu – humm... e comendo brigadeiro!

– Vida de gente popular é dura, não é mesmo?

– Ô. Eles acham que a gente vive nas festas com uma taça de champagne na mão, não é? Tolinhos...

– Mas anda, Anna, me ajudaaaaaaa!

– Certo, calma... Deixa eu visualizar suas roupas... hum... Que tal algo simples e confortável? Calça jeans básica, sapato preto social e uma daquelas blusinhas brancas.

– E o frio? O que faço com ele?

– Joga pra dentro do sobretudo, ô inteligente. Anda, se veste assim ou Daniel vai achar que é um encontro romântico.

– Coisa que é mentira – Amanda escolheu uma calça jeans escura.

– Pelo menos ele pensa que é – Anna disse e as duas gargalharam.

– Obrigada pela ajuda. Qualquer coisa me liga no celular.

– Certo, se divirta e, por favor, não faça nenhuma besteira de que vá se arrepender e chorar no meu ouvido amanhã.

– Não se preocupe – Amanda riu e desligou o telefone. Olhou para o *closet* e seguiu o conselho da amiga.

vinte

Amanda pegou um táxi e, em questão de dez minutos, parou em frente à enorme casa de Daniel. Era bastante bonita, com uma arquitetura antiga; mais parecia aqueles casarões de fazenda. As cortinas estavam fechadas, mas uma luz gostosa estava acesa na sala. Ela atravessou o jardim bem cuidado, repleto de roseiras, e chegou à porta de madeira escura, sentindo as mãos e os joelhos tremerem. Ainda não sabia por que estava fazendo isso.

Tocou a campainha.

Um minuto depois apareceu Daniel, com um avental colorido por cima da camisa xadrez de flanela, cabelos bagunçados e calça escura de tecido.

– Bem na hora – ele abriu a porta. – Você está linda.

Ela riu e entrou, tirando o casaco. O garoto sorriu, sentindo uma felicidade inexistente. *Ela veio*, pensou. Mostrou-lhe as luvas de cozinheiro e correu para a cozinha. Amanda ficou parada no *hall* analisando as fotos de família penduradas na parede. Tinha uma de um garotinho vestido de coelho, segurando uma cesta de ovos de páscoa. Ela sorriu.

– E você está bem *sexy* assim – gritou.

Ouviu ele gargalhar de longe. Amava a sua risada alta.

– Última moda, não sabia? – ele voltou sem as luvas. Passou as mãos pelos cabelos e a chamou. – Vamos pra sala, eu até te levaria pra cozinha, mas não quero passar mais vergonha. Não mais do que o suficiente, vamos, venha.

Daniel saiu andando e ela o seguiu. Olhava os detalhes da casa dele.

– Que casa bonita – disse por fim.

Chegaram a uma ampla sala com alguns sofás de couro branco milimetricamente posicionados com a mesa de centro de vidro e a televisão de tela plana, colocada na parede oposta. Ao lado ficava a sala de jantar com uma mesa de cor clara e arrumada de forma simples, mas convidativa. Pratos de porcelana e talheres de prata estavam perfeitamente alinhados em cima dela, acompanhados por duas velas acesas e um pequeno vaso de cristal, com apenas uma rosa vermelha no meio.

– Meus pais são bem conservadores – Daniel tentou explicar.

– Pelo visto você aprendeu boas maneiras de decoração. A mesa está linda! – Amanda brincou.

– Minha mãe é fissurada nesses lances de etiqueta e me ensinou. A rosa eu peguei do jardim, ela vai me matar se descobrir que andei mexendo nas preciosas plantas dela!

– Onde estão seus pais no momento? Acredito que estamos sozinhos, não? – ela perguntou sorrindo. Ele concordou, sentindo um bolo no estômago.

– Se você não se importar... Eles foram viajar ontem. Tipo pra uma conferência da empresa do meu pai ou algo assim. Devem voltar daqui a algumas semanas.

– Bom, você não é um cafajeste, certo?

– Não conheço esse meu lado ainda. Sou um maroto, *nerd* e perdedor. Tudo, menos cafajeste. Sente-se, vou começar a trazer a comida.

– Quer ajuda, perdedor? – ela perguntou.

Ele fitou os olhos dela e tentou procurar algo. Lembrou dos conselhos de Fred e aprofundou o olhar. Nada. Não podia ver nada. Ela estava simplesmente sendo irônica e, assim, não deixava as emoções transparecerem.

– Daniel – ela o chamou –, estou brincando sobre o perdedor, e não quanto à ajuda.

– Ah, certo... O que quer pra beber? – ele saiu andando.

Ela franziu a testa e o seguiu.

– Você está bem? Quero dizer, eu te ofereci ajuda...

– Me desculpe, é a fome – disse dando tapas na barriga.

Ela até concordou, mas não ficou convencida.

– Bebo o que você for beber, não estou aqui pra dar trabalho.

– Cerveja? Vinho? Refrigerante? Suco de maracujá? – sugeriu.

– O que você costuma beber quando seus pais viajam?

– Bom, até quando eles estão aqui eu bebo cerveja – mostrou um compartimento da geladeira cheio de latinhas – Meus pais não bebem. Acabo levando tudo pra casa do Bruno.

– Estou começando a entender as atitudes de vocês no colégio...

Amanda pegou uma garrafa de refrigerante, vendo ele levar uma travessa de comida para a mesa, e o seguiu após fechar a geladeira.

– Gosta de brócolis? – perguntou, tirando o avental.

– Gosto. Podem dizer que sou metida, mas nunca fui enjoada pra comer!

– Ótimo, porque eu fiz miojo... com brócolis.

– Por que diabos alguém faria miojo com brócolis como jantar, Daniel? Eu gosto, mas convenhamos que não é uma comida comum.

Amanda se acomodou de um lado. Ele sentou-se do outro.

– Não consegui pensar em outra coisa – ele serviu o refrigerante nos copos de cristal –, eu meio que me perdi em pensamentos.

– Tudo isso por que ia ter visita pro jantar? – ela riu.

Daniel amava o sorriso dela, até mesmo quando debochava dele.

– Tudo depende da visita – ele disse servindo a comida – Posso?

Ela estendeu o prato.

– Por que mesmo que eu vim até aqui?

Ele sorriu e voltou a se endireitar na mesa.

– Pra não aceitar meu convite de tomar sorvete. Isso envolveria muita gente.

– Ah, certo... Fora que você iria me levar num motel depois.

– Provavelmente, se o sorvete contivesse alguma droga. Você não iria pra um motel comigo e...

– Você não é um cafajeste – ela terminou a frase.

– Exatamente.

Ficaram em silêncio por alguns minutos, enquanto comiam.

– Por incrível que pareça, isso está delicioso.

– Obrigado. É meu tempero especial.

– Cozinha há muito tempo?

Ele apenas concordou, mentindo. Nunca tinha ido para a cozinha sozinho, porque quem cozinhava na sua casa era sua mãe, e na do Bruno, o dono da pizzaria mais próxima.

– O que pretende fazer depois do colégio? – ele quis saber, tentando começar uma conversa amigável.

Amanda terminou de engolir a comida e olhou para ele profundamente, fazendo os cabelos da sua nuca se arrepiarem.

– Não sei ainda... Queria entrar pra alguma universidade, talvez fazer Jornalismo... Quem sabe Direito? Ou então Relações Internacionais?

– Você tem noção de que nenhuma dessas coisas tem a ver uma com a outra, certo?

– Direito e Jornalismo são importantes em Relações Internacionais, oras.

– Bom, se um dia eu terminar o colégio, pretendo ser vagabundo.

– Vai se sustentar com isso?

– Não, quero casar com alguma velha rica que me sustente – ele piscou um olho, bebendo um gole de refrigerante.

– Tipo um *boy toy*? – Ela riu.

– O dia em que você for rica, estarei esperando seu convite, boneca – falou com voz sedutora.

– Pena que eu não sou velha.

– Pois é, infelizmente... Você não faz meu tipo – ele se levantou, recolhendo os pratos. Os dois tinham terminado de comer. – Com licença, vou buscar o sorvete.

– Não faço seu tipo? – Ela colocou mais refrigerante no copo e riu.– Que absurdo, então aquela carta não significou nada?

Ele gargalhou, voltando para a mesa com o pote nas mãos.

– Há dois anos era simplesmente o que eu sentia.

– Você gostava muito de mim – ela sorriu abobada, mas Daniel não viu. – Posso te confessar uma coisa?

– Se você disser que é lésbica vai estragar minha infância.

– Acho que seria mais feliz no amor se fosse, talvez – ela afirmou e ele fez cara de espanto. – Brincadeira...

– Certo, confesse-se. Não sou padre, mas garanto que seu lugar no céu está reservado. Calda de caramelo? – ele serviu o sorvete para ela.

– Obrigada... Bom, eu lembro do dia em que você entrou no colégio.

Amanda começou a contar. Ele se sentou com seu sorvete, que derramava calda pelas beiradas do potinho, e ficou olhando para ela.

– É, eu me lembro... Eu estava sentada em um banco com a Anna e a Maya.

– Perto do pátio de trás – ele disse e ela riu sentindo as bochechas vermelhas.

– Exatamente... E você logo foi abordado por Caio, Bruno e Rafael.

– Que, por sinal, me trataram muito bem. Acho que se identificaram com a aparência de pateta.

– Lembro que você veio andando... e parou pra ajeitar as calças, já que desde então você usa um numero a mais.

– Ei, eu gosto de calças largas! – ele protestou.

– Você olhou pra mim e pras meninas e sorriu – enquanto falava, mexia em seu sorvete com a colher sem tomá-lo – pra mim, foi algo inexistente até aquele momento, eu nunca esqueci aquele sorriso.

Daniel ficou sem palavras e sentia o coração acelerado dentro do peito. Não sabia de nada disso.

– E então você andou até o outro banco, ainda sorrindo como uma criança, e se sentou, olhando pras pessoas à sua volta, como se fosse escolher seus novos amigos. A Anna comentou algo de você, mas não consegui ouvi-la... estava... entretida – ela riu e olhou para ele, colocando seus cabelos para trás da orelha em sinal de vergonha.

Daniel procurou os olhos dela e sentiu um arrepio. Fred estava certo, você definitivamente podia ler o olhar de uma garota. E os olhos dela brilhavam tanto, que a vontade de Daniel era de se levantar e ir abraçá-la.

– Então você escolheu Bruno e sua trupe. Os marotos, tão detestáveis quanto sua fama. Eram muito piores do que agora, porque vocês cresceram e ficaram bonitos... As meninas mais novas não os detestam mais – ela riu levemente – e, naquele momento, eu tive certeza de que não podia mais olhar pra você...

– Sabe – ele respirou fundo, sentindo os joelhos tremerem –, eu não conseguia parar de sorrir quando vi você sentada com suas amigas. A primeira coisa que perguntei ao Bruno foi quem era você... E ele me disse pra cair fora, que você era uma das populares que nos odiavam e que provavelmente nunca olharia pra mim. Eu olhava pra você a cada cinco minutos do meu dia, sempre que podia, mas você nunca estava olhando de volta.

– Eu fingia que não – ela confessou sem olhar para ele.

Amanda sentiu-se envergonhada. Nunca tinha contado nada disso para ninguém, mas sentia necessidade de falar para ele. As suas mãos estavam tremendo e ela mordeu o canto da boca.

– Mas eu nunca desisti, sabe? Eu dizia pro Bruno que faria você gostar de mim. Até que... mais de um ano sem nem um sorriso retribuído... me fizeram rever conceitos – ele confessou.

Amanda levantou o rosto e olhou para ele.

– Você nunca vai entender o porquê disso.

Os olhos dela brilhavam e Daniel mordeu os lábios.

– Eu não preciso entender, isso tudo é passado.

Ela concordou, voltando a olhar para o sorvete derretido.

– Eu pensava que você seria o homem da minha vida, sabe? Pensamentos de quando se é mais nova? Eu guardava aquilo tudo pra mim, ninguém nunca soube... Ninguém nunca precisou saber – ela respirou fundo mexendo a calda que tinha virado o sorvete –, sempre fui muito orgulhosa, não sei de onde tirei isso. Pra mim, às vezes, você não bastava. Não era bom o suficiente. Sabe como isso é ruim? Sabe como é péssimo sentir isso? – ela olhou magoada para ele.

– Eu só sei como é não ser bom o bastante pra alguém.

– Eu acabei acreditando nos outros e aceitando a ideia de que eu não devia gostar de você.

– Você teria feito de outra forma? – ele sentiu as mãos suarem – Você... se pudesse... teria feito de outra forma?

– Se eu pudesse escolher, não teria te visto naquele pátio aquele dia.

Amanda voltou a encarar seu sorvete derretido. Sentiu-se triste. Compartilhar aquilo com Daniel era como soltar algo preso no peito dela por anos! Era reconfortante, mas estranho porque soava como uma declaração de amor. E talvez fosse. Talvez fosse algo que seu coração precisava fazer e dizer, e que o de Daniel precisava ouvir.

Ela mexeu mais no seu sorvete.

– Meu maior erro foi ter achado que era boa demais pra você – continuou sem encará-lo –, mas eu sei que não sou.

De repente, sentiu seus lábios serem pressionados pelos dele. Um sentimento em seu estômago fez com que seu corpo inteiro tremesse. A boca dele estava gelada por causa do sorvete, mas era macia e reconfortante. Em questão de segundos, ela sentiu que ele fora embora. Continuou com os olhos fechados.

Daniel tinha se apoiado na mesa e não suportara a ideia de não beijá-la naquela hora. Ouvir tudo aquilo da garota que ele mais amava na vida – seu primeiro amor de infância e a única pessoa com quem ele queria mesmo estar – era algo acima do que ele imaginava sentir. O coração parecia saltar da boca, e ele voltou a se sentar vendo ela ainda de olhos fechados.

– Daniel... – ela sussurrou e se levantou.

Com o rosto coberto pelas mãos, Amanda soluçou. Ele viu que ela estava chorando. Levantou o rosto e encarou o menino, que tinha se levantado também

– Eu preciso ir – disse e virou-se de costas andando até a porta.

Daniel olhou para os próprios pés e decidiu que não poderia perder aquele momento. Era deles e ele sabia disso.

Foi até ela e segurou seu braço.

– Por favor, não vá embora – pediu suplicante.

Ela olhou para o rosto dele com os olhos cheios de lágrimas e as bochechas vermelhas.

– Eu não devia ter dito nada disso, eu... – ela começou a dizer, mas ele sorriu. Ela arqueou a sobrancelha. – Por que está rindo?

– Você fica extremamente linda com as bochechas assim.

– Não faz isso comigo – sua voz ficou manhosa, e se virou de frente para ele –, Daniel, eu não posso deixar isso acontecer assim, não está certo, não.

– Quer parar um minuto de pensar em qualquer outra coisa que não seja você?

Ela o encarou. Daniel passou a mão em seu rosto, fazendo-a fechar os olhos.

– Você não pode mais fugir de mim, você não sabe o quanto me faz bem estar aqui contigo.

– Sei sim. Por mais que eu às vezes não queira, eu me importo com você.

– Saber que você se importa é o suficiente pra mim – ele puxou a garota mais para perto.

– Daniel... – ela misturou meio sorriso com uma lágrima. As mãos de Daniel estavam nas costas de Amanda, e ela espalmou as suas no peito dele. – Me prova que eu nunca estive errada? – pediu.

Ele fechou os olhos e encostou a boca na testa dela, apertando com força a menina contra seu corpo. Ela fechou os olhos e sentiu o calor emanando do corpo dele. Num impulso, ele fez com que suas bocas se encontrassem e beijou a garota como sempre sonhara fazer.

As mãos dela subiram para o pescoço dele e, se beijando furiosamente, eles se abraçavam cada vez mais forte. Amanda sentia que todos seus problemas estavam longe. Que era outra vida, outro momento, outra pessoa. Momentaneamente se sentiu a pessoa mais feliz do mundo.

E o beijo dele, agora tão quente, apenas ajudava.

Daniel separou as bocas, acariciando a nuca dela, e olhou para o rosto da garota. Ambos ofegantes, respirando fundo, sentindo as bocas arderem da forte pressão com que se beijavam. Bem de perto, com os narizes se encostando, ele fixou seu olhar nos olhos dela. Sentiu-se quente por dentro, reconfortado. Mas também sentiu que ela estava nervosa.

Babi Dewet

Espalmou as mãos novamente no peito dele e foi empurrando o garoto de leve até o sofá. Ambos se olhavam nos olhos, com os rostos grudados e respirando rápido, profundamente.

Quando Daniel sentiu as pernas encostarem no sofá, pegou o rosto da garota com uma das mãos e, girando-a, se apoiou com a outra atrás dela, e se estendeu por cima de Amanda. Com os joelhos entre as pernas dela, deitado no sofá, ele se apoiou com as mãos, ao lado da cabeça dela, só para vê-la melhor. Os cabelos do garoto foram para o seu rosto, e ela sorriu. Lentamente, Daniel voltou a encostar os lábios dele nos dela, ainda a encarando nos olhos e sorrindo.

Ela não podia resistir ao sorriso dele.

Se ajeitou em cima dela e os dois ficaram se beijando. Não conseguiam se soltar, não queriam se separar e, para ambos, era o melhor momento de suas vidas.

Daniel, quando interrompeu o beijo, voltou a encará-la.

– Amanda – ele sussurrou.

– Eu? – ela mordeu o lábio inferior de Daniel sorrindo.

– Vem aqui, quero te mostrar uma coisa... – disse se afastando um pouco.

Ele se levantou. Ela o seguiu, respirando fundo e ainda sorrindo. Daniel parou em frente a ela e, num gesto de carinho, pegou sua mão e a levou escada acima.

vinte e um

– O que quer me mostrar, Marques? – ela riu andando atrás dele. Sentia a mão dele na sua e um nervoso no estômago.

– Não é nada demais... – o garoto sorriu.

– Então, estamos apenas em um passeio pela sua casa? – ela arregalou os olhos.

– Não exatamente... – ele abriu a porta de um quarto e fez sinal para que ela entrasse.

– Melhor do que um motel – ela concluiu e ele gargalhou, fechando a porta.

Amanda ficou observando o quarto por um tempo. Era organizado, embora ela chutasse que, se abrisse o armário, acabaria vendo o que não queria. Andou devagar pelas estantes, encarando as fotos de infância e as imagens sorridentes com os amigos em um mural. Seus olhos pararam em um bilhete amassado, preso a uma foto de Daniel e Bruno. Ia perguntar "O que é...?", quando ele se aproximou por trás dela. Sentiu as mãos dele em seus ombros e fechou os olhos.

– É o que está pensando. Olhe. – Ele tirou o bilhete do mural e lhe deu.

– Daniel, fui eu que escrevi isso – disse ela, reconhecendo sua própria letra. Então, virou-se de frente para ele, muito perto um do outro, e sentiu a respiração de Daniel em seu rosto.

– Você escreveu isso pra mim... lembra? – perguntou com as mãos nos bolsos.

– *Será que você pode parar de me mandar cartas?* – ela leu. – Não me lembro disso.

– Vire o bilhete.

– Oh, Daniel, eu lembro... – ela disse rindo. – *Não, porque eu não tenho outra forma de mostrar que te amo* – ela começou a rir.

– Eu sempre fui brega – Daniel disse e riu também.

– Daniel, eu errei tanto – ela pôs as mãos na boca. Ele colocou a mão em seu queixo e levantou seu rosto delicadamente. – Isso tudo é tão errado, você não saberia o quanto...

– O que é errado?

Ela saiu de perto dele e se sentou na cama. Daniel a seguiu com o olhar.

– Eu não sei se devia estar aqui – percebeu que o garoto parecia magoado.

– Não comece com isso novamente, a gente sabe que isso não é errado.

– Eu sei – sua voz estava fraca.

Amanda olhou de novo o bilhete em suas mãos e se lembrou da época em que isso acontecera. Tinha sido a segunda semana seguida que recebia cartas dele que, na sua opinião, era uma mais bonita do que a outra. Amanda passava os dias sentada na cama lendo os bilhetes que ele escrevia e sonhando que tudo aquilo pudesse se realizar. Até que recebeu um telefonema de Guiga numa noite, chorando e dizendo que não conseguia esquecer o garoto. Desse dia em diante ela decidira que nunca mais sonharia com Daniel. Pelo bem dela e de sua amiga. E então, pediu a ele que parasse de lhe mandar cartas.

Amanda olhou para o garoto, que se sentou ao seu lado na cama.

– Você não vai me deixar agora que eu te tenho.

Foi quase uma súplica. Ela sorriu, não conseguia deixar de sorrir perto dele!

– Eu ainda não posso... eu... – ela se enrolou.

Como iria dizer para ele que a única coisa que os impediam de ficar juntos eram as pessoas à sua volta? Mas ele pareceu entender. Por mais que todos achassem, Daniel não era tão burro e lerdo assim.

– Vamos fazer o seguinte... ninguém precisa ficar sabendo de hoje. Isso é algo nosso, algo pessoal, e eu sei que você não quer que ninguém saiba.

Amanda sorriu. Não era exatamente isso, não era por causa da vergonha no colégio nem nada disso. Mas se era a forma dele de aceitar, que acreditasse que ela não queria aparecer com um maroto no colégio. Por enquanto, seria melhor. Depois ela poderia lhe explicar tudo.

– Daniel, eu não sei...

Ele a beijou de leve nos lábios. Amanda sentiu os joelhos tremerem.

– Você sentiu isso? – ele perguntou, olhando nos olhos dela. – Você ainda pode fingir que não me conhece, mas, por favor... por favor, não me deixe agora que eu tenho você aqui comigo – ele fez beicinho.

SÁBADO À NOITE

– Eu preciso de tempo pra aceitar tudo isso – ela respirou fundo. – Mas não vou deixar você agora que eu te tenho – viu ele abrir um imenso sorriso – e, além do mais, nunca comi um miojo tão gostoso.

Ele começou a rir e encarou o rosto dela.

– O que queria me mostrar? – perguntou enfim.

Daniel se levantou e pegou um violão mais velho, que não usava mais, e sentou-se ao lado dela novamente. Estalou os dedos e sorriu.

– Uma melodia – ele disse.

– Quer dizer então que temos a nossa música? – ela perguntou animada, cruzando as pernas, sentada na cama.

Ele começou a dedilhar alguma coisa e tocou uma melodia bonita, agitada e bem para cima. Ela sorria excitada, com as sobrancelhas arqueadas, vendo o esforço que ele fazia para tocar aquela música. Mas, no fundo, ela sabia que ele parecia ser melhor naquilo do que se mostrava ser.

Quando ele terminou e fez festa no fim da música, colocou o violão no chão e sentou de frente para ela com as pernas cruzadas, encarando-a.

– O que achou?

– Obrigada por me passar em artes – os dois riram. Amanda ficou de joelhos e engatinhou até ele, segurando com as duas mãos o rosto do menino. – Posso passar a noite aqui com você?

Amanda não queria ter que ir para casa e passar a noite inteira acordada, pensando, sozinha. Não queria correr o risco de se arrepender, por um momento que fosse. Ele se ajoelhou e ficou de frente para ela. Passou a mão nos ombros da garota e nos seus braços, olhando atentamente o caminho que percorria, com um sorriso infantil no rosto.

Daniel não disse nada, apenas concordou com a cabeça, e a beijou de leve nos lábios. Tirou o tênis, vendo-a fazer o mesmo, e ambos pararam para se encarar.

– Só vou mandar uma mensagem pra minha mãe, avisando que vou dormir na Anna, ok? – falou tirando seu celular do bolso do jeans e começando a digitar algo.

Ele se levantou e apagou a luz, notando que ela deitava envergonhada em sua cama. Carinhosamente, deitou-se ao seu lado e ficou encarando o rosto da menina no escuro, vazado pela luz dos postes da rua entrando pela janela.

– Com sono? – perguntou. Ela concordou, bocejando.

Daniel beijou-lhe a testa e passou a mão pelos seus cabelos. Amanda fechou os olhos, sentindo o perfume da roupa de cama. Cheirava tão bem. Era inebriante, sufocante e a fazia não querer abrir os olhos nunca mais. Ela se virou de costas, e ele, aproximando-se gentilmente, se encaixou como concha em seu corpo e a abraçou. Adormeceu com o rosto no pescoço da menina, sentindo seu perfume extasiante, que ele poderia aspirar para o resto da vida.

Daniel abriu os olhos com a luz do sol em seu rosto. Piscou algumas vezes e olhou para ponta da cama.

– Bom-dia – Amanda disse, amarrando os cabelos em um rabo de cavalo.

– Que horas são? – sentou-se, esfregando os olhos.

– Quinze pras sete... Preciso passar em casa antes de ir pro colégio.

– Ahhhh, a droga da escola – ele resmungou e voltou a deitar, enfiando o rosto no travesseiro.

– Larga de ser preguiçoso... Temos Artes hoje.

– Ótimo – disse com a voz abafada, ainda virado para o travesseiro. – Vamos fingir que não nos conhecemos.

– Não – ela colocou o tênis –, vamos fingir que eu não gosto de você... – riu, olhando para ele, e puxou sua perna. – Vamos, Marques!

– Ok, ok... – ele se levantou. – Posso acompanhá-la até à sua casa? – perguntou com o rosto amassado.

– Pode – ela riu dele, saindo do quarto.

Daniel abriu um imenso sorriso e correu para o banheiro.

– Cadê a Amanda? – Guiga perguntou para Anna, que deu de ombros, despreocupada. – São quase oito horas, e ela ainda não apareceu. Por que ela não veio com você?

– Não sei, ela não me ligou hoje – Anna queria fugir do assunto. – Vamos indo pra sala?

– Não, vamos esperar ela aqui – Carol disse, tossindo.

– Você veio doente pra escola. Tá maluca? – Maya colocou a mão na testa da amiga.

– Artes. Eu realmente preciso de pontos.

– Nem me fale nessa aula... – Guiga reclamou.

As quatro olharam para trás quando viram Bruno e Fred chegando no velho conversível, e logo depois pararem para conversar com alguns garotos do segundo ano.

– Fred penteou mais os cabelos hoje – Anna disse.

– Nem reparei – Guiga corou.

– Sei que não.

Anna olhou impacientemente o relógio. Onde estava Amanda?

– Vamos logo – Amanda disse rindo alto.

Daniel terminou de amarrar os sapatos, já no meio da rua, e correu para perto dela.

– Você anda... muito... rápido! – ele arfou.

– Você está muito mal acostumado.

– Olha lá... Você com esse olhar metido de novo...

– Você provoca isso em mim – ela esnobou.

Amanda viu o carro de Albert virando na esquina e entrar na rua onde estavam.

– Oh, droga... some Daniel.

Ela empurrou o garoto, que ficou atrás de uma cerca, enquanto Amanda fingia procurar algo na bolsa. O carro parou ao lado dela.

– Lindinha – chamou Albert com a cabeça para fora, e mais alguns marmanjos gritaram lá de dentro.

– Imbecil – ela riu, e ele bateu na lataria do carro.

– Quer carona? Por que está indo a pé?

– Porque quero me exercitar; e não, não quero sua carona.

– Mas você está atrasada

– Ops – Amanda olhou o relógio –, é verdade. Você também.

– Certo... até mais – ele bufou, saindo da janela, e cantou pneu.

Amanda rolou os olhos e sentiu a mão de Daniel em sua cabeça.

– Eu tenho pena de você...

– Não tenha. Eu mereço isso.

– Bom – ele gargalhou –, chegamos ao ponto em que concordamos...

– Bom dia – Caio chegou sorrindo perto das quatro garotas.

Carol mediu-o e voltou a lixar as unhas. Guiga desligou o celular e Anna sentiu as bochechas quentes.

– Cadê seus outros amigos? – Maya perguntou, fingindo desinteresse.

– Fred e Bruno devem ter entrado. O Rafael e o Daniel... – ele parou para pensar. – Eu não faço ideia; talvez, com alguma garota por aí.

– Certo – Anna resmungou. – Até mais.

Ela acenou como um sinal para mandá-lo embora. O garoto apertou os lábios, também acenou e saiu de perto.

– Nossa, voltamos à estaca zero? – Guiga riu.

– O que quer dizer com isso? – Anna desconversou, mantendo a testa franzida.

– Fazia tempo que não tratávamos os marotos assim.

Anna sentiu o estômago doer de remorso. Não sabia bem o porquê, mas queria muito que Amanda chegasse logo.

– Agora você para e eu ando. Estamos dez minutos atrasados – Amanda segurou o garoto antes de virarem na esquina do colégio.

– Ok, você chega antes. Estou gostando disso, é bem excitante – ele chegou perto dela, agarrando-a pela cintura.

– Sai de perto – ela pediu rindo.

– Certo, certo... A gente se vê na aula de Artes, suponho eu?

– Infelizmente – ela se virou e apertou o passo.

Daniel foi atrás dela, segurando em seu braço e roubando um beijo estalado nos lábios da garota. Ela riu, sentindo as bochechas corarem

– O que você...

– Shhh, até mais tarde – rodou o corpo com os pés, dando-lhe as costas.

Amanda balançou a cabeça e saiu andando para o colégio. Sentiu o coração acelerar e o estômago revirar. Era uma sensação boa. Sorriu ao dobrar a rua, avistando suas amigas paradas na porta. Correu até lá e então viu Daniel cruzar a esquina com Rafael. Ela olhou para Anna, respirando fundo. Guiga e Carol estavam rindo, enquanto Maya observava os dois também.

– Problemas em casa, amiga? – Anna perguntou, desconfiada.

– A droga do despertador não tocou – mentiu. – Bom-dia pra vocês.

– Dia... – as amigas murmuraram. Daniel e Rafael passaram por elas.

– Belo dia – Daniel disse passando por Carol, que olhou para ele. Anna riu.

– Parece que está sendo belo pra você mesmo, Marques. Dormiu bem?

Amanda começou a enrolar os cabelos com os dedos.

– Na verdade, minha noite foi péssima. Vários monstros no armário e coisa e tal. Como foi a de vocês? – ele olhou para elas e parou o foco em Amanda.

– Nada de anormal – ela respondeu.

Anna concordou e percebeu que os dois trocaram olhares suspeitos. Daniel sorriu e olhou para Guiga.

– Bonito celular. Até mais – saiu andando com Rafael na sua cola, como se achasse muita graça em tudo.

– Esses meninos – Guiga olhou para o celular e depois para as amigas – estão cada dia pior...

– Vamos pra aula, não vale a pena ficar falando deles.

Carol andou, puxando a fila, e todas foram atrás. Anna olhou para Amanda com uma cara suspeita e a amiga fez um sinal de "depois eu conto".

– Sua... safada – Anna murmurou, e entraram na sala rindo.

vinte e dois

– VOCÊ O QUÊ? – Fred espantou-se.

– Eu nada, cale a boca... – pediu Daniel. – Estou tão feliz, cara... Eu nem acredito que isso tudo seja verdade mesmo.

– Nem eu, explica de novo... Você dormiu com a Amanda?

– Só dormimos, não fizemos nada demais – disse satisfeito. – E foi lindo, foi gostoso, foi romântico... Não houve maldade, foi exatamente como sonhei por anos!

Daniel abriu a torneira da pia do banheiro para lavar as mãos. Fred ficou rindo, sentado na bancada.

– Que bom pra você, cara...

– Muito bom.

– E vocês vão ter alguma coisa? Ela gosta de você da forma como você gosta dela?

– Ah, não sei, me pareceu que sim; ela disse coisas que eu nunca pensei em escutar – Daniel sentou ao lado de Fred, secando as mãos na calça jeans – Mas... nunca se sabe o que pode vir delas. Ela ainda não quer que ninguém saiba. Nem as amigas dela.

– Isso é ruim.

– Pode ser que sim, mas não estou nem aí.

– Se vocês estão juntos é o que interessa.

– Não sei se estamos juntos, mas eu vou me esforçar.

Alguém entrou no banheiro, e eles pularam da bancada.

– Vamos embora daqui, depois falamos disso.

– E não abre a boca, heim. Ninguém pode saber de nada. Ela... ainda tem... vergonha disso – Daniel se abateu por um instante.

– Não liga, meu amigo – Fred bateu em suas costas. – Vocês vão se entender, e ela vai ter orgulho de você. Espere e verá.

Os dois saíram do banheiro, e foram para as suas salas. Quando a porta se fechou, Albert deu a descarga, e saiu do compartimento, parando em frente ao espelho. Ajeitou seu cabelo e deu um sorriso malicioso.

– Alguém vai ter problemas... – falou sozinho, já se sentindo vitorioso.

– E você contou pra ele que gosta dele? – Anna perguntou. As duas cochichavam no corredor, o próximo tempo seria destinado às aulas de Artes e elas estavam esperando o sinal tocar..

– Não exatamente, não com essas palavras.

– Então ele não sabe?

– Deve ter adivinhado, não é? Eu dormi ao lado dele, não dormi? – Amanda pareceu nervosa. Olhava para os lados. – Anna, estou me sentindo mal.

– Engravidou? – a amiga riu.

– Não – Amanda franziu a testa. – Eu não gosto da ideia da Guiga não saber disso.

– Mas se você contar pra ela...

– Eu não vou – Amanda disse firmemente –, mas gostaria que tudo fosse diferente.

– Bom, de qualquer forma, ele não é alguém para se ter orgulho de dizer que está saindo... – Anna passou as mãos nos cabelos.

– Ah, ele é sim, Anna. Ele é fofo, engraçado e talentoso... Fez toda a melodia da nossa música! Ele realmente gosta de mim, gosta muito!

– É, pode ser que ele seja fofo... – Anna ficou corada e Amanda riu.

– Odeio esse prejulgamento que a gente tem deles, amiga.

– Eu também, mas está criado e pronto. E não só pela gente, pela sociedade...

– Que bela sociedade.

– Eu não disse que gosto ou concordo, mas temos que viver com isso.

– Não sei se quero viver com isso – Amanda olhou para o nada.

Anna admirou a amiga. Também não queria aceitar tudo isso. Por ela, tudo também seria diferente.

Guiga chegou perto delas, quando o sinal bateu e o resto dos alunos saíam de suas salas para encontrarem seus pares

– Cadê meu *nerd* tocador de flautas? – ela procurou no meio da multidão espremida no corredor.

– Fred está ali – Amanda apontou ao avistá-lo, chegando com Daniel perto delas, e Guiga ficou vermelha.

– Não perguntei... – ela disse baixinho, mandando um olhar suspeito para as amigas e indo atrás de seu companheiro de dupla.

Daniel se aproximou, e as duas viram que Fred ficou olhando para Guiga.

– Pode ir atrás dela, a gente jura que fica calada – Anna disse.

Carol se aproximou rindo.

– Desde quando você é simpática com eles?

– Desde quando ela descobriu que tem coração – Fred piscou para Anna.

Ele bateu no ombro de Daniel e correu atrás de Guiga no meio da multidão. Daniel riu com as mãos no bolso.

– Cadê seus amigos? – Amanda perguntou secamente. Ele balançou a cabeça.

– Rafael já está com o par dele há séculos – contou. Anna e Carol concordaram. – Bruno e Caio... Não faço a mínima. Devem estar cantando alguma garota por aí.

– Bastardo – Carol bufou e saiu andando sem ligar para os outros.

– O que ela tem? – Daniel perguntou e as duas riram.

– Espero que as coisas comecem a mudar realmente por aqui. É nosso penúltimo ano na escola; espero que tenhamos amadurecido em alguma coisa – Anna piscou para os dois, que ficaram vermelhos. Saiu andando.

– Agora, aonde o Caio se meteu? Ele acha que sou mãe dele?

– Suas amigas estão cada dia piores – Daniel desceu as escadas, em direção ao gramado da escola, e Amanda o seguiu.

– São essas aulas em conjunto.

– Conviver com plebeus dá nisso...

– Eu bem sei – ela riu da expressão que ele fez.

– O que vamos fazer agora? – ele olhou maldoso. Ela fingiu que não percebeu.

– Morgar... até bater o sinal.

– Ah, jura? – ele fez cara de cão abandonado assim que chegaram ao pátio.

– Eu – Amanda olhou para ele – estou me sentindo mal.

– Mas eu usei camisinha – ele falou e ela riu.

– Estou falando sério.

– Ok... ok, vamos sentar e conversar – ele pareceu nervoso.

Não, ela não podia desistir dele agora! Os dois andaram até a árvore onde sempre ficavam e se sentaram. Amanda encostou-se no tronco e Daniel ficou de frente para ela.

– Daniel... – ela balançou a cabeça – Eu dormi tão bem – ela disse de repente.

– Que puta susto – Ele gargalhou –, não faz isso novamente – e pôs a mão no peito.

– Não, eu realmente não estou bem... Mas não posso negar que foi bom.

– É, foi. Mas por que não se sente bem? Ninguém sabe de nada e...

– Talvez seja por isso. Eu odeio esconder as coisas dos outros – Amanda juntou as pernas e abraçou os joelhos, não se importando se estava de saia ou não.

– Fofa, eu... – Daniel engoliu em seco – não sei o que posso fazer; por mim, você sabe, eu faço qualquer coisa por você...

Ela riu e voltou a botar as pernas para baixo, fazendo-o sorrir aliviado. Iria se sentir mal, se ficasse tentado a olhar o que não devia.

– Daniel, eu não posso deixar ninguém saber de ontem. A gente tem que pensar bem se isso vai ser legal assim.

– Você é quem tem de pensar bem.

Ele dobrou as pernas e apoiou o queixo nos joelhos. Os dois ficaram parados, olhando-se por algum tempo. Em silêncio. Não sabiam mais o que dizer ou fazer.

No fim da aula os dois se levantaram.

– Pode me ligar? Algum dia?

– Toda hora, se quiser – ele pegou seu celular, anotando o telefone dela.

– Você vai se cansar de mim, se me ligar toda hora – disse envergonhada, vendo a cara marota de Daniel, que saiu andando.

– Veremos...

Ele deixou-a sozinha perto da árvore. Amanda olhou para os lados e sentiu uma lágrima cair de seu olho, queimando a pele do rosto. Por que diabos estava se sentindo tão mal?

– Fizemos uma música chamada *A balada de sábado à noite,* e eu realmente ajudei em nada – Maya contou rindo. – Ele é bem rápido; sabia que queria falar de alguém problemático... Pensamos nos *nerds*, mas não conseguimos colocar no papel.

– Então o senhor Rafael é rápido... – Carol soltou um risinho. – Ao contrário do Bruno, que é um palerma. Não temos nada ainda!

– Nossa música está quase pronta – Amanda falou.

As cinco estavam com as pastas nas mãos e as mochilas nos ombros, indo para o carro de Anna.

– O Caio quer fazer nossa música com piano e tudo mais. Eu não sei tocar piano – Anna deu de ombros.

– Pede pra ele te ensinar – Maya sugeriu.

– Ele se ofereceu – Anna sentiu as bochechas vermelhas.

– E você? Aceitou? – Carol horrorizou-se.

– Lógico que aceitei! Você acha que eu ia recusar? Eu nem vou pagar nem nada.

– Faz bem – Guiga disse. – Ele parece ser um bom garoto.

– Olha, vocês estão endoidando! – Carol se indignou. – Estamos falando dos marotos, sabem? Marotos! Assassinato social e tudo mais!

– Sabemos, Carol – Maya riu – E não estou falando nada demais, eu não estou interessada no Rafael e não é nada disso.

– E nem eu no Caio.

– Nem olhem pra mim, vocês sabem que meus problemas com Daniel são antigos – Amanda tentou arranjar uma desculpa. Guiga riu.

– Eu bem te entendo amiga.

– Eu sei – Amanda sorriu para Guiga, sentindo um embrulho no estômago.

– Carol, você devia abrir mais sua visão de mundo, minha amiga – Anna pegou no ombro dela.

– Não começa, não começa... não sei com quem você anda aprendendo a ser irônica assim!

Elas riram da amiga e entraram no carro.

– Você não para de olhar pra esse telefone, Daniel. Apaixonado por ele? – Caio perguntou na saída do colégio.

As pessoas em volta olhavam para os meninos enquanto Rafael mandava beijos. Daniel riu.

– Deixa de ser irônico, meu amigo... Estou apenas... olhando.

– De quem? – Bruno quis saber. Daniel olhou para ele.

– De quem o quê?

– De quem é o telefone que você está olhando? – Bruno entrou no seu conversível velho, com os amigos.

– De ninguém...

– Da Amanda – Rafael falou. – Eu vi.

– Fofoqueiro dos infernos.

– Quer dizer que já ganhou o telefone dela? Isso anda rápido, cara! – Caio comemorou.

– É bom vocês dois pararem de babaquice – Bruno resmungou.

– Que babaquice?

– Ora, de se gostarem e se odiarem, e *oh como eu sou popular* e esse tipo de coisa... – Bruno ligou o carro. Daniel franziu a testa.

– Ela gosta de mim, é?

– Não gosta? – Fred perguntou, pulando na parte de trás com Daniel e Rafael.

– Ela é uma garota confusa, Danny... você vai ter que se esforçar.

– Eu sei... eu sei – ele olhou para Fred com cumplicidade.

– Viram minha deusa? Ela estava linda...

– Se você não parar de perseguir a Guiga eu vou contar pra Maya... – Rafael falou e todos riram.

– Isso tudo de amizade com a Maya, Rafa? Acorda, cara – Caio virou para trás e bagunçou os cabelos do amigo.

vinte e três

O resto da semana passou tranquilamente, mas angustiante para Daniel. Amanda começou a ignorá-lo de novo e de uma forma que ele não imaginava que fosse acontecer. Mal se falavam quando se viam no colégio, mas ele ligava para ela à noite e ficavam longas horas conversando sobre besteiras – ou apenas em silêncio ao telefone. Não sabiam ainda como se tratar, como deveriam se falar... Era tudo novo; os dois ainda não tinham caído na realidade de que estavam apaixonados.

Sábado de manhã, Amanda ouviu o celular tocando ao trocar de roupa depois do banho. Era Daniel. Ela sorriu.

– Tão cedo? – perguntou.

– Quase não preguei os olhos... Dormiu bem?

– Bastante...

– Vai ao baile hoje?

– Vou sim, prometi pra Guiga que ia com ela.

– Guiga... Guiga; me diz uma coisa, ela não é a mesma garota que entrou no colégio depois de mim e que...

– E que gostava de você? Sim, é ela. Mas é passado, ela... ela passou a te ignorar como todas nós – Amanda riu, desconfortável.

– Fiquei com essa dúvida depois que me lembrei... Mas não foi pra falar disso que liguei.

– Não? – Amanda sentou na cama apreensiva.

– Nope... passa aqui em casa?

– Pra que, Daniel? Eu não sei... Não sei se posso e...

– Você não pode me ignorar pra sempre – sentindo-se nervoso –; eu não entendo o jogo que você está fazendo.

– Eu não estou fazendo nenhum jogo! – Amanda se defendeu. – Eu apenas... não sei o que fazer.

– O que pode ser tão difícil? Se você não quiser ficar comigo é só me dizer, mas me manter numa corda bamba... é maldade – disse esganiçado. Ele não sabia bem o que falar para ela e tinha medo de se enrolar.

– Daniel, eu não sei! Eu não sei. Eu...

– Certo, então. Estarei em casa te esperando se você quiser vir. Se não quiser, estarei aqui também – sua voz ficou rude. – Boa festa – desligou o telefone.

Amanda encarou a parede e se jogou na cama.

Por que estava tratando ele dessa forma? Por que simplesmente não admitia o quanto gostava dele? Estava tudo tão escuro e sem saída que ela ficou ali deitada por um longo tempo, apenas pensando nas palavras dele e no tom de voz que ele usou.

– Eu vou acabar ficando maluco... – Daniel falou sozinho.

Ficou passando as mãos pelos cabelos. Deitou na cama e encarou o teto. O que podia estar errado? Ela não precisava admitir para ninguém que estava com ele! Mas será que ela gostava mesmo dele? Porque ela podia não gostar. E então ele estaria sendo um idiota, como Caio disse diversas vezes.

Todos esses pensamentos o fizeram ficar deitado por horas. Ele perdeu a noção do tempo. Só esperava que, a qualquer minuto, ela batesse na sua porta.

Amanda ficou andando inquieta pela casa sem saber o que fazer. Iria ou não atrás de Daniel? Ela queria; só Deus sabe como ela queria ir. Ao mesmo tempo, alguma coisa no fundo do seu peito lhe dizia que seria errado, e a impedia. O coração disparava e ela ficava sem ar toda vez que pensava nisso.

Decidiu sentar e assistir a algum filme. Teria que pensar em algo para esquecer essa situação.

O telefone de Daniel tocou e ele pulou para atender. Correu até a base com o coração na mão. Tinha que ser ela. Tinha que ser.

– Alô? – disse afobado.

– Ei, cara, acordei você?

Era a voz do Bruno, e ele respirou fundo, desapontado.

– Não, já estava acordado.

– Eita, atrapalhei em alguma coisa? Você não parece feliz em me ouvir – Bruno estranhou.

– Nada com você meu amigo...

– Certo, então... Vem pra minha casa mais cedo, ok? Vamos ensaiar aquela música que você escreveu com o Fred.

– Jura? Que ótimo – Daniel ficou feliz. Era algo que gostaria de ouvir. – Certo, vou praí o quanto antes... Eu... não tinha mesmo nada pra fazer aqui.

– Ok... ok; não desdenha também, né. Até mais, cara.

– Até!

Certíssimo, era algo para tirar Amanda da cabeça. Ele iria se esforçar para ela nesse baile. Ela não podia desistir tão fácil assim. Não podia, não.

No fim do filme Amanda desistiu. Não conseguia parar de pensar em Daniel. Brad Pitt querendo morder Tom Cruise? Quem eram mesmo? A cabeça dela estava voando! Levantou-se e foi para o quarto colocar uma roupa. Iria até a casa dele sim, só não sabia o que iria acontecer depois disso.

Daniel bateu na porta de Bruno. O amigo demorou a atender e Daniel deduziu que ele estava tocando bateria – que, por sinal, ficava escondida num quarto de fundos, com as paredes acolchoadas para abafar o som, ou pelo menos parte dele.

– Você chegou na hora. Rafael estava quase quebrando minha bateria – Bruno apareceu na porta. E você não está bem, cara... quer conversar?

Daniel sentou na escadinha da varanda e o amigo o acompanhou. Ficaram em silêncio por um tempo, enquanto Daniel roía as unhas.

– Se você não falar nada vou achar que o problema é comigo.

– Não é com você, Bruno – Daniel riu nervoso. – Estou com medo.

– Eita, medo de quê? – Bruno não entendeu.

Daniel ainda não tinha contato para ele. Não sabia se Amanda queria que Bruno soubesse e, por isso, se restringiu a contar para Fred, que nunca falaria nada para ela, nem que ele quisesse.

– Acho que não é nada, cara... É bobeira minha.

– Ainda nada com a Amanda?

– Nada... – ele mentiu. – Mas estou indo bem, certo? Ela me deu o telefone dela. Em dois anos, cara! Ou mais, sei lá... Eu tenho o telefone dela, certo?

– Certo, você é bom nisso. Depois me ensina, porque, sinceramente, ando de mal a pior!

Bruno se levantou, seguido por Daniel. Os dois entraram no quarto para o ensaio.

Amanda bateu na porta da casa de Daniel. Ninguém respondeu, e ela começou a ficar nervosa. As memórias da noite de terça passavam em sua cabeça, deixando uma sensação mais estranha ainda. Tinha se sentido tão bem nos braços dele. Depois de alguns minutos, pensou que ele não queria mais vê-la. Céus, o que tinha feito? Por que voltou a ignorá-lo a semana toda? Estava sendo estúpida! Daniel não tinha culpa de ela ser enrolada e ter medo de tudo! Sempre preocupada com o que os outros iriam pensar. Outros não, mas o que suas amigas iriam pensar.

Tocou mais uma vez, encostando a testa na porta. O que iria fazer agora?

Voltou para casa desapontada e pensando que, se pudesse ter outra chance, iria fazer tudo diferente.

vinte e quatro

Quando finalmente a noite caiu, foram todos para o baile de sábado no colégio. Amanda não estava de bom humor, mas tinha prometido a Guiga que iria acompanhá-la. Estava ainda abalada com tudo que andava acontecendo.

– Amiga, estou com um problema – Guiga confessou à Amanda perto da mesa de bebidas.

– O que houve?

– Acho que estou gostando de alguém que não deveria...

O coração de Amanda gelou. Não, por favor, Guiga não podia falar do Daniel assim para ela!

– Sé... sério, é? E por que não deveria?

– Ah, você sabe... a gente tem toda essa babaquice de popularidade que impede a gente de, sei lá, conhecer os plebeus, como ele diz.

Amanda sorriu amarelo. Lembrou de Daniel dizendo isso.

– É verdade.

– Está bem, amiga? Você parece triste – Guiga passou a mão no ombro dela.

– Estou bem... vamos voltar pra mesa? Ou você quer me contar quem é seu plebeu?

– Não... não, deixa isso quieto. Acho que você já sabe quem é.

– É, acho que eu sei...

Amanda tentou sorrir, enquanto as duas voltaram à mesa com copos de refrigerante, mas seu coração batia com tanta força que ela não conseguia ouvir a música da festa. Onde Daniel estava?

Daniel combinou com Bruno.

– Certo... Primeiro *Jantar a dois* e depois *Por perto do lago* e *Honky Tonk Woman*?

— Yeaaah, Rolling Stones arrasam! – Rafael gritou, pulando no pescoço de Caio.

— Isso mesmo, Danny... Prontos?

Bruno sorriu. Os outros três concordaram e, sob aplausos do público, subiram ao palco. Daniel sentiu um frio na espinha, como sempre acontecia quando ficava diante de muita gente. Ainda mais por ver Amanda e suas amigas batendo palmas para eles. Ela sentia orgulho dele, bem no fundo, mesmo não sabendo que era ele ali com a banda.

Ótimo, hora de tocar mais uma vez o que sentia. Viu Caio e Rafael fazerem sinal positivo para Bruno na bateria e então ajustou o microfone.

— O que será que vão tocar hoje? – Maya perguntou animada para Anna.

— Nunca tocam nada que a gente conheça, Maya.

— Eu conhecia *You've Got a Friend* – Amanda disse. – Olha como eles são fofos...

— O jeito deles não me é estranho – Guiga examinou. – Acho que já vi eles na televisão.

— Você acha mesmo que alguém que toca na televisão viria tocar nessa escola? – Carol debochou.

— Mas você está certa, Guiga... Olha só o guitarrista... – Anna disse rindo.

— Eu quero um homem desses! – Guiga vibrou.

— Quem me dera!

— Pois é – Maya deu um rodopio quando a música começou.

Elas gostavam de prestar atenção às letras, pareciam sempre muito verdadeiras e atuais. Os garotos dançavam no palco enquanto tocavam, brincando uns com os outros e fazendo as meninas sorrirem.

Quando te chamei lá pra casa
Eu não tinha ideia do que fazer pra te agradar
Você não sabia que eu era virgem de cozinha
E que tudo que eu faço é tentar
Preparei o miojo, esquentei o brócolis
E o resto foi como minha mãe ensinou
Ela só não disse que garotas são difíceis
E que você não tinha vindo pra tomar chá.

– Estranho eles mencionarem miojo e tudo mais – Amanda ficou confusa se lembrando da terça-feira.

Anna virou-se para ela, assim como Guiga e Maya.

– Por quê? – Maya perguntou.

– Nada... nada não, comi miojo hoje – inventou.

Anna gargalhou e voltaram a prestar atenção no show. Ok, isso era tudo muito estranho para Amanda. Mas ela jurava que um dos três, na boca do palco, estava olhando fixamente para ela. Como se cantasse cada verso só para ela. A sensação estranha em seu estômago continuava, como também aquela vontade de sorrir.

Eu deveria saber o que você sente
Deveria ter falado o que sinto
Mas a pressão é grande nessas horas
Eu não consigo esquecer teus olhares
Eu deveria saber que você se importa
Porque você se importa, se importa
Até mesmo comigo e com quem está à volta.

Fred se aproximou delas usando um paletó de terno preto por cima da blusa branca e calça jeans. As cinco sorriram.

– Que beca, meu filho – Amanda brincou.

– Gostou, né? Foi especialmente pra vocês...

– E desde quando merecemos todo esse estilo? – Anna perguntou.

– Desde que eu decidi que merecem – e olhou para banda. – Bons, não são?

– Lindos – Maya respondeu, empolgada.

– Adorei essa música – Carol dançava animada com Guiga, que parou para encarar Fred.

– É... eles são bons – Guiga sentiu formigas nas bochechas.

– Boa-noite, senhorita – Fred cumprimentou galante.

Guiga gargalhou.– Não começa, Fred.

– Certo – ele olhou para as outras –, volto em questão de minutos pra ver se não têm trogloditas enchendo as madames.

– Virou nosso protetor, Bourne? – Amanda perguntou.

– Não o seu; senão Albert me quebra de novo – zombou. – Mas, sim, eu serei o super-herói de vocês – e saiu de perto.

– Eu, hein! Quando digo que o mundo está mudando... – Anna falou e elas riram voltando a olhar para o palco.

Mas eu não vou desistir
Porque sei que ela gosta de mim
Pelo jeito com que me beijou e disse
Que toda essa confusão existe
Porque apesar de eu ser ruim na cozinha
Ela gosta do meu romance bobo
E do meu jeito piegas de ser
E ninguém lá na escola pode saber
Que a menina dos meus sonhos
É minha

Yeah, yeah
Eles dizem que sou um perdedor
Mas garotas assim são tão cruéis
Elas não sabem o que guardo aqui dentro
Têm essa visão velha e antiga
Mas o meu miojo é tão gostoso
Que conquistou sua melhor amiga.

Amanda se sentiu pessoalmente tocada com a letra da música. E viu que as amigas também estavam assim. Chocadas. Como eles podiam descrever tanto o relacionamento delas com... com algumas pessoas na escola? Chegava a ser engraçado. Os três garotos no palco começaram a dançar, e elas riram. Eram realmente cômicos. Amanda desejou, de fundo do coração, um dia ter um namorado como aqueles ali de cima.

Eu sei que ela se importa (eu sei que ela se importa)
ela se importa, se importa...

– Amanda?
Ela sentiu alguém encostando a mão no seu ombro e tomou um susto. Era Albert.
– Ai que coisa, o que você quer? – ela observou Fred girar nos calcanhares e sair de perto quando notou que Albert estava com elas.
– Queria saber como está indo...

– E pra que você quer saber? – ela perguntou grosseira.

Carol e Anna se afastaram quando avistaram os amigos de Albert se aproximando.

– Quero conversar com você... Por favor, não quero brigar.

– Albert, eu...

– Por favor, vem comigo? – ele pediu fazendo bico.

Ela bufou e olhou para Maya e Guiga. As duas deram de ombros.

– Ok, mas eu não vou demorar. Eu quero ver o resto do show.

– Ok – Albert sorriu –, ok... – ele saiu andando e ela foi atrás.

Fred chegou perto de Maya e Guiga, olhando curioso.

– Ela vai mesmo sair com o babaca?

– Não sabemos – Maya observou Amanda sair do salão da escola com Albert. – Sinceramente, onde ela anda com a cabeça?

– Ela anda perdida esses dias – Guiga falou.

Fred quase começou a rir, mas se conteve.

– Pois é, mas voltando ao assunto... Não é perigoso deixá-la sozinha com o Albert?

– Que você quer dizer com isso? – Guiga perguntou.

Maya colocou as mãos na cintura.

– Está insinuando que ela não sabe se defender?

– Pelo contrário, estou insinuando que Albert vai sair com belos machucados... Entendam que estou querendo proteger meu grande amigo.

– O que quer comigo? – ela perguntou sentindo o vento frio da noite levantar seus cabelos.

Albert parou perto de seu carro no estacionamento e encarou a garota.

– Você não pode continuar me ignorando assim...

– Como não? – ela riu. – Albert, a gente nunca teve nada demais e...

– E você anda muito com aqueles garotos imbecis. Qual é a sua, o que você está fazendo? Olhe pra vocês, cara; vocês não precisam daqueles idiotas!

– Do que está falando, Albert? – ela franziu a testa.

– É uma vergonha uma garota que era MINHA agora ser DELE! – bufou descontrolado.

Amanda sentiu cheiro de álcool saindo do hálito dele. Assustou-se porque nunca o tinha visto daquele jeito. Ficou temerosa e olhou para o colégio. Não estava tão longe.

– Olha, Albert... é melhor eu voltar pra festa, ok? Eu não sei do que está falando.

– Não, você não vai voltar – ele disse em tom de ameaça. Abriu a porta do carro. – Entra.

– Não, claro que não vou entrar; você está louco?

Ela riu nervosa e se virou de costas. Ele pegou forte em seu braço, puxando-a.

– Entra logo! – gritou com raiva.

– Você está me machucando... – choramingou.

– E vou machucar mais se você não entrar.

Ele a jogou no banco do carona do carro. Amanda tentou gritar, mas o nervosismo foi maior, e a porta se fechou diante do rosto dela.

– Cadê a Amanda? – Carol perguntou assim que encontrou com Guiga e Maya, que estavam conversando com Fred.

– Lá fora com o Albert – respondeu Maya. Carol arregalou os olhos.

– Com quem? – Anna chegou perto.

– Albert – Guiga repetiu.

– Fazendo o que com ele lá fora?

– Foi exatamente minha indagação – Fred disse.

Mas Anna o ignorou.

– Meninas, por que vocês deixaram o Albert levar ela pra fora?

– Não deixamos, ela quis ir – Guiga deu de ombros.

– Vamos atrás dela – Anna olhou para a porta.

– Falta pouco pro show acabar... – Carol se sentou. – E aí a gente vai, ok? Albert pode ser tudo, menos agressivo e tudo mais!

– É, acalmem-se... Olha praquele baixista, ó céus... Viram o jeito que ele rebola? – Maya gostou.

Todas riram com Fred, que chegou a gargalhar. Rafael iria gostar de saber dessas coisas.

Amanda sentia as pernas tremendo com a velocidade do carro e fechou os olhos quando Albert parou diante de um dos postos salva-vidas na praia. Estava tudo escuro.

– Você precisa pensar melhor...

– Albert, me leva de volta.

– Isso tudo está tão errado! – ele falava passando as mãos nos cabelos.

– Albert, eu quero voltar...

Babi Dewet

– Vocês são boas demais pra eles... O que ele tem que eu não tenho? Eu sou filho de deputado, tenho um futuro brilhante pela frente, minha família tem posses. E ele? Ele é um perdedor, um frouxo, uma vergonha para essa cidade! – ele olhou para ela inflamado de raiva.

Amanda sentia os joelhos tremerem de nervosismo.

– Albert, eu não sei do que você está falando, me leva de volta.

– EU NÃO VOU TE LEVAR DE VOLTA! – ele berrou. – Você não está entendendo? Eu vou te avisar... Se você aparecer com ele, eu juro... juro que mato aquele garoto.

Ela sentiu uma vontade enorme de chorar. Não queria acreditar que isso estava acontecendo.

– Albert, eu...

– Você sabe de quem estou falando, droga! Não se faça de desentendida.

Ela só abaixou a cabeça.

– Você me ouviu? Se ele aparecer em público com você, eu mato, e não estou brincando.

– Você não pode estar falando sério...

– Estou. Agora desce do carro! – ele mandou.

– O quê? – A garota se assustou.

– Desce, droga! Acha que vou voltar praquela merda de festa?

– Eu vou ficar aqui?!

Ela olhou para os lados. Só ouvia o barulho feroz das ondas do mar.

– Desce – ele repetiu, passando por cima dela e abrindo a porta.

– Nunca imaginei que você fosse assim...

– E você é mais burra do que pensei – ele debochou e indicou a porta com a cabeça.

Amanda riu de nervoso e saiu do carro, batendo a porta com toda a força.

– VAI PRO QUINTO DOS INFERNOS, SEU CRETINO! – xingou, soltando todo o ar dos pulmões.

Viu o veículo sumir e, mais nervosa, esfregou as mãos nos braços para espantar o vento gelado. O que iria fazer agora? Olhou para a frente cheia de medo. Estava escuro, barulhento por causa das ondas agitadas e frio. Muito frio. Andou um pouco pela rua da orla e logo se cansou. Andar de salto não era sua especialidade.

Começou a chorar. Era demais para ela. Não dava para continuar assim, ela não iria suportar por muito tempo. E logo quando tinha decidido encarar Daniel de verdade, aparece mais uma? Agora ela tinha que esconder o garoto do Albert também?

Não que não quisesse que ele soubesse de alguma coisa. Para o inferno! Ela temia apenas por Daniel, porque se lembrou de como ele tinha ficado depois de apanhar do João Pedro. E ela sabia que Albert falava a verdade.

Começou a tremer de frio e decidiu ir para o posto salva-vidas. Estava abandonado e escuro, mas era melhor que ficar no meio da estrada. Tirou as sandálias e encostou o pé na madeira fria.

– Ok, agora é a hora que a gente entra em pânico – Maya alertou.

Anna olhava para os lados e Fred chegou perto delas.

– Ela não está em lugar nenhum do pátio.

O show do Scotty já tinha acabado meia hora atrás, e as meninas, com a ajuda de Fred, estavam procurando por Amanda.

– Vou perguntar pro JP – Carol avisou.

Foi até o grupo dos rapazes bem-vestidos, superbonitos e cheios de garotas em volta, e respirou fundo.

– Boa-noite, boneca – JP falou assim que a viu se aproximar.

Ela sorriu.

– Onde estão Albert e Amanda? – perguntou.

– Do que está falando? – ele enrugou a testa.

– Você viu os dois? Algum de vocês viu?

– Por que Albert estaria com ela? – Michel perguntou.

Carol balançou a cabeça. Pela cara deles, ninguém ali sabia de nada.

– Esquece – voltou para suas amigas.

– Vou ligar pro celular dela – Anna discou o número da garota. Tentou em vão, deu fora da área de cobertura.

– Ai, meu Deus, onde se meteram? Ela não teria saído com ele assim – Guiga falou nervosa.

– Podemos sair procurando – Fred estendeu a mão, tocando no seu ombro.

– Não precisa se importar, Fred. – Guiga olhou para ele carinhosa – A gente pode fazer isso.

– Eu preciso. Eu quero e eu vou... Vamos nos separar? Tem alguma ideia por onde começar? – ele olhou para Anna, e não viu Guiga sorrindo.

– Vamos rodar por perto... Quem sabe...

Eles saíram andando em direção aos carros.

Amanda começou a achar que morreria congelada se não saísse dali. Estava escuro demais, mas ela tinha que agir. Não podia ficar chorando por algo que não tinha acontecido ainda.

Pegou o celular. Sem sinal.

– Droga – disse em voz baixa.

Saiu do posto de salva vidas tentando achar sinal por ali. Segurando as sandálias de salto fino, desceu para areia e continuou a esmo procurando algum sinal. Nada. Cada vez mais frio, o vento cortante machucava seu rosto, e o som do mar era assustador.

De repente, surgiu um pontinho na tela do aparelho. Ela sorriu. Sentou na areia e discou o primeiro número da discagem rápida. Sabia exatamente quem queria que fosse buscá-la.

– Alô? – Daniel atendeu o celular sem olhar a bina.

Bruno estava andando pela casa somente de toalha. Daniel tinha colocado sua roupa confortável de dormir: calça de moletom, uma blusa velha e meias.

– Daniel?

Ele ouviu a voz de Amanda melosa com o som do mar atrás, e se levantou do sofá.

– Amanda? – disse assustado – O que houve? – perguntou ao perceber que ela estava chorando.

– Você... Eu sei que você está com raiva de mim, mas...

– Eu não estou! Não estou! O que houve? – perguntou nervoso.

Odiava saber que ela estava chorando. E não se lembrava de tê-la visto no fim do show. Isso era preocupante.

– Eu preciso de você, Daniel... Por favor, me ajuda – ela pediu.

Ele sentiu um frio na barriga.

– Fofa... onde você está?

– Na praia... perto do posto de salva vidas abandonado. Eu... – ela fungou – eu estou com medo daqui, com frio... Por favor, você pode vir aqui?

– Posso! Claro que posso... ai céus...

Ele pegou um casaco atrás da porta, o par de tênis jogado no *hall* e as chaves do carro de Bruno.

– BRUNO, ESTOU SAINDO! JÁ VOLTO, É EMERGÊNCIA – e fechou a porta com ela ainda no celular. – Em minutos estou aí.

– Obrigada...

– Mas você não quer me contar o que houve?

– Eu... O problema é que eu... – a linha caiu.

Daniel olhou para o celular, desesperado, e correu o mais rápido que pôde. Não ia se perdoar se algo acontecesse com ela.

vinte e cinco

Daniel correu o máximo que pôde. Por duas vezes teve a impressão de que atropelara algum gato, mas agora não queria se importar com isso. Queria alcançar Amanda onde ela estava. Mas o que será que fazia na praia uma hora dessas?

Quando entrou na estrada da orla, totalmente deserta, ouviu uma trovoada.

– Ah, que ótimo, era o que faltava. A garota está sozinha na praia, com frio, e ainda essa droga de chuva?

Foi só dizer isso que as gotas começaram a cair. Era um chuvisco. Mas o fez acelerar mais fundo, rezando para não derrapar.

Parou o carro em frente ao posto salva-vidas abandonado e saiu, batendo a porta com força. Apertou o casaco contra o corpo. A chuva começou a molhar seu cabelo, e ele se sentiu incomodado.

Olhou para os lados e não viu ninguém.

– Amanda? – ele chamou.

Ouvia apenas o baque violento do mar, e não era nada agradável. Andou um pouco e resolveu procurar pela areia.

– Amanda? – ele repetia, sem sucesso, sentindo sua voz como um eco.

Olhava para todos os lados e girava em torno de si mesmo, mas a praia parecia deserta. Parou por uns minutos e observou o mar brigando com a água da chuva. Era um espetáculo e tanto. Enfiou as mãos nos bolsos do casaco, com os cabelos escorridos no rosto.

– Amanda? – ele perguntou baixinho, com um nó no peito.

– Daniel?

Ele ouviu um grito vindo de trás. Virou-se e viu a garota correndo em sua direção. Era uma visão que desejou desde que a conheceu. Amanda estava linda, com o vestido preto da festa molhado e grudado no corpo. Os cabelos encharcados, e ela corria desengonçada pela areia, segurando as sandálias e uma bolsa pequena. Quando chegou perto, entrelaçou os braços em seu pescoço e o abraçou. Daniel não esperava por aquilo. Tirou as mãos geladas do bolso e colocou nas costas dela. A garota, ensopada, tremia muito!

– Amanda, você está bem? Ah, claro, que não está; que pergunta idiota – ele percebeu que ela não parava de fungar.

– Obrigada por ter vindo.

– Fofa, você me assustou! – Ele a apertou contra seu corpo. – E o que está fazendo aqui sozinha?

Ao afrouxar o abraço, viu que ela estava vermelha de tanto chorar, embora as lágrimas se misturassem com a chuva.

– A gente pode sair daqui primeiro, não pode? Eu estou com frio – ela pediu abraçando a si mesma, tremendo da cabeça aos pés.

Daniel se amaldiçoou.

– Claro! Claro, que cabeça a minha – ele tirou o casaco.

– Não, não precisa... – ela negou.

Mas ele jogou o pesado agasalho nas costas dela. Apesar de molhado, estava mais quente, e ela agradeceu mentalmente por isso.

– Eu sou teimoso. Vem comigo – sorrindo, pegou a garota pela mão e a levou para longe do mar e da areia.

– Ok, o que a gente faz agora? – Anna perguntou.

– O pai dela disse que Amanda não chegou em casa ainda... Mas fiquem tranquilos, não o deixei preocupado... Disse que estava longe de vocês – Carol falou.

Fred coçou a cabeça e pegou o celular.

– Bruno? – perguntou.

– Por que diabos ele está falando com o Bruno? – Carol perguntou.

Anna mandou que ela ficasse quieta, e as quatro prestaram atenção.

– Ela não está por aqui... é... ok... pode pedir pro Daniel fazer isso? Ok, cara, obrigado – ele desligou e olhou para as meninas. – Fiquem tranquilas, o Daniel está na rua de carro, parece que foi comprar pizza pra noite *nerd*... Ele vai procurar por ela pelas redondezas... Vamos ficar atentos, mas acho que não temos que ter medo de nada.

– Ok, então... vamos lá pra casa – Anna convidou.

Ela se virou e caminhou para o carro. As três a seguiram, mas Fred ficou parado olhando para os pés.

– Vai ficar parado aí, Fred? – Anna chamou.– Não quer vir?

– Eu? – ele perguntou assustado. Elas todas riram.

– Você não acha que vai ficar aqui sozinho... A não ser que queira ir pra noite *nerd* – Maya aproximou-se dele, marotamente.

Ele abriu um imenso sorriso.

– É claro que eu não prefiro os *nerds*... Ok, eu pago a pizza, beleza?

– Opa, me saiu melhor que a encomenda – Maya ergueu os polegares, enquanto as outras riam e acompanhavam Fred até o carro de Anna.

Bruno ficou olhando o telefone no gancho.

– Eu, hein. Esse povo tá doido. Primeiro, o Daniel sai como louco de casa, depois Fred liga e pergunta se a Amanda está aqui – ele coçou a cabeça.

– Daniel deve ter ido atrás dela – Rafael disse, indo para perto da TV com Caio.

Bruno, ainda pensativo, olhou para os dois.

– Será que ela sumiu?

– Acho que Fred não queria comentar na frente das amigas dela que ela podia estar com Daniel – Caio analisou – Relaxa, Bruno. Vem ver *As tartarugas ninjas*.

– Ok, você ganhou – Bruno riu e foi sentar no sofá com os amigos.

– Ok, fala – Daniel disse assim que entrou no carro.

Amanda fechou a porta do lado dela e tirou o casaco, porque estava quente ali dentro.

– Você geralmente usa esse moletom pra sair de casa?

Ela perguntou, tirando os cabelos molhados do rosto. Ele olhou para a própria roupa e gargalhou.

– Quando alguém me liga desesperado, eu realmente não penso em que roupa vou vestir ou se vou estar na moda.

– Oh, me perdoe – ela tampou o rosto com as mãos.

Ele se virou para ela, e ambos ouviram os trovões. A chuva agora caía mais intensamente.

– Vamos, me diz o que fazia aqui sozinha! Você não veio parar aqui por acaso.

– Não, definitivamente não... – ela olhou para ele.

Estava visível sua vergonha por tê-lo ignorado tantos dias, mas agora ele estava ali, tentando ajudá-la.

– Ei – ele se aproximou e passou a mão em seu cabelo –, você não precisa ter vergonha de falar... – ele se afastou. – Estava com alguém aqui?

Daniel fechou a cara como evidência do seu ciúme. Ela riu.

— Estava — disse.

— Hum... — Ele tirou a mão do cabelo dela.

— Mas não, Daniel; eu não estava com ninguém dessa forma... Deus me livre!

Ela jogou o casaco emprestado para o banco de trás. Daniel olhou sem entender nada.

— Albert me trouxe aqui.

— O... o quê? E por que você veio aqui com ele? Vocês dois não... não...

— Não. Quem você pensa que eu sou? — se sentiu magoada.

Trovejou mais forte e um raio iluminou os dois. Estavam em uma rua escura e a pouca luz vinha de uma lua cheia escondida atrás de nuvens carregadas.

— Por que o Albert traria você aqui, Amanda? E por que você viria aqui com ele?

Ela estranhou o tom da voz e se aproximou, chegando o corpo perto da marcha do carro.

— Eu não vim porque quis.

Olhou para o colo dele e viu que ele mexia as mãos nervosamente. Ela mordeu os lábios e voltou a sentar-se normalmente no banco.

— Ele te obrigou? — quis saber.

Ela apenas concordou e ele ficou espantado.

— Oh, meu Deus, aquele... aquele...

— Daniel, ele soube sobre a gente naquela noite — ela comentou.

Ele parou de pensar e olhou para ela com carinho.

— Como ele sabe?

Ela sacudiu a cabeça, porque realmente não entendia. Daniel mordeu os lábios, ao ver Amanda fazer o mesmo. Não conseguia resistir aos seus trejeitos. Olhou para as pernas brancas da menina, molhadas, e tocou os cabelos dela. Sorriu.

— Daniel, você está sorrindo por quê? Isso é sério.

— Eu sei que é, mas eu... não consigo olhar pra você e não sorrir, me desculpe.

Ela ficou vermelha.

— Eu estou com medo. Albert pode te fazer alguma coisa — ela sentiu os olhos encherem de água.

Era a única coisa que Amanda não queria que acontecesse. Que machucassem Daniel por sua causa, e ela agora sabia do que Albert era capaz. Sabia que ele iria cumprir o que tinha dito. Orgulho ferido é sempre muito ruim, e Albert se sentia esmagado, já que sua ex-garota estava com um dos perdedores do colégio. Para ele, era muita humilhação.

– Fofa, ele não vai me fazer nada... – tentou acalmá-la.

Amanda ficou de joelhos no banco.

– Ele disse que, se ver nós dois juntos, vai te matar!

Ela soluçou. O caso era sério. Amanda estava realmente com medo, como Daniel percebeu, mas ele sentiu-se quente por dentro por causa disso. Albert podia fazer o que quisesse, ninguém iria tirar aquele sentimento dele.

– Ele não vai me matar. Não estamos juntos, certo? Você... digo... você fez sua escolha – ele disse abaixando a cabeça.

– Não, Daniel, eu não fiz – soluçou mais uma vez. – Eu queria realmente poder ficar com você, mas... ele...

– Amanda...

Ele não conseguia se conter, o coração estava acelerado e o estômago revirava. Ela tinha o poder de fazer isso com ele.

– Daniel, o que eu faço? – ela perguntou.

Ele estendeu o braço e ela se deixou levar, sentando em seu colo e apoiando a cabeça em seu peito. Daniel apertou a menina contra seu corpo e deu-lhe um beijo carinhoso na testa.

– Não pense em mais nada. Você está aqui comigo, certo?

– Ela sorriu e respirou fundo o perfume do seu pijama, entrelaçando os braços no seu pescoço.

– Daniel... me desculpe por esses dias. Eu estou realmente perdida, não sei o que fazer e agora me surgiu essa...

– Não se preocupe, fofa – ele apertou o cabelo dela, que gotejou em cima da sua perna. – Você não precisa fazer nada agora. Vamos esperar essa chuva passar, e eu te levo pra casa, ok?

– Daniel – ela ficou de frente para ele.

O garoto sorriu pela quantidade de vezes que ela repetia seu nome.

– Amanda – ele disse e ela riu, rolando os olhos.

– Hoje aconteceu algo tão estranho.

– Ah é? E o que aconteceu de tão estranho?

– No show do Scotty – ela começou a contar e ele arregalou os olhos, querendo parecer interessado. – Sabe, eles têm músicas que me impressionam.

– Por quê?

— Você nunca entenderia porque nunca ouviu, mas... eles parecem sempre falar de mim – ela sentiu boba; claro, que os Scotty não estariam falando dela, pensou.

— Quem sabe não estão? – ele sugeriu.

— Daniel, eles nem me conhecem!

— Ué, pode ser um daqueles *nerds* tocadores de flauta do primeiro ano; eles te conhecem.

— Eles não seriam tão criativos. E não falariam de miojo numa música.

— Falaram de miojo? Que caras esquisitos.

— Não, não... A música me lembrou aquela noite na sua casa... Foi muita coincidência – ela sorriu.

— Se ele falou de miojo e brócolis, sem mencionar meu tempero genial...

Daniel, que estava achando graça naquilo tudo, só imaginava a reação dela quando descobrisse que era ele um dos famosos Scotty.

— Aposto que você se engraçou pra um deles.

— Deixa só eles chegarem perto de mim pra você ver – ela avisou e ele espantou-se. – Ah, Daniel, é sempre muito exótico ter um músico como namorado.

— Eu sou músico.

— Mas você não é um realmente... é? – perguntou com a testa franzida.

Daniel riu.

— Não... Mas eu sou melhor que isso.

— Hum – ela duvidou. – Não sei se é não, viu?

Amanda falou com sarcasmo, e ele lhe deu um cutucão na cintura, com o dedo, fazendo bico. Só então Amanda se tocou que estava sentada no colo dele, com as costas apoiadas na porta e de lado para o menino.

— Oh, Daniel, estou machucando você?

— Sabe, quando você fala meu nome, eu me sinto um herói de cinema... Oh, Daniel; oh, Daniel!

— Você pareceu ter orgasmos, isso sim!

Os dois riram alto.

— Isso também seria bom.

— Daniel!

— Viu, fez de novo – ele disse e ela bateu de leve no braço dele.

— Você é horrível, só pensa nessas coisas.

— Você não sabe no que eu penso.

– Que bom! Eu não estaria no seu colo se soubesse – ela afirmou e ele mirou o próprio colo, onde as pernas da garota molhavam mais sua calça. Ela riu.

– Olha pra mim, mais em cima, fofo.

– Certo – ele se sentiu nervoso – Mas me conta... Albert te fez alguma coisa?

– Oh, Daniel, não – ela exclamou e ele gargalhou – Eu juro que não digo seu nome nunca mais.

Ouviram um trovão muito alto. A chuva piorou, ficando ainda mais forte, aumentando o barulho das gotas ao baterem na capota fechada do conversível do Bruno.

– Pois é, estou vendo que vamos passar a noite no carro...

– Eu não quero dormir em um carro.

– A gente não precisa dormir – ele disse sem ver que ela estava rindo. – Ah, eu não sou um cafajeste, fofa. Podemos jogar adedanha a noite toda.

– Se meu celular pegasse, eu pedia uma pizza.

– Que ia vir gelada por causa da chuva, se o motoqueiro conseguisse chegar aqui.

– Isso é verdade – ela parou para pensar. – Daniel, está calor aqui dentro, vamos dar uma voltinha lá fora.

– Ah, claro, quer morrer de pneumonia amanhã?

– Estou falando sério

Ele olhou para a menina, admirado. Não sabia que garotas como ela tinham esse tipo de ideia. Impressionava-se cada vez mais, nunca sabia o que esperar. Amanda estava sorrindo e ele não resistiria ao encanto dela.

– Vamos, vamos?

– Ok, mas só porque eu realmente estou suando aqui dentro.

– Yey! – ela comemorou, abrindo a porta atrás de si.

A chuva estava tão forte que ela não pôde ouvi-lo reclamar quando se virou correndo e desceu do carro. Daniel balançou a cabeça e saiu atrás dela.

– Você está descalça – ele gritou quando bateu a porta.

A chuva caía fortemente na cabeça dos dois, e ela foi para o meio da estrada rindo.

– Você deveria ficar também, vai molhar seu tênis à toa – aconselhou.

Ele olhou para os pés e jogou os tênis já molhados dentro do carro. Olhou para a garota que estava com os braços abertos.

– Meu penteado se desfez – ele comentou quando se aproximou. Ela gargalhou.

– Você terá todo o domingo pra passar ele a ferro de novo.

– Não brinque com isso. Vou com o cabelo todo pra cima na segunda.

– Eu duvido – a garota desafiou.

Reparou no garoto. Ele mantinha as mãos dentro dos bolsos da calça e tinha água escorregando pelos cabelos grudados no rosto. Ele ficava tão bonito assim. Era como se ficasse natural, desprotegido

– Daniel.

– Amanda – ele respondeu.

– Abra os braços – o garoto franziu a testa –, abra a porcaria dos braços, Daniel Marques! – ela gritou rindo, e ele abriu os braços imediatamente.

– Eita, garota louca!

– Você não se sente bem assim? – perguntou com os braços abertos também.

Daniel olhou à sua volta. Estava tudo escuro. Podia notar a lua ainda escondida no céu, apesar da chuva e das nuvens. A mata de um lado, a praia de outro. O chão estava como um lago corrente, e onde caíam os fortes pingos surgiam furos, buracos e poças. Todo esse cenário era muito bonito, ele tinha que admitir. Olhou para o carro de Bruno e riu, porque parecia uma cascata. Depois, olhou para Amanda, que estava de costas para ele, de braços abertos e com a cabeça levantada para o céu.

– É tudo lindo mesmo.

– Dá vontade de gritar.

– AHHHHH! – ele berrou com os braços abertos.

Ela começou a rir e se virou para ele. Os dois gritaram muito alto e começaram a rir depois disso, abaixando os braços.

– Câimbra – ele disse e ela gargalhou.

– Daniel?

– Vai ficar só dizendo meu nome e mais nada?

– Eu gosto do seu nome – ela explicou.

O garoto pulou quando sua calça quase caiu.

– Droga, esse moletom está ficando pesado – reclamou.

– Tira – Amanda sugeriu sem malícia.

Ela estava com a cabeça inclinada, de olhos fechados e sentindo as gotas frias baterem em seu rosto. Ele riu e então pesou a possibilidade. Claro que não ia tirar a roupa.

– Não vou ficar peladão aqui! – protestou.

– Qual a diferença de ficar com a blusa ou sem ela? Eu estou vendo através dela mesmo.

Ele próprio se olhou. Sua blusa branca fina estava encharcada e transparente.

– Eu fico mais sexy assim – ele fez pose.

Amanda foi até ele. Levemente, pegou na barra da blusa e a tirou, não resistindo a olhar para o corpo do garoto. Ok, ela não podia ter feito isso. Sua cabeça começou a criar milhares de fantasias que ela não queria. Ele contraiu a barriga por causa do frio e pegou a camiseta na mão, vendo que a menina estava parada com o olhar perdido em seu peito e mordendo a boca. Ele deu uns pulinhos.

– Você quer me ver pelado, é isso?

– Não seja prepotente, Daniel. Como se eu já não tivesse visto nada assim antes.

– Não joga na cara – ele brincou. – Eu não preciso saber das suas noites com Albert ou sei lá mais com quem.

– Daniel... essas noites não existiram e você sabe muito bem disso.

– Eu apanhei por isso, não apanhei? – ele pôs a mão onde antes havia um machucado. Ela concordou. – Mas você ainda quer me ver pelado, não mude de assunto, sua aliciadora de menores!

– É, Daniel, eu não resisto ao seu corpinho...

Ele puxou a garota pela cintura, para perto de seu corpo.

Ela sorriu sentindo os joelhos amolecerem.

– Daniel, eu...

– Você pode calar a boca por um minuto?

O garoto então encostou os lábios nos dela, sentindo as gotas da chuva caírem com força entre seus rostos. Ela entrelaçou os braços no pescoço dele e ele a puxou mais para perto, fazendo-a ficar nas pontas dos pés.

Amanda sentiu a língua quente do garoto e sorriu, sem parar o beijo. Como era bom sentir seu Daniel de novo, tão junto assim. Como sentira falta disso! Não, definitivamente nada iria tirá-lo dela novamente.

Os dois começaram a esquentar o beijo à medida que iam se apertando mais no abraço e respiravam mais profundamente. Daniel desceu as mãos das costas dela para os lados das pernas e ela apertou os cabelos dele por trás quando sentiu os dedos dele deslizarem pelo seu corpo.

– Quer entrar no carro? – ele sugeriu perto do ouvido dela. Ela concordou.

– Daniel! – gritou, pedindo para ele virar de costas. – Abaixa!

Ela pulou nas suas costas dele. Ele carregou a garota até a porta do carro.

– Entregue, senhorita.

– Ahhhh, seu moço, quanto foi? – ela segurou o braço do menino enquanto descia de suas costas.

Ele abriu a porta da parte de trás.

– Entra que eu te conto.

Ela entrou ajoelhada, Daniel veio logo depois dela. Quando se viram dentro do carro, sem a chuva torrencial e protegidos, eles começaram a rir.

– Amanhã ficaremos doentes, certo? – ela perguntou.

– Temos que aproveitar hoje mesmo – ele fez uma voz marota.

– Você é tão cafajeste que poderia ter me levado pra um motel e não pro carro – ela se encostou na porta.

– O carro é mais apertado e, afinal, foi você quem me trouxe até aqui – ele ficou de joelhos e engatinhou até o lado dela.

– Isso me faz a cafajeste da história, certo?

– Só se você quiser... – ele olhou no fundo dos seus olhos.

Os dois ficaram se observando por um tempo, ele com os dois braços no banco entre o corpo dela. A garota agarrou o pescoço dele e o beijou com toda a paixão que estava contida. Daniel a puxou para seu lado, deitando-a sobre seu corpo, tornando o beijo mais intenso. Ele sentiu o tecido molhado do vestido da garota em seu peito. Suas mãos percorreram o corpo dela até parar na parte posterior das coxas da menina, onde ele a puxava cada vez mais, pressionando seus corpos. Os dois arfavam profundamente e gemiam entre um beijo e outro, com suspiros altos e doloridos. A dor, a paixão, o calor, a vontade de estarem juntos, tudo isso despejado naquele momento. Ela passou as pernas em volta do corpo dele e riu.

– Você está linda, sabia?

– Ah claro, sem maquiagem nenhuma, que por sinal deve estar toda borrada... com esse vestido grudado no corpo e os cabelos nessa bagunça.

– Pra mim você está mais bonita do que nunca.

Foi um elogio sincero. Ela sentiu-se corar.

– E eu sei que estou lindo, não precisa dizer o mesmo.

– Eu não ia dizer o mesmo – ela colocou a língua para fora. – Eu não preciso dizer isso, espero que você já saiba.

Babi Dewet

– Ok, você me surpreendeu com sua resposta, achei que fosse me esnobar um pouco mais – ele gargalhou. – Posso continuar de onde eu estava?

– Sinta-se à von...

Antes de Amanda terminar a frase, ele grudou as duas bocas e puxou o corpo da garota. Ela podia sentir como o corpo dele reagia quando tocava o seu e estava achando tudo maravilhoso. Diferente do que a maioria pensava, ela nunca tinha tido nada assim com um garoto antes. Muitos já tinham tentado, mas ela nunca se sentira confortável para tal e agora estava ali, pingando água no carro de Bruno. Ela sorriu e sentiu os dedos dele na sua perna subirem até levantarem a barra do vestido. Ela riu baixinho e ele fez o mesmo.

Ela parou sentada no colo dele, se soltou do beijo e o encarou.

– Estamos aqui dentro há mais de duas horas, eu suponho – ela sussurrou. A boca dos dois estava vermelha e inchada e eles respiravam profundamente, com um aspecto lento no rosto.

– Quer voltar pra casa? – ele perguntou.

Ela negou.

– Mas alguém deve estar preocupado.

– Nossos celulares não pegam aqui.

– Podemos achar um lugar que tenha sinal... Eu aviso as meninas...

– Podemos ir pra minha casa.

– Ainda não, Daniel. Fica firme na sua por um tempo – ela alertou.

Ele passou as mãos nos cabelos, tentando ajeitá-los sem nenhum sucesso.

– Eu fico, fofa... sem problemas.

– Ok, isso cortou o clima – ela disse rindo.

Ele a abraçou. Encostou o rosto no ombro da menina.

– Não vai embora ainda... Eu não sei se vou conseguir respirar com você longe de mim.

– Daniel, você é muito dramático.

– Esse sou eu.

– Eu gosto de você assim – ela beijou sua testa.

Ele olhou profundamente nos seus olhos.

– Você vai me deixar, não vai? De novo?

– Eu sei que a gente vai dar um jeito de lidar com isso por enquanto, não vamos?

Ela perguntou e ele sorriu radiante. Ela amava aquele sorriso. Amava tudo nele. Era impossível não amar!

– Você pode me usar, eu não ligo!

– Eu te chamo então, sempre que sentir sua falta – falou passando as mãos pelos cabelos dele, bagunçando tudo que ele tentara arrumar.

– Beleza, então, mas dentro desse sistema eu vou ter que começar a cobrar.

– Certo. Eu pago o que for preciso.

– Hummmmmmmmmm – ele murmurou e ela riu.

– Oh, Daniel, você não pensa em outra coisa.

– Ih, oh Daniel que nada, você sabe no que eu pensei? Sabe? Sabe?

– Nem quero – ela rolou os olhos, brincando.

– Pizza, meu bem – ele disse olhando o relógio. – A pizzaria ainda está aberta, quer comer algo?

– Você lê meus pensamentos.

– Ok, a chuva parou e a gente nem viu – o garoto percebeu olhando pelas janelas embaçadas.

– Você não reparou? – Amanda pulou para o banco da frente.

– E nem pra me avisar, hein?

– Eu não, você estava tão concentrado em tentar me seduzir...

– Eu sou muito bom nisso – os dois se entreolharam sem conseguir parar de rir.

Daniel ligou o carro e seguiu em direção à cidade. Ambos, que nem bobos, se sentiam muito felizes por dentro. Era como se aquilo ali fosse pra valer e aquela sensação de cócegas na barriga fosse durar para sempre.

vinte e seis

— Amanda? — Anna atendeu o telefone.

Estava sentada na mesa da cozinha da sua casa com as amigas e Fred comendo pizza.

— Oi... err desculpe por ter sumido... Não foi minha culpa – Amanda se explicou.

Anna pôs as mãos na cintura.

— Conte-me tudo, sua louca... A gente ficou preocupada!

— Preocupados! – Fred gritou e Anna riu.

— Fred está aí? – Amanda perguntou, olhando para Daniel.

— Ele virou nossa praga particular, não adianta – Anna disse, olhando para Fred que brigava com Maya pelo *ketchup*. – Mas, então, onde está a senhorita?

— Indo comer pizza... Daniel, você entrou na rua errada!

— Eu estou pegando um atalho, me deixa – ele revidou.

Anna arregalou os olhos do outro lado da linha.

— Err... deixa que eu olho o telefone dele pra você... – saiu da cozinha e subiu as escadas correndo.

— Telefone de quem? – Amanda franziu a testa.

— Eu estou disfarçando pra sair da cozinha! – Anna disse fechando a porta do quarto. Respirou fundo. – O QUE ELE ESTÁ FAZENDO COM VOCÊ?

— Eita – Amanda tirou o celular do ouvido e Daniel pôde ouvir o grito da amiga.

— Certo, eu não sumi com ela, Anna! – Daniel berrou e Anna sentiu as orelhas vermelhas.

— Ai, pede desculpa... Nada contra ele, mas... o que você faz com ele, Mandy? – perguntou, sentando na cama.

— Longa história.

— Me conte essa história resumida então, mas conte...

– Albert me largou na praia, eu liguei pro Daniel, meu celular acabou a bateria; por sinal, esse é o celular dele, por isso estou demorando pra desligar.

– Ela quer me falir.

Anna ouviu a voz do garoto do outro lado e riu.

– E então Daniel veio me salvar e começou a chover, a gente ficou na chuva e agora estamos indo comer pizza – Amanda disse, calmamente.

– Certo, tudo isso em três horas? – Anna olhou o relógio no pulso.

– Eu e Daniel ficamos jogando adedanha – brincou.

O garoto deu altas gargalhadas. Estacionou e desceu do carro.

– Eu quero de muçarelaaaa – ela gritou vendo-o bater a porta. – Droga, ele não vai lembrar.

– Sério, amiga... o que você faz com ele? Por que ligou pra ele e não pra gente? – Anna perguntou.

– Não sei... eu... tive vontade de vê-lo, estava nervosa, o Albert ameaçou machucá-lo se nos visse juntos – confessou com tristeza.

– Aquele estúpido – Anna exorcizou. – Mas você está bem? Vocês estão bem?

– Yep, melhor impossível... Ah, droga – Amanda xingou ao avistar o carro de Albert estacionando em frente à pizzaria.

Daniel ainda não o tinha visto porque estava conversando com a balconista, decidindo os sabores da pizza.

– Albert está aqui – ela escorregou do banco para o chão do carro e ficou encolhida.

– Quer que eu vá praí?

– Não precisa, espero que Daniel não faça nada demais... – Amanda riu ainda no telefone, encaixando-se o melhor que pôde. – Mas eu vou te contar, tudo aconteceu assim...

– Pegou chuva, perdedor?

Albert parou ao lado de Daniel na fila do balcão principal da pizzaria. Daniel reparou na sua presença em companhia de seus amigos brutamontes.

– Não, moça, eu quero de muçarela com calabresa – ignorou o comentário do outro.

– Mas você disse que queria de champignon com catupiry – ela falou.

– Eu não – Daniel riu. Parou para se lembrar – É, acho que disse, mas ignore... Não quero mais.

– Aquele é seu carro? – JP perguntou e Daniel desconversou.

– Boa-noite – olhou para eles.

Albert e Michel riram.

– Deve estar boa pra você mesmo... Está um lixo, meu garoto – ele encostou nos cabelos arrepiados de Daniel.

– Você me serve de exemplo, *meu garoto* – ele zombou e virou-se para a balconista. – Duas cocas, por favor.

– Duas? – JP perguntou. – Está acompanhado?

Ele observou o carro vazio. Daniel olhou também e arqueou a sobrancelha. Riu.

– Estou sozinho, por que a pergunta?

– Duas cocas, Marques – a balconista lhe entregou as latas de refrigerante.

– Obrigado. – Voltou-se para JP. – Perderam alguma coisa aqui ou estão só na fila?

– Fila – Michel disse e Albert o mandou ficar quieto.

– Pra que duas cocas, se está sozinho? – JP insistiu em saber.

– Gula – o garoto falou, recebendo a pizza. – Ohh, obrigado! Até mais.

Ele riu debochado para os quatro rapazes e foi andando lentamente para o carro. Abriu a porta, deixando as cocas em cima do capô, e jogou a pizza no banco da frente.

– Eu sabia que você estava aqui.

– O que ele fez com você? – Amanda perguntou séria.

Daniel entregou-lhe as latas e entrou no carro.

– Nada, ué. Parece que ele fez algo?

– Não... – a garota abriu a lata e tomou um gole do refrigerante.

Daniel saiu do estacionamento e pegou a rua novamente

– Posso subir?

– Sempre pôde.

– Não, eu não podia – ela disse brava. – Se ele me visse aqui ia criar problemas.

Ela levantou a pizza com dificuldade e sentou-se, colocando a caixa no colo.

– Isso está com um cheiro ótimo.

– Muçarela, como você gosta – ele disse sorrindo para ela.

Como podia ter pensado em não ficar mais com ele, se nem tirar os olhos dele ela conseguia?

– Sabia que você está me deixando embaraçado... Não quer olhar pra pizza, não?

– Não... – ela disse. – Quem manda ser tão fofo?

– Uh-huh... *A buh buh buh buh... All I want a buh buh buh buh, all I need a buh buh buh buh...* – ele começou a cantar e ela riu.

– Que tipo de música indígena é essa, Daniel?

– Jackson Five, minha fofa.

– Agora que acabou a chuva, podemos abrir o teto do carro? Podemos, podemos? – ela perguntou.

– Depois de comermos a pizza, fofa... Vai esfriar.

– E onde a gente vai comer a pizza?

– Na minha casa – ele falou, e ela até tentou dizer algo. – Não se preocupe, meus pais ainda não voltaram de viagem, a gente come a pizza vendo *De volta pro futuro II*, porque eu vi de novo o primeiro ontem e não tem graça se não vir a série seguida, certo? Depois eu levo você pra casa.

– Hum... ok – ela se deixou vencer porque só tinha visto o primeiro há alguns anos, e gostara muito, embora não fosse falar isso pra ele, de forma alguma.

A quem ela estava enganando?

– Onde a Amanda está? Ela encontrou o Daniel? – Maya perguntou.

Anna olhou para Fred, que estava rindo.

– Encontrou agora, na pizzaria, e... me ligou do celular dele, porque o dela tinha acabado a bateria – Anna contou.

Fred enfiou um pedaço de pizza na boca, tentando parar de rir.

– Por isso ela não atendia? – Carol perguntou.

– É, ela saiu pra conversar com Albert e foram até a pizzaria, mas ele saiu de lá e deixou ela sozinha... Aí Daniel foi buscar pizza pros *nerds* e a encontrou lá – Anna não tirava os olhos de Fred.

– Ela vem pra cá? – Guiga perguntou preocupada.

Fred olhou para ela e a garota sentiu as bochechas queimarem.

– Deve comer por lá com ele e volta depois – Anna deu de ombros. – Eu não sei, ela não disse muito, porque não estava no telefone dela.

– Aposto como ele ficou reclamando – Fred disse.

Anna riu, passando por ele, e chutou sua cadeira. Fred sentiu e gargalhou.

Babi Dewet

Amanda seguiu Daniel até a cozinha da casa dele.

– Daniel?

– Adoro meu nome – disse o garoto, dando um beijo estalado na boca da menina.

– Será que você pode me emprestar uma blusa? Como meu vestido está realmente molhado, vou acabar ficando doente.

– Ah, claro! Claro! Vamos lá em cima... Quer tomar uma chuveirada? Eu tomo no outro banheiro e desço aqui pra esquentar a pizza.

Ela concordou e foram os dois para o quarto dele.

Daniel entregou uma toalha a Amanda, uma blusa e uma calça de moletom e então saiu para deixá-la à vontade. Ela sorriu olhando para o quarto do garoto novamente. Ele a estava tratando tão bem, como se fossem namorados há anos!

Namorados? Ela não pensou nisso. Não podia pensar nisso. Eles estavam ficando... somente isso, nada de namorados! Balançou a cabeça e entrou no banheiro. Ter o Daniel como amigo dessa forma era muito legal.

Ele tirou a pizza do forno assobiando alguma música. Ouviu a porta da cozinha se abrir, e Amanda apareceu vestida com suas roupas e o cabelo molhado solto.

– Fala que eu estou *sexy* com esse blusão – ela deu uma voltinha.

Ele riu, porque realmente a achou *sexy*. Achou lindo a garota em suas calças largas, os cabelos bagunçados e o sorriso de menininha estampado no rosto.

– Você deveria usar mais minhas roupas – sorriu abobado.

Ela se aproximou e cheirou a pizza.

– Tinha esquecido como estou com fome.

– Estamos... – ele serviu as fatias em dois pratos. – Pega os refrigerantes?

– Yep – ela disse.

Ela o acompanhou até a sala. Os dois sentaram-se no sofá, e ele deu *play* no DVD.

– Eu adoro esses filmes... Depois vamos assistir *Eurotrip*! Você vai adorar!

– Não foi daí que disseram que os tais Scotty tiraram o nome da banda?

– Foi? – ele se fez de desentendido, bebendo um gole de Coca-cola.

– Hum-hum – ela concordou –, deve ser um bom filme.

– É sim, ótimo. Engraçadíssimo. Pobre Scotty... – Voltaram-se para o filme quando o personagem principal apareceu na tela. – Uau.

– Parece que todos querem ser Marty Mcfly – ela sorriu, olhando para a expressão fantástica de Daniel ao encarar o personagem na tela.

– Eu quero... O cara volta pro passado, quase pega a mãe dele e dá conselhos amorosos pro pai?

– Eu não queria pegar a minha mãe... – Amanda fez careta.

– Não que eu queira a minha, ela nem é bonita nem nada...

– Que horror, Daniel! Sua mãe deve ser bonita.

– Ela é, mas... eu não disse isso porque quero pegar a minha mãe...

– Eu entendi, estava brincando.

Amanda pegou de leve no joelho dele e tirou a mão, voltando a encarar o prato.

– Mas eu gostaria de voltar no passado – ele falou com a boca cheia. – A gente poderia consertar diversas coisas...

– Mas não seria certo, seria?

– No caso do Marty Mcfly foi.

Ele se virou para ela com a boca lotada de comida. Amanda riu.

– Eu não falo contigo enquanto você não engolir isso.

Ele abriu a boca e ela gritou.

– Eewwwww Daniel!

– Larga de ser fresca – ele engoliu a pizza. – Você não voltaria ao passado se pudesse?

– Não – ela disse.

– Eu voltaria e, se eu fizesse isso, provavelmente agarraria você no meio daquele colégio, naquele primeiro dia de aula. Aí, me tornaria popular, e nada disso teria acontecido.

– Justamente. Por isso eu não quero voltar. Nada disso teria acontecido.

– A gente poderia estar num motel agora...

– Eu poderia estar grávida.

– E... – ele olhou para ela – claro que não poderia.

– Se você diz que não – ela riu. – Eu queria ter um mentor desses – ela apontou para a televisão.

– Eu queria ter um mentor que nem o das tartarugas ninjas – ele confessou com a boca cheia de novo.

– Sabe que você me lembra um deles agora, não sabe? Com essa educação toda e com quase uma pizza inteira na mão... – ela comparou.

– Bom saber disso – ele falou, fungando alto. – Você realizou um sonho de infância agora.

– Daniel, deixa que eu lavo a louça – ela pediu, entrando na sua frente.

Os cabelos tinham sido amarrados toscamente em um coque.

– Não precisa, eu sei fazer isso.

– Mas eu sou a visita, quero ajudar em algo. Você já pagou a pizza.

– Isso foi cavalheirismo, Deus do céu! – ele disse rindo e sentou na pia ao lado dela. – Ok, então eu seco.

– Certo – Amanda abriu a torneira. – Você é um cara legal, Daniel.

– Eu sei – ele ficou sério. – Mas por que você está falando isso agora?

– Não sei se você percebeu, mas estamos agindo como se fossemos amigos há anos... e, bem, não faz nem uma semana que nos falamos... tipo, frequentemente e tudo mais – Amanda falou sem encará-lo.

– E isso é bom, não é? Digo, a gente ser amigo...

– Claro que é.

Ela olhou para ele sorrindo e concordando rapidamente, com certo exagero. Os olhos brilhantes do garoto estavam mirando-a com um pouco de tristeza, que Amanda percebeu, embora ele sorrisse também

– Mas a gente tem que levar isso devagar... Digo, mais devagar.

– Certo. Levo você pra casa assim que terminarmos aqui, ok? – ele disse a contragosto.

A garota concordou e voltou a lavar a louça. Daniel ficou observando o jeito de Amanda, seus trejeitos. Como o cabelo da menina caía do coque de forma tão bonita e, ao mesmo tempo, desleixada. Como ela sorria, fazendo as bochechas ficarem vermelhas, enquanto fechava os olhos para rir. Como tinha conseguido viver sem isso até agora?

vinte e sete

Amanda acordou com uma música do Black Eyed Peas, que era seu toque de celular. Ao se virar para a mesa de cabeceira, fechou os olhos por causa da luz que entrava no seu quarto, já que as cortinas estavam abertas. Sentada na cama, reparou que ainda vestia as roupas de Daniel. O telefone continuou tocando e atrapalhou seus pensamentos. Esticou a mão e atendeu.

– O QUE VOCÊ PENSA QUE ESTÁ FAZENDO? – ouviu o grito de Anna do outro lado. Tirou o telefone do ouvido.

– Ô sua louca, para de gritar...

– NÃO, EU NÃO PARO! ONTEM VOCÊ SUMIU, NÃO LIGOU PRA GENTE E HOJE NÃO ATENDE A PORCARIA DO CELULAR.

– Céus, Anna Beatriz, você precisa relaxar mais, cara...

– Ah, não – a amiga bateu na própria testa. – Você está falando igual ao Daniel. Era o que me faltava.

– Eu? Você não está bem, amiga...

– Você é quem pirou. Fred ficou aqui em casa até tarde comendo pizza, esperando por você.

– Bom pra ele – Amanda riu.

– Só se for pra ele. Carol e Maya estavam quase pirando – Anna riu também.

– Ué, Guiga não estava aí? – Amanda voltou a se deitar na cama.

– Estava... – Anna sorriu. – Mas ela não me parecia chateada.

– Deus te ouça – as duas ficaram em silêncio por um minuto. – Você me acha louca por estar fazendo isso?

– Isso o quê? O QUE VOCÊ FEZ AGORA?

– Ih, caramba... – Amanda começou a rir. – Não fiz nada demais, estou falando de todo esse lance com o Daniel.

– Hum... eu não sou uma fã assídua do Daniel, se quer saber... Mas como não tenho saída, bom, amiga, se vira.

– Poxa, você foi bem útil agora... Eu estou num dilema.

– Por que dilema? Vocês não estão juntos agora?

– O pior é que não... Eu adoro estar perto dele, estou até usando as roupas dele e...

– ONDE ESTÃO AS SUAS?

– No banheiro da casa dele – Amanda se lembrou que deixara o vestido pendurado atrás da porta do banheiro do quarto de Daniel. – Estavam molhadas, e não grite comigo – as duas riram juntas. – Eu gosto dele. Você sabe que eu gosto.

– Estou cansada de saber – a outra falou com desgosto, ainda rindo.

– Certo – Amanda deu um risinho feminino. – Mas, às vezes, eu me sinto mal, como se fosse errado, e... acabo dando pra trás.

– Você precisa superar isso! Encarar a Guiga, o Albert, toda a legião de fãs do colégio e se assumir, meu amor. Não vai doer, você não é a primeira.

– Agora você me pareceu bem lésbica, Anna...

– Mas é sério. Ponto. Resolva-se com a Guiga que o resto é fácil.

– Não é fácil e eu não vou falar nada pra ela.

– Então morra de vontade de ficar com o menino e não reclame – Anna rebateu enfurecida.

– Vou voltar a dormir, Anna... Me liga mais tarde.

– Ok então, ok... Mas pense nisso tudo.

– Eu vou... Beijo.

Não era tão simples quanto parecia. Amanda achava que estava traindo sua amiga e não tinha coragem de encará-la; por outro lado, havia esse sentimento que dizia que Daniel era o bem mais precioso que ela tinha e não parecia certo deixá-lo, nunca. Somente o tempo iria mostrar o que ela deveria fazer.

Certo?

– Coz obviously... she's out of my league... I'm wasting my time coz she will never be mine and I know I never will be good enought for her... no no – Daniel estava sentado na cama, apenas com sua cueca boxer preta e com o violão na mão. Cantava uma música antiga da banda McFLY. As letras sempre pareciam se encaixar na sua vida.

Não entendia muito bem tudo isso que estava acontecendo. Uma hora ele era apenas um maroto qualquer e, na outra, estava com a garota de seus sonhos no banco de trás do carro de Bruno.

SÁBADO À NOITE

Sorriu, porque achou isso engraçado. O amigo ficaria enfurecido se descobrisse os amassos que eles deram no seu precioso carrinho.

Deitou a cabeça nos travesseiros e respirou fundo. O que iria fazer para convencê-la a ficar com ele definitivamente?

Amanda bateu na porta da casa de Bruno. Estava frio e a manga do casaco cobria suas mãos. Bom, o casaco realmente era bem maior, mas ela não se importava. Precisava conversar com seu melhor amigo. Precisava se distrair, esquecer os problemas.

Caio atendeu a porta.

— Bom-dia — cumprimentou com um sorriso maroto.

— Bom-dia, Caio. Suponho que Bruno esteja dormindo?

— Você o conhece — ele abriu espaço. — Entra.

— Eu não quero incomodar...

— E desde quando você incomoda? Eu e Rafael estamos jogando *Mortal Kombat* e será um prazer se você se juntar a nós — ele convidou sorrindo.

Amanda se lembrou dos velhos tempos.

— Eu nunca mais joguei videogame, desde aquele dia — disse meio envergonhada.

Entrou e viu Caio fechar a porta atrás dela. Lá dentro estava bem mais quente.

— Nunca é tarde pra retomar velhos hábitos — ele piscou para ela.

Amanda sentiu uma rajada quente no estômago. Que vida estava tendo que nunca se sentia feliz assim?

Seguiu Caio até onde Rafael estava.

— Caaaraaaa, você precisa ver o que meu boneco faz! Olha o *fatality* da criaturaaa — Rafael estava confabulando com o controle, olhando atentamente para a televisão.

Caio gargalhou e se sentou.

— Quer se juntar a nós ou vai acordar o Bruno? — perguntou.

Foi então que Rafael percebeu a garota ali e logo se endireitou no sofá.

— Eu estou enxergando direito? Uma das abelhas-rainhas está me vendo sem roupas? — ele comentou meio sem jeito.

Amanda então percebeu que ele estava só de calça.

— Você não está pelado. E eu não sou nenhuma abelha-rainha — Amanda sentou-se entre os dois. — Posso? — e se virou para Caio que lhe entregou o controle do videogame.

Babi Dewet

– Ainda com o *Sub-Zero*? – ele perguntou e ela riu.

– É o único *fatality* que presta... ou já inventaram outro? – perguntou. Rafael estava com a testa franzida.

– Vocês falam como se jogassem todos os dias – disse. Os dois olharam para ele.

– Faz tempo, você sabe – Caio se recostou no sofá. – Ela costumava chutar o meu traseiro e o do Bruno nesse jogo, antes de você aparecer.

– Impossível – Rafael riu.

– Aposto com você que eu vou te chutar Rafael, com meu super--fatality-queeunãoseicomofazer-masapertoosbotõesaleatoriamente – ela disse rápido.

– Garotas não jogam videogame.

– Eu, por acaso, não sou uma garota? – ela indagou. – Verdade que eu não jogo regularmente faz uns... três anos? – Caio concordou. – Mas com a gente nunca perde.

– Cuidado que ela também tem dom de estragar controles – Caio alertou e Rafael arregalou os olhos.

– Eu posso ser agressiva quando fico ansiosa.

– Tudo bem – Rafael olhou para a TV. – O videogame é do Bruno mesmo.

– Ahhhhhh o telefone – Amanda gritou quando ouviu um barulho vindo da cozinha. – Rafael? Caio? ALGUÉM?

– Atende lá – Rafael gritou. – O imbecil do Caio derrubou toda a Coca-cola no chão.

– Foi você quem puxou da minha mão.

Amanda ouviu Caio reclamar, mas já tinha largado o controle e ido até o telefone.

– Casa dos Torres, bom-dia – atendeu rindo.

– Errr, Amanda? – a voz de Daniel estava vacilante.

– Bom-diaaaa – disse rindo e respirou fundo. – Eles estão me dando uma canseira, um minuto. – Virou-se em direção à cozinha. – Eu não quero mais Coca então, pode me trazer qualquer coisa.

– AHHHHHHH SOLTA A GARRAFAAAAAAA!

Era mais um grito de Caio vindo da cozinha. Daniel gargalhou do outro lado da linha.

– Caio e Rafael brigando por comida, certo? – ele perguntou adivinhando.

– Bem previsível isso... Estou acabando com os dois no videogame. Já fiz o Rafael dançar a macarena duas vezes, e o Caio já saiu até a esquina com as calças nos joelhos.

– Isso parece ser divertido.

– Mas o Bruno ainda está dormindo... Ele foi meu motivo de vir aqui e não esses dois – ela virou-se para a sala e viu Rafael sentado, enfurecido, no sofá. – Que houve?

– Caio me fez beber a Coca que derramei – respondeu emburrado.

– Bom, Daniel... Quer falar com um deles? Aposto que não foi pra falar comigo que você ligou – ela disse, sentindo um frio na barriga.

Daniel respirou fundo.

– Era com o Bruno, mas se ele está dormindo... Bom, pede pra ele me ligar?

– Peço... Eu... Hummm – Amanda queria convidá-lo para ir até lá, mas se sentiu envergonhada.

– Ai céus, preciso desligar... Vou queimar a casa! – bateu o telefone no gancho, desligando na cara de Amanda, que sorriu abobalhada para a parede.

– Ele correu, certo? – Rafael perguntou, e Amanda se virou. – Ele sempre tenta fazer bolo de manhã, mas sempre acaba queimando porque não sai do telefone com o Bruno.

A garota desligou o aparelho, voltando para o sofá. Sentou-se ao lado de Rafael e ficou perdida em pensamentos.

– Você gosta dele – ouviu o garoto dizer.

– Desculpe? – ela olhou para o rosto do menino mais novo.

Rafael sorria com certa ironia e perplexidade.

– Você gosta dele – repetiu.

Ela abriu a boca e, então, Caio entrou na sala com uma bandeja e copos de refrigerante. Rafael riu baixinho e Amanda ficou desconcertada.

vinte e oito

Amanda passou na casa de Bruno na segunda-feira de manhã. Como Anna já estava no colégio, ela precisava de carona para não chegar atrasada. Ficou sentada no meio-fio, esperando o amigo como sempre fazia, até ouvir algumas vozes.

– Por que eu sabia que você estaria aqui? – Bruno perguntou.

Amanda viu Caio pular para dentro do carro.

– Porque eu disse que talvez viesse, B. – ela rolou os olhos. – Bom-dia, Sr. Andrade, você não tem mais casa não?

– Acho que está na hora de você se lembrar do meu nome – Caio falou e ela riu – e, outch, não fala essas coisas perto da minha mãe!

– Eu sei seu nome... É a falta de costume.

Ela abriu a porta do carro de Bruno, que estava sem a capota, e sentou na frente.

– Semana de preparação pros testes de Artes, hein? – Bruno lembrou saindo com o carro da garagem.

– Nem fala – Caio riu no banco de trás. – Eu não sei se tenho a música pronta...

– Essa professora foi abduzida, cara... Impossível alguém passar um trabalho tão estranho pra gente – Amanda falou.

– A Regina é clássica nessas coisas. Até parece que vocês não sabem.

– Quem se lembra daquela vez em que ela nos pediu pra interpretar Romeu e Julieta?

– Ahhhhhh que clássico! – Amanda riu, e Caio gargalhou, se apoiando nos dois bancos. – Ela sempre fazia esse tipo de coisa.

– Tão clichê eu ter que dizer *Julieta, ó Julieta* – Bruno imitou.

– E eu nem Julieta consegui ser – Amanda balançou a cabeça.

– Você estava bem de plebeia. – Caio olhou para ela.

Amanda percebeu alguma hostilidade, mas não disse nada.

– Não achei, apesar de tudo, você tem cara de metida – Bruno criticou.

Ela abriu a boca para falar algo, mas Caio foi mais rápido.

– Não ia dizer isso, mas já que o Bruno se manifestou...

– Eu não tenho cara de metida! – Amanda disse, horrorizada.

Os dois, em coro, discordaram dela, enumerando o quanto ela parecia ser. Foi quando a menina parou para pensar: será que era mesmo assim tão metida quanto eles diziam?

Encontrou com suas quatro melhores amigas na porta principal da escola, conversando.

– Amiga, diz pra elas que nenhum daqueles caras é bonito – Carol falou.

Amanda olhou para trás e viu uma turma de rapazes bem-arrumados sentados na mureta, conversando e olhando para elas.

– Definitivamente, não são bonitos.

– Como não? – Maya perguntou – Olha aquele loiro.

– O moreno é beeeem melhor – Anna estalou os dedos.

– Eu acho que vocês todas voltam dos fins de semana cada vez piores – Guiga olhou para Amanda. – Veio com Bruno hoje?

– Yep, senão ia chegar tarde.

– Amanda, seu celular está tocando – Anna reparou.

A garota mexeu na bolsa e percebeu que realmente não estava ouvindo o celular.

– Eita, desculpa... peraí.

Ela saiu de perto das meninas e olhou a bina. Não era uma ligação, recebera uma mensagem. E era de Daniel.

O coração bateu mais forte, e ela sentiu um frio na espinha.

"You give me butterflies", ela leu e releu, depois riu.

A mensagem só tinha isso, não dizia mais nada. Sentiu um calor por dentro e tentou esconder sua felicidade instantânea. Então ela lhe dava calafrios?

Guardou o celular e colocou os cabelos para trás da orelha. Voltou para junto das amigas, que ainda discutiam o quesito beleza do novo grupo de rapazes descoberto naquela manhã.

– Quem era? – Maya perguntou.

– Minha mãe... – mentiu.

Anna olhou fixo para ela, sem dizer nada, e consultou o relógio.

– Vamos logo pra sala, não queremos nos atrasar mais. Maya, pare de olhar pros caras; eles estão encarando a gente!

As cinco saíram andando juntas atraindo diversos olhares enquanto passavam. Era incrível o sucesso que faziam por serem bonitas e bem-humoradas. Mas Amanda estava começando a achar aquilo tudo superficial demais. Não sabia como fazer para se sentir melhor.

Daniel colocou o celular no bolso e encarou Rafael.

– Que foi, cara?

– Ela gosta de você.

– Ela quem?

– Não se faça de burro, passei a tarde de ontem inteira ao lado da Amanda, mas ela não olhou pra mim por horas.

– Eu não entendo...

Daniel não sabia o que dizer. Rafael colocou a mão em seu ombro.

– Tudo isso porque eu perguntei se ela gostava de você.

Daniel não disse nada. Sentiu um frio na barriga e pegou o celular. Bruno e Caio saíram andando ao encontro de Fred. Ele e Rafael os seguiram.

Amanda sentou na carteira, na sala de aula, e ouviu o celular tocar novamente. Olhou para os lados, viu que todas as suas amigas estavam entretidas e pegou rapidamente o telefone da bolsa. Era outra mensagem.

Como q vc faz isso? Ela leu. Sorriu sozinha sem conseguir tirar os olhos do texto.

Como que ele fazia isso, era a pergunta certa.

vinte e nove

Uma Amanda de 12 anos choramingava enquanto Bruno escondia o riso. Só porque já tinha feito 13, passara a pensar que era mais experiente e maduro do que ela. Na verdade, ele sempre agia assim, então não havia novidade. Carregando a garota nos braços, caminhavam lentamente rua abaixo. Teriam que parar na casa do garoto, pois era mais perto e ela não queria ligar para sua mãe.

— Você sempre faz isso! — ela chorou baixinho.

Bruno fez uma careta.

— Fui eu quem derrubei você? Aqueles garotos do campinho têm dezesseis anos; acha mesmo que não iriam jogar pra valer?

— Você provocou!

— Você é uma garota! Garoootaaaaa — ele riu, enquanto ela choramingava.

Os dois vinham de uma partida de futebol em que Amanda fora massacrada por um time de garotos mais velhos. Ela tinha escorregado e ralado os dois joelhos, rasgando sua calça jeans preferida. Estava sangrando, é verdade, mas Bruno achou que era uma bobeira perto do escândalo que ela fez.

— Foi vergonhoso, pequena. Por sua culpa, eles nunca mais vão jogar com a gente.

— Nem queria — ela fungou.

— Impossível, impossível...

— Se eu não jogasse, ia ficar excluída!

— Caio não jogou... — Bruno ponderou.

— Caio não sabe jogar, é diferente — os dois riram baixinho.

Logo depois, Amanda voltou a choramingar. Os dois caminharam até a porta da casa de Bruno quando avistaram o carro de seu pai saindo da garagem. O garoto parou bruscamente e franziu a testa.

— O quê... pai? — ele falou com a voz rouca.

Babi Dewet

Amanda fez um movimento e desceu dos braços do amigo, para ele andar sozinho até o carro. Parecia sério e furioso para um menino de 13 anos e, no entanto, já era normal que agisse assim. Olhando de longe ela tinha até pena. Sabia que ele havia crescido mais rápido do que o normal.

– Fica bem, não coloque fogo na casa. Deixei dinheiro na mesinha da sala. Deve dar pro supermercado direitinho, não gasta com porcarias na rua – uma mulher loira disse sem olhar diretamente para Bruno, saindo da porta da frente e entrando no carona do carro. O garoto parecia atordoado, e muito bravo.

– O quê? Vocês já estão indo de novo? Acabaram de voltar de viagem!

– Eu te disse hoje cedo, filho – o homem de barba, com cigarro na boca, falou.

Ele se preparava para manobrar o carro, quando Bruno encostou na janela. Os dois pareciam chocados com a atitude dele, e Amanda não conseguia entender como tinha crescido daquele jeito. Seus pais eram bravos, e ela reclamava sempre, mas nunca tinha pensado como seria se fossem indiferentes.

– Você... disse que iriam em breve. Em breve! – ele gritou batendo na lataria.

A mulher pareceu ofendida.

– Vai ficar tudo bem, meu filho. Você sempre fica bem. A dona Gertrudes virá toda a tarde verificar se você precisa de algo, e deixamos dinheiro suficiente...

– Eu não preciso do dinheiro de vocês! – Bruno exclamou com a voz falhando.

Estava com muita raiva e não sabia o que fazer. Queria chutar o carro.

– Eu ia mostrar minhas provas, e... você me disse pra tirar notas melhores. Eu estudei!

– Continue assim, filho – o homem disse sorrindo.

Bruno abriu a boca para falar algo, mas desistiu. Sabia que não adiantava. Não era a primeira vez que isso acontecia, e dificilmente seria a última.

– Voltaremos no final do mês. Eu preciso pôr em ordem o escritório na capital, você sabe disso. Qualquer coisa, você tem nossos números, mas só ligue se for algo urgente, está bem? – avisou o pai.

– Já sei, já sei – o menino respirou fundo, afastando-se da caminhonete nova.

Deu um adeus sem graça e se virou para Amanda, com os ombros baixos. Sorriu tristemente, dando a entender que estava tudo bem.

Os dois, lado a lado, esperaram o carro virar a esquina e a rua ficar silenciosa.

— Você já viu por que não confio em adultos, certo? – ele fez graça.

A menina deu um tapa em seu ombro. Nunca tinha imaginado o amigo como alguém mais velho. Jesus, ele tinha só 13 anos!

— Bruno...

Ela queria dizer alguma coisa. Queria confortá-lo. Mas o garoto apenas mexeu os braços, segurando-a de novo para se apoiar nele, e seguirem andando até a porta de casa.

— Vamos pedir uma pizza e, mais tarde, pode falar pros seus pais virem buscar você, se quiser. Quer assistir a quê? *Star Wars*? A gente podia descer com a televisão do quarto do meu pai... – ele disse animado.

Amanda concordou, sem saber o que dizer. Há quanto tempo ele vivia sozinho assim?

Caio estava sentado nervoso no sofá. Tinha acabado de completar 13 anos e encarava Bruno, Amanda e Rafael perambulando pela sala da casa de Bruno, organizando algumas ideias. Não queria roer as unhas, mas não achava que estava tendo escolha.

— Você liga, Mandy. Voz de mulher sempre pode ser mais fina!

— Rafa, eu vou gaguejar!

— É, Amanda, melhor ser você. A gente tem a voz diferente dos nossos pais – Bruno concordou indo até o telefone –, sabe como é? A puberdade...

— A falta de pelos... – Rafael completou.

— Só a sua – Bruno falou baixinho.

Os dois riram e Amanda bufou.

— E se ela descobrir? – Caio sacudia os pés.

O garoto enrolava a barra da camiseta nas mãos, estava visivelmente nervoso. Era a primeira vez que planejava enganar sua mãe para dormir na casa de Bruno, novamente vazia, já que os pais tinham viajado, só que agora eram férias no Caribe, e não o trabalho do sr. Torres. E a mãe dele não era boba nem nada. Na verdade, tinha criado Caio sozinha, sem a ajuda do pai ou de um marido; por isso, sempre foi superprotetora e dificilmente deixava o filho dormir fora de casa. Imagina se descobrisse que seu filhinho único iria passar a noite sem nenhum adulto por perto?

Seria a morte. Só de pensar nessa possibilidade, já imaginava as notícias pavorosas nos jornais da cidade.

– Ela não vai descobrir – o garoto rolou os olhos. Rafael concordou.

– É só a Amanda não estragar tudo...

– Poxa! – a menina riu alto. – Caio, você liga e pergunta se ela quer falar com a mãe do Bruno. Daí me passa. Vamos ver se eu ganho o papel de Julieta no colégio este ano!

– Duvido – Bruno riu baixinho entregando o aparelho do telefone sem fio para Caio que tremia.

– Não vou conseguir...

– Anda logo – Rafael chutou o sofá –, a gente tá perdendo tempo! A maratona do Steven Spielberg no Telecine já começou!

– Ei, novato – Amanda chamou alto –, não estressa mais!

– Tanto faz – o garoto disse e os dois riram.

Bruno continuou com a mão estendida no telefone, embora Caio ainda estivesse tremendo. Respirou fundo uma vez, aceitando seu destino. Se queria ser um adolescente normal, ele precisava quebrar regras.

– Certo, vamos logo com isso!

Decidido, se encheu de coragem, a mesma que ele sabia que iria desaparecer assim que sua mãe atendesse do outro lado.

trinta

Os dias estavam passando rápido, e a preocupação com a apresentação da aula de sexta-feira ocupava a cabeça dos alunos do segundo ano. A professora de Educação Artística anunciou que queria ver tudo saindo corretamente – ou todos teriam problemas com as provas do segundo semestre.

– Ótimo! Como eu vou fazer alguma coisa com ele? – Carol descontrolou-se, enquanto as amigas saíam da aula de quinta.

– Hoje foi tão ruim assim? – Anna perguntou.

– Bruno não para de mandar indiretas pra mim. Odeio essa professora.

– Carol, você não odeia ninguém – Amanda falou impaciente. – Muito menos a professora! Você precisa tomar conta da situação!

– E como eu vou fazer isso? – Carol olhou desafiadora.

– Eu realmente não sei...

– Olha – Guiga disse –, só pra você saber, meu parceiro é tão ruim quanto Bruno.

– Duvido – Carol deu de ombros.

– Posso confessar como conseguimos a nossa música: foi o Fred.

– Ih, pronto – Maya riu.

– Nem começa – Guiga fez careta. – Ele sempre vai na nossa aula e, outro dia, entrou lá dizendo que tinha uma ideia pra uma música, mas, como era muito ruim, a gente precisava ajudar e tal.

– E era ruim? – Amanda perguntou rindo.

– De forma nenhuma, tanto que eu e meu par roubamos a música pra gente – Guiga riu.

– Malandra... – Carol sussurrou em frente ao carro de Anna. – Vou pra outro lugar hoje, meninas. Vejo vocês amanhã?

– Certo.

Antes que Carol saísse de perto, elas pararam para observar cinco garotos que vinham conversando em voz alta. Um deles segurava uma bola de futebol.

– Por que eles precisam fazer tanto barulho? – Maya perguntou.

Amanda evitou olhar para Daniel, e não foi difícil. Tanto ele quanto os outros nem olharam para elas.

– Esquisito – Carol comentou, vendo Bruno pegar a bola da mão de Fred e correr atrás de Rafael.

– O que é esquisito? – Anna abriu a porta do carro.

– Eles nem ao menos olham pros lados.

Maya e Guiga se entreolharam, mas Amanda entrou no carro com um peso no peito. Por que Daniel tinha passado tão perto dela sem nem ao menos lhe olhar? Será que não a tinha visto? Mas era impossível, estavam tão perto que ela até podia sentir o perfume forte de Caio.

A aula de Artes do dia foi bem tranquila, embora os dois tenham passado mais tempo ensaiando a música do que conversando.

Ela não queria que Daniel a ignorasse na escola. Estava acostumada com o insistente olhar dele desde... desde sempre! Não conseguiria lidar com isso.

Ficou pensativa durante o caminho para casa, e ninguém percebeu a sua mudança repentina de humor.

– Eu só queria poder agarrá-la no meio de todo mundo e gritar que ela é só minha – Daniel andava de um lado para o outro na espaçosa sala de sua casa.

– Vocês são ridículos. Ambos – Fred criticou. – Olha o jogo mesquinho que ficam fazendo! Está na cara que se gostam, Daniel! Vocês se amassaram no carro do Bruno.

– Isso pareceu grosseiro – Daniel falou.

– O que for, vocês tiraram as roupas e quase se comeram sim, e daí? – Fred balançou a cabeça e Daniel voltou a andar. – E depois vocês passaram a noite juntos, e ela COM AS SUAS ROUPAS.

– Cara, não grite – Daniel pediu.

Fred deu um tapa na cabeça dele.

– Acorda, garoto. Vocês dois não vão aguentar isso por muito tempo.

– E nem quero. Mas, eu queria apenas... entender.

– Ela é assim, faz parte de uma turma no colégio que se acha superior aos outros. Eu não acredito que ela goste disso, mas sei que já se acostumou.

– Como você tem tanta certeza? – Daniel sentou ao lado de Fred no sofá.

– Não ache que eu estou numa situação muito diferente, meu amigo. Mas, ao contrário de você, eu corro atrás do que eu quero.

– Eu vou correr atrás, Fred... Eu vou. Mas estou nervoso porque não entendo a situação.

Daniel passou as mãos freneticamente pelos cabelos até Fred segurar seu braço.

– Sobe, toma banho frio e vamos assistir *Eurotrip*. Scotty tem muito a nos ensinar.

trinta e um

Amanda andava de um lado para o outro em seu quarto. Não conseguia parar de pensar em Daniel. Tudo à sua volta parecia ridículo. O que estava acontecendo com ela? Tudo bem sentir-se apaixonada por alguém, ela sempre gostou de Daniel. Mas não dessa forma. Era algo que a deixava inquieta.

Pegou o celular e se jogou na cama de bruços. Não ia aguentar tanta dor sozinha.

Fred ria de mais um desastre culinário de Daniel, o garoto tentava quebrar os ovos para a massa do bolo sem sujar toda a cozinha, quando ouviu o celular vibrando em cima da bancada.

– É ela – Daniel encarou o amigo.

– Que superpoderes são esses? – Fred comia batata Ruffles sentado ao lado da pia. Daniel olhou da tigela do bolo para o celular, do celular para a tigela. – Pega logo essa porcaria ou eu vou ler.

Daniel limpou as mãos em um pano de cozinha.

– Quando ela manda mensagem ou liga... o celular vibra.

– Hummm enfenfi – Fred disse com a boca cheia.

Daniel pegou o celular.

Oi, tá fazendo algo de importante?

Fred deu um chute no braço do amigo.

– O que diz?

– Ela só quer saber o que estou fazendo... – Daniel sentou em cima da mesa da cozinha.

– Diz a verdade – Fred cruzou as pernas sobre a bancada – , que você está tentando superar o mestre Olivier.

– Cala a boca, Fred.

Amanda, com a cara enfiada no travesseiro, sentiu seu mundo rodar. Que tédio. Que merda. Que...

O celular vibrou e ela levantou o rosto.

Oi... to na cozinha, algum problema ctg, fofa?

Ela sorriu ao ler a palavra fofa. O celular tocou de novo.

To tentando superar o Olivier.

– Ahn? – ela se perguntou em voz alta. Daniel estava louco? Quem era Olivier?

O celular voltou a vibrar.

Esqueci de mencionar q Fred tá aqui.

– Você quer me destruir, Fred? – Daniel perguntou rindo.

O outro voltou a sentar na bancada.

– Ora, você não foi totalmente verdadeiro...

– Quem diabos é Olivier?

Fred abriu a boca deixando algumas batatas caírem no chão.

– Você vai limpar isso.

– A dona de casa aqui é você, fofo – Fred balançou as pernas.

Daniel leu a outra mensagem que chegou.

Faz td sentido agora, eu ñ sabia quem era Olivier.

Nem eu. Foi a resposta dele. Amanda se deitou de barriga para cima e ficou encarando o teto. Não sabia mais o que dizer, mas queria tanto sentir que ele pensava nela... Nem que fosse para mandar uma mensagem.

O celular vibrou de novo.

O q vc tá fazendo, fofa?

Pensando em você, claro. Mas não daria essa resposta.

Encarando o teto. Estou entediada, cansada e de mau humor.

Como Daniel queria poder estar com Amanda naquele momento. Ele olhou para Fred que continuava entretido com o saco de Ruffles.

Quer fazer alguma coisa?

A garota sorriu, e sentiu seus joelhos tremerem. Não, claro que não ia fazer alguma coisa naquela hora! No que Daniel estava pensando?

São quase 9 horas da noite, D. Vc bebeu?

Ele sorriu que nem bobo com a mensagem dela. Realmente era tarde, mas quem se importava? Ele só queria poder ficar com ela, perto dela... Poder sentir seu cheiro, seu toque, sua pele.

Eu passo aí ou vc passa aqui?

Ela leu e arregalou os olhos, sentando-se na cama. Ele não podia estar falando sério! Levantou-se e foi até a janela, abriu e sentiu uma rajada de vento. Sinceramente, não sabia o que responder ou dizer a ele. No fundo, o que mais queria era vê-lo e tocá-lo novamente. Mas tinha medo, receio, e pensava que isso não estava certo.

Já que vc ñ responde, desce em 5 min.

Voltou a se sentar na cama, pois achou que fosse cair no chão tamanho era o peso dos joelhos agora. O que iria fazer? Não poderia deixá-lo simplesmente tocar a campainha de casa e sua mãe atender – totalmente fora de cogitação!

Entrou no *closet* e colocou um casaco de moletom. Estava de calça jeans e calçou seu All Star preto de cano alto. Sorriu ao se olhar no espelho e se lembrar de como se vestia antigamente. Nunca mais tinha usado seu tênis, mas, de repente, tinha simplesmente entrado no seu guarda roupa e já estava calçando-o.

Apagou a luz do quarto, pôs o celular no bolso da calça e desceu as escadas em silêncio. Ouviu a TV no quarto dos pais e pôde ir para a porta de casa com mais tranquilidade.

A rua estava vazia e escura. Fechou a porta e colocou as mãos nos bolsos. Foi até a calçada e voltou para a varanda. Como estava nervosa! Encostou-se na parede ao lado da porta e aguardou. Sentia-se impaciente, não acreditava que Daniel estava indo para lá.

De repente, ouviu o barulho de um carro, que parou algumas casas antes da sua. Ela ficou olhando para ver quem era, mas desistiu porque a luz dos postes era muito fraca. Sentiu uma pontada no estômago quando ouviu alguém chamá-la.

– Psiu, fofa.

Olhou para o lado e viu Daniel perto de uma árvore no escuro. Ela riu e desencostou-se da parede, indo vagarosamente em sua direção.

– Você é maluco! Por que diabos veio aqui a essa hora? – ela perguntou baixinho quando se aproximou.

De costas para o tronco grosso da árvore, ele encarava a garota com as mãos nos bolsos de seu enorme casaco.

— Eu precisava ver você — ele deu um grande suspiro.

— Você é louco, Daniel... eu...

— Você não queria me ver?

Ela fitou o garoto, que a encarava profundamente com os olhos brilhantes sob a fraca luz da rua. A garota sorriu e tocou levemente em seu rosto.

Daniel fechou os olhos, e ela sentiu um arrepio nas costas. Passou a mão devagar na sua bochecha e depois no queixo.

— Você não sabe o quanto...

— Eu sei — ele abriu os olhos. — Juro que tentei me segurar.

— Não temos histórico de impulsividade, Daniel...

— Precisamos passar a ter — beijou a palma da mão dela e encarou a garota de seus sonhos, cintilante na penumbra. — Você fica linda nessa meia-luz.

— E você galanteador ao anoitecer, certo?

Ele quis gargalhar, mas segurou. Sabia que ria muito alto e não queria acordar nem chamar a atenção de ninguém. Afinal, ela não queria que os vissem ali.

Sem falar nada, num impulso, puxou-a para perto de si, encostando seus lábios nos da garota. Ela estremeceu, não esperava por aquilo! Os dois ficaram com as bocas encostadas, sentindo o calor que emanavam e a sensação boa do arrepio na espinha.

Daniel passou as mãos pelos cabelos de Amanda e uma delas pousou em suas costas. A outra desceu pelo pescoço. Amanda estava com um braço apoiado na árvore — no puxão que levou, foi onde deu para se apoiar — e com a outra mão segurava o cós da calça dele. Ela tremeu de frio. Daniel conduziu suas mãos para dentro dos bolsos traseiros do jeans dele, para aquecê-las, fazendo Amanda praticamente molestá-lo sem querer. A garota sorriu quando sentiu as mãos quentes.

Ele voltou a acariciar o rosto dela, lentamente, examinando cada detalhe. Ela rolou os olhos e sorriu. Ele fez o mesmo. Daniel segurou o rosto dela e trouxe para perto do seu, dando-lhe beijos carinhosos e tímidos. Ela fechou os olhos.

Ficaram ali parados por quase um hora, com pequenos carinhos ardentes. Não conseguiam desgrudar os olhos, os corpos e, também, os pensamentos. Naquele momento, não existia mais nada, só um e o outro. Nada mais fazia sentido, como se o mundo fosse apenas aquilo.

Ele. Ela.

Daniel aspirou profundamente o perfume dela.

– Estou envenenado.

– Deve ter duas horas que estamos aqui, Marques. Você não está envenenado, está cansado mesmo...

– Não, eu não estou. Posso ficar aqui a noite inteira.

– Não, você não pode. Eu não posso. Você sabe disso.

– Odeio a escola – ele passou lentamente seu nariz no dela.

A garota mexeu a boca sentindo cosquinha.

– Nada mais justo. Quem com dezesseis anos gosta de ir pra escola?

– Aposto que o Caio gosta – Daniel respondeu.

– Isso porque o Caio deve ter um motivo real e do sexo oposto pra isso.

Os dois sorriram em silêncio. Era angustiante ter que prender o riso.

– Nesse caso, eu teria que gostar também – Daniel deu de ombros marotamente.

Ela beijou a testa dele.

– Você não estaria aqui se, de alguma forma, se contentasse somente com a escola.

– Como eu vou me contentar com um lugar onde a gente finge que não se conhece? Um lugar onde todos os caras olham pra você, te desejam, e eu não posso nem... nem mostrar pra eles o que é bom?

– Você não faria isso, de qualquer forma... – ela riu irônica.

– Não me desafie, estou sendo muito legal com você.

– Eu sei – ela encostou no seu rosto. – Eu me sinto tão mal em ter que passar por isso.

– Eu apenas não entendo nada.

– Por enquanto, assim é melhor... – ela respirou fundo. – Daniel, acredite em mim. Eu vou resolver tudo isso.

– Eu acredito em você, fofa. Sempre vou, não interessa como e quando – Daniel beijou a testa dela.

– Obrigada... – olhou à sua volta, com as mãos ainda no bolso dele.

– Gostou, não foi? – ele perguntou rindo e apontando com a cabeça para a calça.

– Está quente.

– Hum, sei – ele piscou. – Acho que você quer entrar, certo?

– Querer eu não quero. Mas já são quase onze horas...

– Você me promete uma coisa? – ele pediu. – Você vai passar a usar mais calça jeans e tênis?

– Eita, por que isso?

Ela ficou sem entender e tirou as mãos dos bolsos dele, rindo. O garoto a abraçou mais forte.

– Saia e salto chamam muita atenção.

– Mas aposto que é mais bonito.

– Nem sempre... Hoje você está estupidamente linda, como nunca esteve antes, e olhe seus trajes... Vejaaa, você tem um All Star!

– Eu sou uma pessoa normal, Daniel – ela segurou o queixo dele e estalou um beijo nos lábios. – Até amanhã.

Amanda recuou, afastando-se do corpo do dele, com um aperto no coração.

– Manda uma mensagem quando lembrar de mim?

Ele perguntou em voz baixa, ainda encostado na árvore, enquanto a garota ia em direção à porta de sua casa. Amanda riu e se voltou para ele, dizendo que sim. Ele deu um enorme sorriso, sumindo no escuro das árvores e cercas das casas vizinhas. Amanda ficou parada na porta com uma expressão imbecil de apaixonada. A vida era curta e as noites eram longas. Momentos como esse seriam lembrados para sempre. Pegou o celular do bolso, feliz.

trinta e dois

– Amanhã teremos a pequena festa de dia dos namorados atrasada na aula de Artes – Anna ironizou. – Que legal!

– Dia dos namorados não é a mesma coisa sem um namorado – Carol deu de ombros.

– Você não tem namorado porque não quer – Guiga alfinetou.

– Vocês precisam parar de defender o Bruno! – Ela fez bico. – Vocês não sabem o que eu passei com ele!

– Acredite, Carol, eu sei... Sou amiga dele também – Amanda comentou. – E eu acredito nele.

– Eu também –Maya opinou, virando alvo de olhares incrédulos. – Oras, eu acredito! Não posso?

– Não! – Carol balançou a cabeça, indignada, e se virou para olhar o quadro negro.

– Vocês já têm as músicas prontas? – Guiga quis saber. Todas confirmaram.

– Hoje a tarde eu vou na casa do Caio – Anna sussurrou, despertando surpresa geral. Até Carol olhou para ela.

– O que vai fazer lá? – Amanda riu, mas Anna fez cara de quem não gostou.

– Ele vai me ensinar a tocar nossa música no piano, ué! – De repente, abriu um sorriso. – Yey, aulas grátis!

– Patético – Maya resmungou.

As outras riram e foram abordadas pela professora de Química, que mandou ficarem quietas.

– Aíííí então o cara do filme pegou o revólver e puuuft matou a mulher – Bruno contava a história enquanto descia a escada para o pátio na hora do intervalo. Caio olhava com a testa franzida, mas Rafael estava rindo.

– Conta mais.

– Ela morreu, cara – Bruno finalizou. Rafael concordou.

– Conta mais.

– O que você quer que eu diga? Esse foi o final do filme, besta!

Bruno e Caio começaram a rir, mas Rafael fez careta.

– Odiei.

– Você queria que a mulher reencarnasse e tudo mais, não queria? – Caio perguntou.

Rafael olhou para Daniel que roía as unhas, sem prestar atenção em nada.

– Queria... que reencarnasse na Amanda e viesse pra minha cama depois disso – ele zombou.

Daniel de repente se ligou.

– Do que estão falando?

Caio e Bruno riram, enquanto Rafael pôs a mão no ombro do amigo.

– Cara, esquece isso. Eu não sei o que acontece com vocês dois, que se gostam, mas não se comem...

– Seja sutil, Rafa – Bruno alertou.

– Certo, que se gostam, mas não se... Você entendeu... Pô, cara, acorda pra vida e vai tomar alguma atitude! – Rafael aconselhou e ouviu algumas palmas.

– Falou bonito, meu amigo – Fred apoiou. – Faço das palavras de Rafael as minhas.

– Por que vocês não vão encher o Caio que vai dar aulas de piano pra Anna hoje? – ele entregou, e todos olharam para o Caio.

– Obrigado, cara – o garoto disse envergonhado, sendo atolado em perguntas.

Amanda andou o mais depressa que pôde até o pátio arborizado perto da calçada para encontrar Daniel. Era hora da aula de Artes – a última – e, definitivamente, era o momento que eles mais esperavam em toda semana.

Quando o viu sentado com as costas na árvore e o violão velho dela na mão, não pôde conter o sorriso.

– Uma moeda pelos seus pensamentos – disse chegando de surpresa.

Daniel deu um enorme sorriso, de orelha a orelha. Ela só conseguia pensar em como ele era bonito e ficava adorável sorrindo daquele jeito.

– Você não iria querer saber...

Amanda sentou-se à sua frente.

Babi Dewet

– Claro que iria! Por que não?

– Acredite em mim – ele sorriu, envergonhado.

– Daniel, seu pervertido! – ela bateu no joelho dele. – Ninguém merece, cara...

– Vamos ao que interessa? – Ela concordou e o garoto gargalhou. – Te encontro no banheiro daqui a dez minutos.

– Daniel! – a menina gritou.

– Adoro quando você fala meu nome assim...

– Anda logo, me dá esse violão aqui... Eu não quero pagar nenhum mico amanhã.

– Você não vai; está craque nisso! – ele entregou-lhe o violão.

A menina sorriu e tocou as primeiras notas de *Quero te Abraçar*.

– Viu?

– Eu adorei essa música, Daniel – ela suspirou – Você é um gênio.

– Eu? Ah... Quem dera eu soubesse mais do que isso, fofa.

Daniel detestava mentir para ela. Mas fazer o quê? Era até divertido, pensou. Ambos ficaram em silêncio por algum tempo, ouvindo o dedilhado de Amanda no violão.

Ela de repente o encarou.

– Eu sinto sua falta de vez em quando.

O garoto ficou sem reação, porque não esperava uma confissão desse tipo. Adorava esses impulsos dela.

– Err... ahn? – fitou ela com os olhos arregalados.

Ela colocou o violão de lado.

– Eu me pego pensando... Ah, esquece.

Daniel quis segurar e acariciar suas mãos, mas sabia que não deveria. Estavam em público. Grupos de pessoas olhavam para os dois e, vez ou outra, eles tinham que fazer caras feias para que achassem que estavam odiando estar juntos.

– Eu não esqueço, você pensa em mim? – ele perguntou.

– Daniel... – gemeu envergonhada.

– Você tem o poder de me fazer a pessoa mais feliz do mundo só dizendo meu nome. E você não precisa ter vergonha de mim.

– Eu não tenho... mas é... estranho...

– Eu sei que é, concordo. Mas é ruim estar tão perto de você... e, ao mesmo tempo, tão distante.

– Eu sei, nem me fale – ela sussurrou.

Os dois olharam para o lado bem na hora em que Carol passou andando com Bruno atrás dela, na maior discussão.

– Me escuta pelo menos uma vez na sua vida? – ele pedia.

– Eu não quero, Bruno! – ela bufava.

– O garoto a pegou pelo braço forçando-a a encará-lo.

Todos que estavam naquele gramado estavam prestando atenção na cena. Não era muita gente, mas havia um número considerável de calouros e gente da turma dela do segundo ano. Daniel e Amanda também ficaram na expectativa.

– Você quer ou não passar nessa merda de matéria?

A forma grosseira deixou Carol horrorizada, mas ela fez que sim com a cabeça.

– Então não banque a namorada ferida comigo, e vamos fazer a droga do trabalho. Esquece nosso passado!

– Eu já esqueci! – ela falou alto, querendo passar segurança, mas sua voz saiu tremida.

– Não, você não esqueceu. Eu não esqueci e é por isso que a gente se odeia tanto.

– Ok, Torres, vamos logo acabar com isso – finalizou, saindo com ele na sua cola.

– Sério, o mundo anda pirando – Amanda disse.

– Adoro ver o Bruno bancar o mandão... Ele não é assim.

– Daniel – ela chamou – Vem comigo.

Ela se levantou. O garoto não sabia o que fazer, mas pegou o violão e a seguiu pelo meio das árvores até voltarem para a calçada do colégio.

– Err... posso saber pra onde estamos indo?

– Não... – ela apressou o passo.

Daniel gostou. Adorava mistérios, e ela estava levando-o para um lugar que nunca tinha ido naquela escola, o pátio dos fundos. Era onde, geralmente, os professores se encontravam.

– Ok, não estou entendendo nada.

– Faz o seguinte... entra nesse corredor – ela foi informando – e depois espera em frente a uma porta grande de madeira à sua direita com uma placa azul.

– Hum... a sauna? – ele brincou.

– Não, seu tonto, não tem sauna aqui... Bom, eu estudo nessa bodega desde pequena... Confia em mim.

– Confio, ok... Levo o violão?

– Leva, anda logo... Vai – ela mandou quando viu um dos serventes se aproximar. – Err... com licença, seu João?

O homem reparou na presença dela ali.

– Bom-dia, pequena Amanda. Posso ajudar? – perguntou simpático.

– Ai, obrigada! Bom-dia pra você também. É que eu esqueci meu violão na escola ontem durante a aula... e, bom, onde fica mesmo o almoxarifado?

Ela sorriu inocentemente. Ele pegou uma chave dentre muitas.

– É naquele corredor, uma portinha à direita com uma placa azul... Estou indo pro refeitório, você pode me levar a chave lá depois?

– Posso sim.

Ela sorriu feliz pegando a chave e correndo em direção ao corredor. O servente riu e balançou a cabeça.

– Jovens...

Amanda passou pelo corredor e virou à direita, dando de cara com Daniel sentado no chão com o violão na mão. Era uma cena um bocado bonita. Ele estava com os cabelos bagunçados e com as mangas do casaco arregaçadas. Uma das pernas esticadas e a outra dobrada davam um jeito rebelde para o garoto, que tinha cara de bom menino, embora ela soubesse bem que ele não era tudo isso de bonzinho. Sorriu sozinha e ele a encarou com uma das sobrancelhas levantada.

– Vai ficar apenas me olhando? – ele se levantou.

Ela mostrou-lhe a chave.

– Não mesmo.

Amanda andou até a porta. O garoto se encostou nela por trás, colocando o queixo em seu ombro.

– Eu adoro seu cheiro – disse respirando fundo.

– Bom saber – ela abriu a porta, entrando rapidamente.

O garoto a seguiu. O almoxarifado era pequeno, cheio de estantes e exalava um odor de naftalina. Ela acendeu a luz, rindo. Se virou e esperou Daniel entrar para fechar a porta.

– Por que está nos trancando aqui dentro? Tô ficando assustado.

– Um pouco de privacidade não mata, Daniel – sorriu.

Ele deixou o violão no chão e se aproximou dela devagar. Tocou nos cabelos da menina.

– Eu não consigo parar de pensar em você... Não consigo parar de pensar na sua pele, no seu toque – ele passava as mãos devagar pelo pescoço dela e depois pelo rosto – nas suas expressões e no jeito como você fala meu nome.

– Daniel, para com isso – pediu sem graça.

Ele foi andando, encostando-se nela aos poucos, empurrando-a devagar até ela dar com as costas em uma parede. O garoto tinha desejo nos olhos, ela podia ver. E não se incomodava com isso, de forma alguma.

Ele pôs as duas mãos na parede e, aos poucos, abaixou a cabeça para beijá-la. Os lábios se encontraram e ela pôs as mãos no cós da calça dele para sustentar os braços, que começaram a tremer. Sempre se enrolava nessas horas. Não sabia o que fazer.

O beijo era quente, apaixonado. Vagarosamente, Daniel foi pressionando seu corpo contra o dela, fazendo com que ela respirasse fundo, apertada contra a parede. O garoto pôs uma das mãos na nuca e, com a outra, desceu pelas costas da menina, pressionando mais. Ela pôde sentir o corpo dele reagir ao seu, enquanto ele soltava pequenos murmúrios e gemidos. Segurou o garoto pelos cabelos.

– Daniel – ela arfou. – A gente não tem muito tempo aqui.

– Eu sei. Eu só quero poder ficar juntinho de você assim... – ele a apertou novamente contra seu corpo, e ela quase tossiu.

– Você quer nos fundir, isso sim – a menina disse e Daniel riu.

– Se isso fosse possível, seria uma hipótese – o garoto a mordeu de leve no lábio inferior. – Mas por enquanto só quero ter você pertinho de mim.

– Daniel? Por que você tem a bunda maior do que a minha? – ela riu.

Ele gargalhou, jogando a franja que tinha caído no rosto para trás.

– Eu não tenho a bunda maior que a sua, fofa.

– Aparentemente sim – ela olhou para a calça dele.

– Pode pegar – ele disse.

– Pegar o quê? – ela arregalou os olhos, surpresa.

– Na minha bunda – ele falou sedutoramente.

– Mas eu não... não disse isso com a intenção... – ela gaguejou e pensou por que estava sendo estúpida daquele jeito.

– Amanda, a gente já ficou bem mais próximo que isso!

– Se você tiver a bunda maior do que a minha eu desisto de você – ela ameaçou.

– Vai fundo!

Ele colocou as duas mãos na parede, com ela entre os braços, como quem faz quando vai ser revistado. A garota, fitando os olhos dele, desceu as mãos das costas para bunda do garoto. Os dois riram quando ela chegou onde queria.

– Eu estou me sentindo uma molestadora, agora. É oficial – ela falou com as mãos na bunda dele.

– Ainda não uma molestadora, mas está abusando de um menor.

– Não é crime quando eu sou mais nova também – ela riu da expressão de desdém que ele fez. – Daniel.

Amanda saiu do meio dos braços e, com as mãos ainda na bunda do menino, ficou de frente para as costas de Daniel, que continuou com as mãos na parede.

– Diz que você sempre quis me ver assim.

– Parece uma revista de assaltante, Daniel. Eu definitivamente não imaginava essa cena – a garota gargalhou.

Ele se virou e agarrou-a pela cintura.

– Tá doido? – ela deu um gritinho.

– Tenho cinco minutos pra te agarrar assim antes de ter que fingir pro mundo que eu te odeio.

A menina riu, com os braços presos no peito dele.

– Claro, por que você não vai me aparecer hoje de noite lá em casa fazendo drama?

– Tenho dever de trigonometria pra fazer – respondeu chateado.

Ela fez bico e ele chegou mais perto do ouvido dela.

– Mas vou pensar em você a cada minuto.

– Não seja exagerado, vamos – ela falou, beijando de leve os lábios dele. – Você pode pensar em mim uma vez a cada hora; é justo.

– Faz mais de dois anos que eu penso em você a cada minuto, fofa. Não vai ser agora que isso vai mudar. Bom, se bem que, depois de ter você juntinho de mim assim, eu vou acabar pensando a cada segundo.

– E a gente vai acabar se tornando um daqueles casais chatos e melosos que ficam agarrados o tempo todo.

Ela ficou rindo, mas ele ficou vermelho com a menção de se tornarem um casal

– Que foi? Disse algo errado?

– Você disse que seríamos um casal. Vamos ser algum dia?

– Claro que vamos... não vamos? – a menina perguntou confusa.

Daniel beijou os lábios dela.

– Vamos.

– Amanhã é o dia dos namorados falso – Amanda mordeu os lábios.
– Sei que não somos namorados, e eu não estou pedindo para ser. Mas quero que você lembre de mim e somente de mim.

– E de quem mais eu iria lembrar, fofa?

– Eu não sou a única de olho em você nesse colégio, Daniel. Você sabe bem disso.

Ela pareceu meio ofendida. Daniel estava gostando cada vez mais disso. Além de poder ficar junto com quem sempre sonhara, ela ainda sentia ciúmes.

– Pense... – ele a beijou na testa – que você – beijou na bochecha – é a única – beijou nos lábios – que pode pegar na minha bunda.

– Ah, claro. Isso é um graaaande consolo – ela riu quando ele beijou seu queixo.

– Não é não? Como assim! Ninguém mais pega no meu corpo, não!

– Sinto-me lisonjeada. Mas agora temos que ir, porque o almoxarifado não fica vazio pra sempre.

– Droga, é sempre assim. Sempre na parte boa.

A menina lhe deu um abraço forte e beijou seus lábios.

– Nos vemos depois – abriu a porta, deixando que ele saísse, e trancou. – Espero nos darmos bem amanhã.

– Nós vamos – ele sorriu com o violão nas mãos.

A garota mandou um beijo no ar e saiu correndo. Daniel se encostou na parede com o instrumento e dedilhou alguma coisa.

– *O mundo seria um lugar solitário sem a única pessoa que te faz sorrir. Me abrace forte antes de anoitecer e então não me sentirei mais sozinho. Porque sei que tenho você e isso me faz forte para encarar os dias curtos e as noites longas* – cantarolou.

trinta e três

Daniel terminou o trabalho de trigonometria e olhou o relógio. Já passava da meia-noite. A vontade de ligar para Amanda era muito grande, mas ele teve de se conter. Não ia se perdoar nunca por acordá-la.

Amanda olhava para o teto desde que foi se deitar para dormir. Não conseguia pregar os olhos porque nunca, em toda sua vida – nem quando ganhou sua primeira bicicleta – , tinha se sentido tão feliz assim. Era algo inesperado, que simplesmente nunca imaginara que poderia acontecer. Era o dia dos namorados inventado pela professora e ela estava saindo com Daniel Marques.

O que poderia ser melhor?

Feliz falso dia dos namorados, fofa.
Foi a mensagem que a acordou. Espreguiçou-se com o celular na mão. Foi até a janela e a abriu, deixando o sol entrar no quarto.

Feliz dia dos namorados pra vc tb, D.
Ela mandou de volta. Daniel terminou de fritar os ovos com o celular na mão, quando ele tocou.

– Que é? – atendeu quando viu pela bina que era Caio.

– Eita, cara... mau humor?

– De forma alguma, meu amigo. Bom-dia.

– Feliz dia dos namorados de mentira! Escuta, está com o carro do seu pai hoje?

– Hum...

Daniel esticou o pescoço e olhou para fora. Tinha medo de usar o carro dos pais quando eles viajavam

– Eu tô, cara.

– Pode me pegar então? Eu preciso levar o teclado pra escola por causa da apresentação.

– Ah, certo! Claro que posso... – Daniel sorriu. – Então, como foi a aula particular ontem?

– Ah, Daniel... ela é incrível! – Caio contou sonhador. – Ela faz pose de quem me odeia e tudo mais, mas... a gente sentou junto no piano.

– E se beijaram?

– Não, cara! Quem me dera... Mas ficamos juntos, sabe? Bem próximos!

– Sei, sei – Daniel sorriu, lembrando-se do almoxarifado. – Eu bem sei.

– Ah, cara... poxa, eu queria que vocês sentissem isso. Mesmo que ela diga que me odeia, eu sei que não é bem assim...

– Eu te entendo, Caio. Eu e a Amanda temos aulas toda semana no gramado... Não se esqueça.

– Como andam as coisas? Algum progresso?

– Digamos que sim, mas... mas não vamos discutir agora – Daniel olhou para o fogão. – O hambúrguer queimou, que drooooga! Te pego daqui a vinte minutos – e desligou.

Amanda caminhava para a escola com a pasta debaixo do braço. Cantarolava um pedaço de *Quero te abraçar*, a música que iria cantar com Daniel no colégio, e chutava pedrinhas pelo caminho. Ouviu uma buzina e olhou para trás.

– Quer carona? – era a cabeça de Caio para fora de um carro sedã prata.

– Falta uma quadra pro colégio, Caio.

– Bom... e daí?

O vidro do carro era fumê e impedia que a menina pudesse ver alguma coisa dentro do veículo. De repente, metade do corpo de Daniel apareceu na outra janela.

– Fazemos questão de que passe cinco minutos conosco – ele disse.

– É, fazemos – Caio riu.

– Fazem mesmo?

– A gente pode deixar você na parte de trás do prédio e então ninguém te vê na nossa companhia – Daniel sugeriu.

Amanda fez uma careta.

– Não fala isso, Marques – se sentiu magoada. – Meu problema não é com os outros...

Ela iria se explicar, mas Caio desceu do carro e a empurrou.

– Ok, não tenho boas lembranças de alguém me empurrando pra dentro de um carro – riu e, ao olhar para Daniel, viu que ele estava com o olhar fulminante de raiva.

– Hum, certo – Caio disse sem entender nada.

Entrou na parte de trás do carro e ficou entre os dois. Daniel não conseguia olhar para Amanda.

– Sério, vamos? – Amanda falou.

O garoto sorriu simpático e acelerou o carro. Os dois tampouco se falavam. Era estranha essa situação.

– Aposto que minha música ficou melhor que a de vocês... Quero dizer, eu e Anna somos gênios musicais.

– Ah, claro que é, Caio – Amanda zombou. – A Anna eu não duvido, mas você? O que você sabe de música? O Bruno até gosta dessas coisas, mas você...

Daniel e Caio acharam essa situação bem divertida.

– Bom, não sei muito... Mas sei mais que o Daniel.

– Ei, eu não entrei na discussão!

– Como chama a música de vocês? – Amanda quis saber.

– *A garota adormecida* – Caio respondeu. – Linda música, lindo solo de piano e a voz da Anna ficou perfeita.

– Baba menos, cara...

– Eu estou nervosa – Guiga repetia.

– Preparadas pra passar em artes? – Fred se aproximou dela e das amigas.

Carol fez careta, mas Maya e Guiga sorriram.

– Se Rafael contribuir – Maya falou.

– Se meu par aparecesse! – Guiga pareceu que ia vomitar.

– Estranho ele não ter vindo ainda... Ligou pra ele? – Fred perguntou com ar de preocupação.

– Não! Não tenho o telefone dele, né? Mas ele vai vir... Eu não posso tocar sozinha. Não sei tocar violão nem flauta!

– Boa sorte, meninas.

Fred saiu de perto delas. Chegou perto de seus amigos, parados em frente ao portão do colégio, e abraçou Bruno e Rafael por trás

– Bom-dia, amigos queridos.

– Eita, bom humor a essa hora? – Bruno perguntou.

– Desembucha – Rafael disse

– Vocês vão ver... – Fred piscou.

– Mandy, está ficando normal você chegar atrasada – Anna disse, rindo, quando a amiga surgiu da esquina correndo.

As outras seguiam mais à frente conversando com uns rapazes do terceiro ano, mas Anna ficou para trás com o telefone na mão.

– Fingi estar ocupada pra falar com você antes.

– Certo – Amanda respondeu sem fôlego. Olhou para as mãos e bateu na testa. – Ai, como sou burra.

– Esqueceu o material em casa? – Anna perguntou, vendo o carro de Daniel parar na porta do colégio. Ele e Caio desceram.

– Pior – reclamou.

Em seguida, após sentir um toque de mão em seu ombro, Caio jogou sua pasta em seus braços.

– Achei na rua – ele piscou, carregando a caixa do teclado.

Amanda sorriu amarelo e viu algumas garotas irem falar com Caio e Daniel.

– Na rua? – Anna não acreditou.

– Ok, eu peguei carona com eles.

– Amiga, isso está ficando sério.

– Nem fala! E você e Caio? Ele não para de elogiar sua voz – Amanda sorriu vendo Anna ficar vermelha.

– Ontem foi divertido... – ela parecia um pimentão, quando chegaram perto das outras amigas.

– Ai, droga! Droga! Cadê meu par? Como vou tocar sem ele? – Guiga repetia quase tendo uma síncope.

– Calma, amiga... Eu queria que meu par tivesse faltado – Carol disse.

As outras aulas do segundo ano foram abafadas pelas conversas, muxoxos e reclamações sobre a última aula do dia. Alguns alunos até cabularam outras matérias para ensaiar nos gramados. As quatro amigas tinham plena certeza do que iriam fazer, mas Guiga ainda não tinha achado seu par.

– Coitada dela – Caio falou. Fred e Bruno riram.

– Coitado de mim – Bruno disse e Daniel bufou.

– Só porque você quer, cara. Caio e eu estamos muito bem.

– E eu! – Rafael levantou a mão. – Eu e meu docinho vamos arrasar vocês!

– Docinho? Desde quando, Rafa? – Fred perguntou, enquanto os outros riam.

– Desde quando eu quero, que coisa – saiu chutando a mesa do refeitório.

– Bom, primeiramente feliz lindo dia dos namorados em setembro para todos! – a professora Regina iniciou a aula no auditório, quando todos os alunos se sentaram.

Estava com um vestido comprido de cetim vermelho, uma maquiagem exagerada e um sorriso bobo no rosto. Amanda e suas amigas tinham certeza de que ela arranjara um namorado novo, só isso para fazê-la inventar essa baboseira de feriado romântico. O salão estava todo enfeitado com corações e balões cor-de-rosa.

– Nessa mesa ao lado esquerdo, estão os famosos bilhetes do dia dos namorados, que vocês poderão enviar anonimamente para quem quiser! – ela parecia extremamente brega ao dizer isso. – O nosso querido porteiro Zé fez questão de ajudar e entregará os recados aos apaixonados!

Todo começaram a rir quando viram seu Zé com asas brancas e grandes, como se fosse um cupido.

– Bem, como temos muitas duplas, vamos começar as audições neste exato momento. Os pares que eu for chamando, por favor, subam ao palco.

Vários alunos conversavam alto. Alguns se levantaram e foram enviar recados para seus amados ou apenas curtir com a cara do seu Zé vestido de anjinho. Uns estudantes estavam em pé ao lado da mesa de lanches e outros ensaiavam em voz baixa as suas canções. As apresentações começaram e, a cada dupla, todos acabavam aplaudindo no fim, mesmo sem terem prestado atenção. Somente a professora parecia totalmente entretida, fungando e anotando tudo em seu bloco.

– Certo, estou ferrada – Guiga resmungou.

– Calma, amiga – Amanda pôs a mão no ombro dela. – Não tem como você fazer sozinha?

– Não! De forma alguma – ela falou chorosa.

– E não tem mais ninguém que possa tocar contigo? – Maya perguntou.

– Bom... tem... – Guiga levantou o rosto.

– O criador da música? – Anna adivinhou.

– Ahhh, mas eu não quero subir no palco com o Fred – ela respondeu.

– E por que não? Se isso vai te passar de ano... – Amanda comentou.

– Não vou ficar confortável.

– Você me pareceu bem confortável com ele lá em casa – Anna lembrou.

Todas sorriram vendo Guiga ficar vermelha.

– Não fala isso!

– Guiga e Maicom – a professora chamou no microfone.

Todos olharam para garota que ficou ainda mais vermelha.

– Err... professora? – Guiga andou até o palco. – Temos um problema.

– Não! Não tem problema nenhum – Fred chegou perto dela correndo.

Estava com um violão na mão e todos ouviram os outros marotos baterem palmas e assobiarem animadamente.

– Desculpe, professora, mas Maicom passou mal e me pediu que fizesse isso por ele.

Guiga olhava sem entender nada

– Isso aí, meu garoto! – Bruno gritou.

Daniel e Rafael aplaudiam mais forte. Caio estava sem graça, mas ria bastante.

– Hum... – a professora olhou de Fred para Guiga. – Se a senhorita aceitar, tudo bem por mim, apesar de não saber o que o senhor Frederico está fazendo na minha classe, de novo.

Guiga ficou vermelha. A garota olhou para Fred e depois para as amigas sem saber o que fazer.

– Quer parar de olhar pro Daniel e dar apoio pra Guiga? – Anna cutucou Amanda pelo lado. A garota fez bico.

– Tem um monte de frangas em volta dele! – reclamou baixinho.

Ela estava vendo algumas garotas sorridentes entregarem bilhetinhos para Daniel. Quando os olhares dos dois se cruzaram, ela fez uma cara de brava e se virou para o palco, vendo Guiga e Fred começarem a tocar, sem notar a expressão contente de Daniel.

Foi realmente bonito, os dois estavam entrosados e a música era linda. Fred tinha talento e Guiga parecia bem confortável com ele no palco, embora garantisse o contrário. Isso deixava Amanda encucada. Se ela gostava do Daniel, por que ficava tão envergonhada ao lado de Fred?

As apresentações rolaram perfeitamente. Todos pareciam estar indo muito bem, até Bruno e Carol. Ao subirem no palco eles pareciam amigos ou até mais – um casal. Tocaram uma música marcante, forte, com uma letra meio pesada sobre um casal que brigou por algo inexplicável e, talvez, fosse por isso que estavam tão naturais. Bruno cantando era a parte mais engraçada para Amanda, porque era meio desafinado.

Caio e Anna fizeram um show único. Foi realmente bonito vê-los no teclado, com Anna cantando a história de uma garota que sonha com um cara que ela não tinha. Todos prestaram bastante atenção, e o aplauso foi geral. Amanda percebeu que a professora quase chorou no fim da apresentação.

Depois de outras apresentações, chegou a vez de Maya e Rafael, que pareciam se divertir. A música era bem simpática, alto astral, e os dois tinham uma química inexplicável – o que deixou os outros marotos com certa inveja.

– Daniel e Amanda, por favor, no palco! – a professora anunciou.

Os dois respiraram fundo, e Amanda pegou o violão. Subiram lado a lado pela escadinha, sem se encarar. Tinham medo de dar bandeira, embora fosse impossível naquele momento.

– Bom, nossa música se chama *Quero te abraçar* – Amanda disse ao microfone.

Daniel começou a tocar a música. Visivelmente nervosos, sorriam o mais natural que podiam. Amanda cantou animadamente, porque adorava a letra daquela música. Era algo que lembrava Daniel, Daniel e sempre ele! Não tinha como não gostar. Olhava para o garoto ao seu lado, com os cabelos no rosto, pingando de suor por causa do nervosismo, e não podia negar que estava apaixonada por ele. Completamente apaixonada.

– Vocês foram perfeitos! – Anna parabenizou quando os dois desceram do palco sob uma montanha de aplausos.

– Obrigada – Amanda agradeceu dando pulinhos de felicidade.

Daniel apenas acenou para as garotas e foi direto para o seu grupo.

– Guiga, você ainda está vermelha – Carol falou rindo.

– É o calor – disse se abanando.

De repente, o cupido seu Zé se aproximou sorrindo.

– Tenho bilhetes para as rainhas da beleza – deu uma piscadinha.

Entregou três para Anna, dois para Guiga e Maya, quatro para Carol e Amanda. As amigas ficaram sem entender. Viram vários alunos trocando bilhetes e rindo. Amanda ficou nervosa ao ver Daniel e os amigos receberem um monte.

– Admiradores secretos – Guiga se alvoroçou. – Adoro isso!

– Olhe o meu, bem previsível – Anna tossiu – *Ele dorme e tudo o que ele pensa é em você.*

Ela leu em voz alta e olhou para Caio, que dava gargalhadas com mais cinco bilhetes na mão. Anna sorriu e olhou para as amigas.

– Faz parte da letra da nossa música. Ai, caramba, eu não acredito como isso soou...

– Que sorte, meus bilhetes são todos sem noção – Carol mostrou.

Eram mensagens de amor e declarações dizendo quão bonita e gostosa ela era. As amigas tripudiaram.

Amanda abriu o primeiro bilhete e teve certeza de que era de Albert. Era irônico, insensível e, simplesmente, parecia com ele. O segundo não tinha a menor ideia, assim como o terceiro. O quarto ela podia adivinhar.

– O que diz nos seus? – Guiga perguntou curiosa.

– Nada demais... aposto que foram do Albert – respondeu guardando tudo no bolso. – Vou ao banheiro.

Quando passou por Anna, enfiou o quarto bilhete em sua mão sem que ninguém visse. A amiga pegou discretamente e, olhando para Daniel – que seguia Amanda com o olhar, apesar de estar envolto por dezenas de garotas –, teve certeza do que eles sentiam.

Eu te amo, fofa. Ela leu e sorriu.

trinta e quatro

– Daniel, posso falar com você? – uma garota perguntou.

Rafael e Caio ficaram olhando, mas Bruno deu uma palmada nas costas do amigo.

– Vai fundo, cara – sussurrou.

Daniel não entendeu, mas seguiu a garota até o lado de fora do auditório. Ela era bonita, tinha os cabelos louros cacheados, olhos castanhos e, mesmo sendo de uma série abaixo da deles, era mais alta do que muitas garotas de 15 anos. Daniel sempre suspeitara que ela gostava dele e tinha motivos para isso.

– Certo, o que quer Rebeca? – perguntou.

A garota parou de frente para ele sorrindo.

– Dia dos namorados, mesmo o criado pela professora Regina, é um dia incrível, não é?

Ele concordou com as mãos nos bolsos.

– Um dia interessante.

Ela sorriu mais ainda e se aproximou. Daniel não deu a mínima, pois nunca achou que ela iria fazer o que fez em seguida.

Ela o beijou.

Daniel sentiu a boca da garota na sua. Era uma sensação estranha. Ele não estava odiando nem nada, mas não era bom. Não era quem ele queria beijar e parecia muito errado. Tentou empurrar a menina pelos ombros.

– Ei, eiei, Rebeca... calma, vamos conversar – ele disse nervoso.

Muitas garotas davam em cima dele e dos amigos, mesmo sendo conhecidos como os perdedores do pedaço. Mas nenhuma tinha extrapolado desse jeito. Era algo que ele não sabia como lidar.

– Danny, eu sei que você gosta de mim, tudo bem.

– Eu? – ele perguntou e riu. Não queria machucar a menina. – Não, Rebeca, escute...

Mas ela colocou os braços em volta do pescoço de Daniel, que se sentiu desconfortável.

– Por favor, não faça isso...

– Daniel, não precisa dizer nada, ok? – ela foi se encostando, mas o garoto se afastou.

– Não, Rebeca, eu não quero isso! Eu não... quero ficar com você – tentou explicar, mas ela não parecia ouvi-lo.

Olhou para os lados nervoso. Ninguém por perto para tirá-lo daquela situação.

– Rebeca... – empurrou ela para longe quando seus olhos se encontraram com os de Amanda.

A garota estava branca, pálida, parecia assombrada, com os olhos marejados. E sem entender nada

– Rebeca, me solte... – ele implorou baixinho, ainda encarando Amanda de longe.

A garota se afastava devagar em direção ao salão do auditório, andando de costas sem acreditar no que via. Era o seu Daniel! O seu Daniel! O que estava fazendo agarrado com outra?

Ela se virou e passou as mãos nos olhos, sem olhar para trás. Seguiu até as amigas. Não queria chorar, não podia deixar se levar por isso, mas foi inevitável. As lágrimas começaram a cair instantaneamente, e ela tentava não soluçar. Era o seu Daniel. O seu garoto, e ela estava apaixonada. Ele não podia fazer isso com ela, justo agora!

– Mandy? O que houve? – Anna perguntou preocupada.

As outras três amigas se aproximaram. Amanda tremia.

– Dor... eu... – ela respirou fundo. – Eu estou morrendo de cólica, nunca senti isso antes – disse entre soluços.

Tentava esconder o rosto nas mãos para que ninguém visse.

– Ai, sério? Isso é péssimo, eu sinto muitas dores também – Maya abraçou a amiga.

Amanda tentou não chorar mais.

– Olhem... acho melhor eu ir pra casa, certo? Posso encontrar vocês amanhã? Vou tomar um remédio e dormir – disse.

– Deixa que eu te levo – Anna falou inquieta.

– Não... não, curte a festinha hoje! Amanhã nos falamos, eu acho que vai ser bom andar um pouco. Dizem que melhora a circulação e tudo mais – ela pegou seu material.

Com pressa, saiu andando e acenou para as amigas. Ainda não podia acreditar. Convencer a coordenadora de que precisava sair mais cedo não foi difícil e quando, finalmente, se viu fora do colégio, ela se deixou levar pelas emoções e soltou o choro verdadeiramente. Estava exagerando, claro, mas sentia uma dor incrível, como já havia acontecido quando descobrira que não poderia ter quem ela queria. E parecia estar se repetindo. Talvez Daniel não fosse o garoto certo para ela. Talvez ele não merecesse o que ela sentia.

– Amanda, espera – Daniel chamou, aparecendo atrás dela.

Amanda não se virou. Queria muito olhar para ele e abraçá-lo, ouvi-lo dizer que gostava dela e que aquilo não significava nada. Mas continuou andando.

– Amanda? Me escuta, por favor – ele andava rápido pela rua do colégio, que estava vazia, já que todos ainda estavam tendo aulas.

Amanda parou quando virou a esquina.

– Eu preciso ir pra casa, Daniel – ela falou sem olhar para ele. Enxugou as lágrimas. – Eu... não me sinto bem.

– Amanda – ele sussurrou, aproximando-se dela.

A garota pôde sentir a respiração dele em seu ombro. Estava de costas para ele ainda de olhos fechados.

– Amanda, aquilo não foi nada.

– Eu esperava ouvir isso – ela sorriu, mas continuou virada. Começou a roer a unha nervosa. – Eu não precisava ver coisas assim depois de ler seu bilhete.

– Olha pra mim – ele pediu baixinho.

Ela não aguentou. Sentiu a espinha arrepiar com a voz dele e se virou devagar. Encarou o garoto nos olhos.

– Por favor, não chora... eu me sinto péssimo quando isso acontece.

– É o momento, não? – ela abaixou os olhos.

Daniel queria que ela olhasse para ele! Conseguia buscar seus sentimentos nos olhos dela. Pegou em seu queixo e levantou o rosto da garota, para encará-lo de novo. Ela continuava chorando e, de repente, sem que ele percebesse, começou a sentir suas lágrimas caírem também.

– Eu não sei por que ela tentou me beijar, acho que ela gosta de mim – ele confessou infantilmente.

– Suponho – Amanda entortou um pouco a boca.

Daniel passou as costas das mãos no rosto secando as lágrimas.

SÁBADO À NOITE

– Não chore... não foi nada, ela me abraçou e eu tentei evitar.

– Eu acredito em você – Amanda disse, abaixando os olhos. – Mas doeu demais ver isso. É inevitável.

– Eu sei, fofa – ele encostou a testa na dela. – Desculpe-me... desculpe--me, mil desculpas – ele falou apertando os olhos fechados.

Amanda olhava para o rosto dele a centímetros do seu, chorando e pedindo desculpas. Era o Daniel dela, como sempre. Ela viu algumas lágrimas caírem direto no chão, pesadas. Passou os dois polegares nas bochechas dele, fazendo com que se afastasse um pouco do rosto do dela.

– Eu não consigo ver você com ninguém mais... Sei que você não é meu, somente meu, e eu não tenho esse direito – ela fungou. – Achei que podia lidar com isso, mas não posso.

– E não precisa, eu não quero ficar com mais ninguém mesmo – ele falou sério.

Ela continuou com as mãos no seu rosto e levantou a ponta do pé, dando um beijo de leve nos lábios do menino.

– Bom saber disso – disse baixinho e secou as próprias lágrimas. – Mocreia dessa garota, merece padecer no inferno e...

– Calma – ele riu fungando.

– Eu não consigo evitar! – Ela sorriu. – Sempre quis sair na porrada com alguém e estava esperando momentos como esse na minha vida – disse, e ele gargalhou. – Claro que estou brincando, mas... você gostou?

– Não foi ruim – ele disse sinceramente. – Mas eu simplesmente não queria, isso prevalece.

– Que bom – Amanda sorriu. – Mas eu preciso voltar pra casa; minhas amigas acham que eu não estou passando bem e você... tem toda uma festa com seus amigos, e a carona do Caio.

– Dane-se o Caio. Ok, brincadeira! – disse rapidamente quando foi atingido por ela no braço. – Eu volto pra festa, dou as chaves pro Caio e venho te encontrar aqui. A gente sai pra andar, ok?

– Daniel...

– Também te adoro – ele a beijou de leve nos lábios e saiu correndo de volta para escola.

Amanda ficou parada, sorrindo sozinha, que nem idiota. Encostou--se no muro e ficou esperando. Esperaria o quanto fosse pelo seu Daniel.

– A gente precisa sair daqui – ela avisou quando Daniel voltou com os livros na mão. O garoto concordou sem dizer nada, e os dois começaram a andar em silêncio.

– Eu realmente acho que a gente foi bem... Digo, no palco.

– Ahn. Nunca tinha subido num palco antes – ele mentiu.

– Você se saiu bem, mas estava suando demais! – disse olhando para o garoto, que coçou a cabeça com uma cara engraçada.

– Aposto que você adorou isso.

– O quê?

– Me ver suando – ele fez uma cara marota.

– Eu não preciso subir num palco pra ver você suando... – ela provocou.

Depois olhou para os lados quando Daniel fez cara de malvado.

– Eu posso... correr de você – ela disse e simplesmente saiu correndo.

Daniel ficou sem reação de primeira, mas começou a rir e correu atrás dela. Os dois atravessaram a rua e pararam perto de um supermercado. Amanda quase deu com a cara no muro, e Daniel apoiou-se ao lado dela logo depois.

Os dois se olharam e começaram a rir, ofegantes, puxando o ar com dificuldade.

– Viu? – ela passou a mão na testa suada dele e depois limpou na camisa dele com cara de nojo.

Ele abriu a boca como se estivesse assustado com a reação dela de ter nojo dele e então largou os livros no chão, abraçando-a com força. Ela começou a dar gritinhos, porque ele estava todo suado – assim como ela – e teimava em se esfregar nela.

– Daniel! – ela gritava.

– Agora vê... se aprende que... tem... outras maneiras... melhores e mais confortáveis... de me ver... suado – ele piscou e pegou seus livros.

– Daniel – Amanda ficou vermelha –, você está ficando muito pervertido pro meu gosto – disse rindo.

– Fofa, você não viu nada!

Na avenida em que caminhavam passou um ônibus e Daniel correu, fazendo sinal.

– Vem, vamos sair daqui – ele sugeriu.

Amanda olhou para o garoto subindo no ônibus e o seguiu.

– Pra onde esse ônibus vai? – ela sentou-se ao seu lado no fundo.

Daniel olhava pela janela, toda aberta para deixar o vento entrar.

– Praia.

– Não me chegam experiências com praia, Daniel?

– Não! Você experimentou um lado estranho... Vamos correr na praia, fazer castelos com areia molhada e jogar gravetos pra cachorros à beira-mar – ele disse poético.

– Não temos cachorros à beira-mar nem sei fazer castelinhos de areia.

– Você tem prazer em estragar minha diversão – ele fingiu desgosto.

– Vamos ter que inventar outras coisas pra fazer então... – ele fez cara de mau.

Amanda tinha que se acostumar com isso, porque não aguentava aquele olhar em cima dela. A fazia sentir os joelhos moles.

– Certo... eu... posso te enterrar na areia – ela propôs e ele deu língua, voltando a colocar o rosto para fora da janela.

A garota sorriu e encostou o queixo no ombro dele, mordendo os lábios.

– Daniel?

– Hum? – ele continuou virado para o vidro.

Céus, como amava o jeito que ela falava seu nome!

– Você quer ter quantos filhos? Digo, não comigo – ela começou a rir quando ele se virou com a sobrancelha arqueada.

– Ah, bom, já ia perguntar se você não estava indo depressa demais...

– Daniel! Apenas curiosidade... tipo o dia em que você tiver uma família...

– Hum – ele pensou –, eu quero ter uma família enorme. Vários moleques correndo de nariz escorrendo pela casa... Duas garotas presas dentro da casa de bonecas... Minha esposa grávida chegando com uma criança vestida de Batman no colo... Eu sentado ao lado de Bruno, Rafael e Caio em frente à televisão com cerveja, vendo *De volta pro futuro*, *Tartarugas ninjas* ou então *Eurotrip* – ele dizia enquanto ela sorria. – E, bom, Fred pode estar dentro do quarto se amassando com a amiga da minha esposa, enquanto dois de meus outros filhos gêmeos se escondem nos armários vendo tudo, os moleques tem que aprender cedo ou tarde...

– Ah é, que mais?

– E hum... minha casa vai ser enorme, porque eu preciso de pelo menos um quarto pra cada quatro crianças... Então, uma média de dez quartos na casa está bom.

– Um batalhão, quer dizer?

– Nahhh – ele disse sério –, a gente podia montar uma orquestra!

– E onde entra sua esposa nisso? – ela perguntou ainda com o queixo no ombro dele.

– Comigo, ué.

Amanda deu-lhe um beijo no ombro e voltou a recostar o queixo.

– Coitada da insana que aceitar se casar contigo. Espero que ela saiba no que está se metendo...

– Ela vai saber – ele sorriu confiante – e vai adorar a ideia.

– Vai sim, claro!

Amanda desencostou ao ver Daniel se levantar.

– Chegamooooos – ele anunciou animado quando o ônibus parou.

Era um ponto de frente para a praia, quase deserta. Amanda logo se lembrou da noite do baile e não sabia se pensava em coisas boas ou ruins sobre aquele lugar. Ambas as lembranças eram fortes.

Daniel parou perto da areia e tirou seu tênis All Star. Amanda segurou sua sapatilha nas mãos, com o material da escola.

– Teria sido mais inteligente ter deixado isso em casa.

Ela colocou os pés na areia. Daniel olhava para o céu meio acinzentado adiante. Com sol fraco, o dia não estava quente. O mar estava belíssimo e as ondas batiam com força na areia, fazendo um barulho gostoso e trazendo no vento a maresia.

– Vamos deixar as coisas aqui.

Ele apontou um lugar na areia que pegava a sombra das árvores no calçadão logo acima. Largou o tênis, os livros e tirou o cinto que estava usando. Amanda também deixou suas coisas ali.

– Normalmente eu daria um chilique por causa da areia nas minhas coisas – ela sorriu, prendendo os cabelos em um coque malfeito. – Mas não vou fazer isso hoje.

– Porque é sexta e você tem o final de semana pra lavar – ele falou com voz de metido, tirando a blusa do uniforme.

– Não... Porque... eu, sei lá, não estou com vontade.

Daniel a puxou pela cintura. Amanda deu um gritinho e ele a abraçou. A menina ficou sem jeito porque, como ele era mais alto, estava quase escorregando por causa da areia.

– Admita que eu provoco isso – ele falou.

– Provoca o quê? – perguntou.

Ele olhou para o céu com a testa franzida. Amanda estava com seus braços espremidos no peito dele.

– Você, me desculpe a palavra, mas sempre foi metida demais pro meu gosto.

Ela fez uma careta.

– Não diz que é mentira.

– Eu não vou...

– Ok, melhor assim. Você agora se mistura com os plebeus, beija um plebeu e até fica dentro de um carro no meio da chuva com um plebeu.

– Daniel. Você podia ser mais sutil.

– Desculpe-me – ele beijou sua testa. – Olhe pra você, abraçada a um plebeu sem blusa, suado, todo sujo, no meio da areia num dia de sol e – ele olhou para ela, com uma saia rodada azul até o joelho, de pernas de fora, e a blusa branca do colégio – linda.

– Ahn? Daniel!

– Bom, você está descalça!

Amanda deu um leve beijo em seus lábios e fez ele soltá-la. A garota sorriu para ele e saiu correndo para perto da água. Daniel riu, balançou a cabeça vendo os cabelos dela voarem como ondas no vento e foi atrás.

Amanda parou de repente quando sentiu a água gelada nas canelas. Daniel veio no impulso e, por pouco, os dois não caíram na areia. Eles começaram a rir.

– A água está friiiiiiiiiiiiiiiiiia! – Amanda exclamou, dando pulinhos como uma garotinha enquanto as ondas vinham e voltavam nos pés dela e Daniel esfregava as mãos.

– Somente até entrarmos nela – ele disse.

A garota arregalou os olhos na hora em que foi carregada no colo. Ela esperneou e gritou, abraçada ao pescoço de Daniel.

– Se você se sacudir mais a gente cairá na areia, e não na água, e eu garanto que dói mais.

– Não faz isso, Daniel... Vai me sujar toda.

– Eu vou te jogar na água, Amanda... NA ÁGUA – ele riu. – E não vem com chiliques de patricinha pra cima de mim não, que não cola... Você não tem esse efeito em mim. – Ele entrou no mar e, com a água pelo joelho. – Geladaaaaaaça.

– Obrigada por avisar.

Amanda apertou-se ainda mais no pescoço do garoto. Daniel forçou um grito quando a água chegou ao seu umbigo e molhou a roupa dela.

Os dois desataram a rir, até que uma onda bateu no peito de Daniel, deixando Amanda encharcada.

– Te solto no três? – ele perguntou. Ela negou.

– Não me solta – pediu com o rosto grudado nele.

– Então vamos cair os dois de uma vez – ele se virou meio de lado, com ela nos braços, para que a onda não batesse direto na garota.

Ela riu e olhou para ele, que a encarava extasiado.

– Daniel? – chamou. – Eu também amo você, tá?

Quando ele abriu um enorme sorriso, uma onda quebrou em cima deles, derrubando os dois. Levantaram-se ensopados com os cabelos bagunçados grudados no rosto. Daniel deu-lhe um beijo nos lábios e a garota sorriu, arrumando o cabelo dele. Olharam ao mesmo tempo para a blusa dela, completamente transparente, e a saia que boiava na água. Os dois riram quando ela ficou vermelha.

– Ainda nada que eu não tenha visto, fofa... – ele piscou.

Amanda deu um empurrão no garoto, que caiu para trás sem querer puxando-a junto para debaixo da água.

trinta e cinco

– Daniel, você escreveu meu nome errado! – ela passou a mão na areia.

O garoto olhou para o coração desenhado entre as suas pernas.

– Eu estava distraído...

– Pensando em quê? – ela sentou-se bem na frente dele.

O vento secava os cabelos. Daniel olhou para seus olhos.

– Você disse que me ama – ele falou sério.

Ela ficou vermelha e abraçou os joelhos.

– Eu acho que eu disse... – murmurou.

– Amanda... – ele fez uma pausa. – Por que ficamos escondidos das pessoas?

Ainda estava sério. A garota se levantou e ficou parada, sentindo o vento na pele. Olhava para o rapaz, só de calça, com os cabelos caídos no rosto e uma expressão de quem não estava entendendo muita coisa. Ela sorriu. De nervoso. Não sabia o que fazer, e sentou-se de novo.

– Daniel – começou a explicar sem jeito –, eu tenho meus motivos. Nem minhas amigas sabem de nada...

– Não sabem? – ele levantou a sobrancelha. – Bom, da minha parte, somente Fred é quem sabe. Achei que você não gostaria que o Bruno soubesse.

– Obrigada – a garota sorriu –, mas não é por maldade, Daniel. Eu... eu...

Ele percebeu que ela estava ficando nervosa.

– Tudo bem, se não quiser contar ainda – deu um meio sorriso. – Se a gente se gosta tanto assim, um dia você vai mudar de ideia.

– Me dói tanto ouvir isso – ela sussurrou.

O garoto mirou o desenho do coração e voltou a escrever o nome dos dois na areia. Amanda gostou.

– Vamos sair daqui ou acabaremos resfriados... E não queremos ficar doentes juntos; podem desconfiar – ele disse.

– Pra onde vamos?

– Hum... sexta à noite? – Ele sorriu malicioso. – Quer jantar lá em casa?

– Claro que eu não fui jantar na casa dele – Amanda disse sentada em sua cama.

Anna riu do outro lado da linha.

– Você é uma tonta mesmo, eu não te entendo...

– Anna... eu me sinto diferente quando penso nele... É como se nada mais existisse! Imagina estar sozinha com ele numa casa vazia?

– Mandy! Seja uma menina racional, dona de suas ações... – começou a falar.

– O dia em que você gostar tanto de alguém e o dia em que esse sentimento doer tanto... Você vai me entender.

– Acho que vou. Bom, Guiga está doida atrás de você... Melhor ligar pra ela.

– Ok, ok... Eu vou. Boa-noite, Anna.

– Passo aí de manhã.

– Certo... – Amanda desligou.

Ela parou um instante, olhando o telefone, e discou o número de Guiga com um aperto no peito.

– Calma... Calma, fala devagar.

Amanda pediu, observando Guiga chorar sentada no sofá de sua casa. A amiga tinha pedido para ir até lá conversar, mas já chegou chorando.

– Eu não sei, amiga... Dói tanto isso, e eu estou cansada de esconder...

– Olha, eu não entendi ainda do que se trata... Quer um copo de água?

Guiga negou.

– Eu gosto de alguém que não deveria – confessou.

Os olhos de Amanda marejaram.

– Você... Você... Gosta? – gaguejou, por ser a última coisa que queria ouvir.

– Você sabe... Deve saber...

– Sei – concordou pegando a mão da amiga – Sei sim, Guiga, eu sempre soube...

– Eu não sei o que fazer, amiga... Eu não deveria! Digo, a gente tem uma reputação a zelar, estamos no segundo ano ainda... Temos tempo pela frente naquele colégio... E você sabe como as pessoas podem ser cruéis – voltou a chorar.

Amanda queria acalmá-la, mas sentia um nó no peito tão grande que mal conseguia dizer algo.

– Ele fica lá, do outro lado da rede social, e... Foi inevitável! Há muito tempo, você sabe.

– Eu entendo – Amanda tentou consolar a amiga, mas sua cabeça começava girar.

– Eu sei que entende... Já estivemos em um problema assim juntas, não é? – Guiga perguntou segurando-lhe a mão. – Agora sou só eu e mesmo assim é difícil. Queria aprender com você a como superar isso...

– Hum... Temos que lidar com isso, amiga. Você tem que ser forte.

– Você acha que eu devo dizer pra ele? E, tipo, ignorar todo mundo e tal? Ou não? Não, né? Acho melhor não... – Guiga divagava sozinha.

– Você tem que fazer o que acha melhor.

– O que você faria? – quis saber.

Amanda gelou. Sentiu os joelhos tremerem e o coração acelerar.

– Eu? – arregalou os olhos. Guiga confirmou. – Eu não sei... Não sei se teria coragem de contar pra todos.

– Eu sabia! Porque é assim que eu sinto... A gente custou a chegar onde está, não foi? Eu lembro como nós duas éramos quando eu entrei na escola... Na verdade, não era tão ruim.

– Já foi pior – Amanda sorriu sem vontade. – Na verdade, Guiga... Tudo está aqui – e tocou no peito da amiga. Guiga sorriu. – Você precisa fazer o que for melhor...

– Eu não posso fazer nada. É melhor esperar e ver se passa, não é? Essas paixões da nossa idade costumam não durar muito.

– Verdade.

Amanda sentiu a garganta seca. Guiga abraçou a garota.

– Obrigada. Você é uma grande amiga, sabia? Ia ser muito difícil passar por isso sem você.

Amanda percebeu que começaria a chorar a qualquer momento.

– Preciso ir agora pra minha casa; tá ficando tarde, e você sabe como são meus pais com lance de horário...

Quando a amiga se despediu, Amanda fechou a porta e desabou no sofá, chorando compulsivamente. Como estava sendo egoísta. Sua amiga sofria por Daniel e ela lá, com ele, como se nada estivesse acontecendo.

Deveria se envergonhar! Juntou as pernas, continuou chorando e acabou adormecendo na sala.

Sentiu alguém cutucando seu ombro. Abriu os olhos devagar com a luz do sol no rosto.

– Ohhh dorminhoca, acorda – Anna sacudia a amiga. – Passa das onze, cadê seus pais? – olhou para os lados, dizendo que a porta da frente não estava trancada.

– Eu sei lá onde eles estão – Amanda bocejou e se espreguiçou. – Que horas são mesmo?

– Quase meio-dia... Vamos almoçar no restaurante do meu tio e depois vamos lá pra casa. Podemos nos arrumar juntas pro baile de hoje à noite.

– Eu não estou com vontade de ir pra baile nenhum... – resmungou se levantando.

– Como não? Que novidade e que absurdo! Sempre a mesma ladainha. Vamos ver Scotty, amiga! – Anna parecia animada.

– Vou pensar no seu caso, vou trocar de roupa... Me dê dez minutos – e subiu correndo a escada para o seu quarto.

Lembrou-se do que tinha acontecido na última noite. O que iria fazer agora? Como iria encarar Daniel?

– Sábado é um dia perfeito – Caio pôs os pés em cima da mesinha de centro da sala.

Rafael e Bruno estavam assistindo TV, enquanto Fred e Daniel tocavam violão.

– Você deveria estar ensaiando e não com essa pose de quem já é profissional – Fred zombou. Caio riu.

– E deveria nos ajudar com a música de hoje... – Daniel falou.

– Como anda a música? Caio tirou os pés da mesa. – Digo, a letra?

– Linda! Danny disse que é melhor chamar de *Perto do lago* mesmo.

– Que nome feio – Rafael resmungou.

– Claro... a letra não significa exatamente o que ela diz – explicou ignorando o garoto. – Coisas estão subentendidas.

– Hum... Ahn? – Caio olhou enigmático.

Daniel e Fred riram.

– Fácil. Exemplo: *Oh, baby, você não tem que provar nada pra ninguém, mas o que nós decidirmos fazer não significa que ele precisa saber.*

– Ele quem? – Caio perguntou. – No caso real.

– As pessoas. Todos. É uma analogia – Daniel sorriu. – Como se você estivesse contando a alguém pra que não tenha medo do que os outros vão dizer...

– Hmmm... Eu gostei disso, porque o que mais existe são garotas com medo das pessoas – Caio piscou.

Todos ouviram Bruno e Rafael gritarem para a tela da TV.

– Nããããão! Bastardo! Sem vergonha! – Rafael fez bico.

– Iááááá... besta, seu time é uma droga, Rafa... Desiste!

– Ok, vamos ignorar os dois e voltar ao trabalho – Fred disse. – Então, *Perto do lago* hoje à noite?

– Isso, e podemos... – Daniel sentiu o celular vibrar. Viu que tinha uma mensagem. Deixou o violão com Caio.

– Já volto – e foi para a cozinha.

Sorriu antes mesmo de ler a mensagem, pois viu que era o número de Amanda.

Vai tá em casa de noite?

Sentiu os joelhos tremerem. Não! Não iria estar. Nem ela deveria ficar em casa!

Não, vou sair com Bruno pra casa do tio do Caio. Pq?

Respondeu rapidamente. Sentou-se na cadeira da cozinha e batucou na mesa até receber nova mensagem.

Pq eu vou ficar em casa, acho. Sem espírito pra baile. E o Scotty?

Ele mandou com a esperança de que pelo menos ela fosse ouvi-lo cantar e tocar. Era uma inspiração, e ele não achou que pudesse fazer seu melhor sem a sua presença por lá.

Eu ainda ñ sei, tenho q sair agora. Se cuida. Bjos.

Ele leu e franziu a testa. Alguma coisa estava errada. Não, ela não iria desistir dele de novo!

trinta e seis

– Eu não vou – Amanda disse quando chegou à casa da Anna. – Eu não estou legal...

– O que aconteceu, amiga? Você está de mau humor desde a hora em que acordei você hoje...

– Eu simplesmente estou perdida – Amanda escondeu o rosto nas mãos.

Anna levou a amiga até a cozinha e a sentou na bancada. Olhou profundamente para ela.

– Pode me contar, você sabe que pode...

– A Guiga... Ela queria me dizer que estava apaixonada pelo Daniel – falou.

Anna franziu a testa e mordeu o lábio.

– Você tem certeza? – perguntou desconfiada.

– Tenho! Tenho, ela chorou, disse que estava na mesma que eu e tudo mais... Como vou encará-lo agora?

– Amanda, você gosta desse garoto! Você precisa contar pra Guiga...

– Eu não vou estragar minha amizade por causa de garotos, Anna. Está decidido.

– Ah, claro! Um dia você sai pra praia com Daniel, diz que o ama e depois dá um pé na bunda sem explicação! – Anna riu. – Você tá maluca? E quando se arrepender? Acha que ele ainda vai estar lá pra você?

– Mas o que eu vou fazer? – Amanda se levantou. – Eu estou confusa...

– Se você quer continuar com ele escondido, ótimo. Faça isso, e não magoe a Guiga. Mas se vai terminar com ele e magoar vocês dois... Isso não é certo.

– Eu imagino que não seja... – Amanda voltou a sentar. – Eu penso nele o tempo todo.

– Eu sei – Anna serviu dois copos de Coca-cola. – Dá pra ver.

– Dá, é? – Amanda sorriu. A amiga concordou. – É só que... Isso me confunde tanto; é tão novo... Apesar de ser velho.

– Eu entendo, por mais que seja sem sentido – Anna deu um gole no refrigerante – Agora... Você deixar de ir ao baile por causa disso...

– Eu não vou, Anna.

– Então, pelo menos liga pro Daniel e chama ele pra sair; aproveita que todo cidadão com cérebro vai estar lá na festa. Quem não gosta de sair num sábado à noite?

– Eu falei com ele... Por mensagem, e ele vai sair com Bruno e Caio.

– Ah é? – Anna ficou confusa. – O que eles vão fazer?

– Por que está interessada? – Amanda riu.

Anna enfiou a cara no copo de Coca e tomou tudo sem parar para respirar.

– Nada – respondeu.

– Bom, ele disse que vai pra casa de um tio do Caio, sei lá. E não me interessa, deixa ele ir...

– Ok. Ok, ok... Você fica em casa, eu fico contigo e a gente assiste algum filme...

– Não precisa ficar por mim e...

– Eu fico – Anna se levantou. – Mas preciso ir ao cabeleireiro e manicure do mesmo jeito! Vamos logo, minhas unhas estão um caco!

As amigas saíram da cozinha. Pela primeira vez, Amanda se pegou achando isso tudo um tanto fútil. Depois parou, olhou à sua volta. Que estranho, teve a impressão de que não queria ir ao salão! Mas essa sensação foi interrompida pelos gritos de Anna, e as duas correram para o shopping mais próximo.

– Ela não veio, Bruno! Ela não veio! – Daniel repetia nervoso no *backstage* do palco.

Rafael e Caio conversavam animadamente com Fred, enquanto Bruno batucava os movimentos da música, ensaiando.

– Ela pode chegar a qualquer minuto... – o amigo tentava acalmá-lo, embora soubesse, no fundo, que Amanda não viria.

– Eu não estou com vontade nenhuma de tocar.

– Êeeepa – Caio disse, levantando-se. – Pode parando, isso é sério. Vamos tocar, vamos arrasar e você nem vai sentir a falta dela.

– A Anna também não veio – Rafael anunciou, espiando pela lateral da cortina do palco. Viu somente as outras três amigas conversando com um grupo de garotos.

– O quê? – Caio quase gritou – Ah, não, que droga...

– Cadê a animação, meu amigo? – Fred sorriu.

Caio fez careta e sentou-se emburrado. Fred pegou no ombro de Daniel.

– Vai lá, dá o seu melhor e depois liga pra ela quando chegar em casa – sussurrou.

Bruno ouviu, mas preferiu ficar quieto. Daniel apenas concordou.

– Certo, vamos logo – Bruno mandou, vendo a hora no relógio.

Fred desejou boa sorte e foi escondido para o meio do público, ouvindo as primeiras notas de *Perto do lago*.

– Vamos levar... *Tartarugas ninjas*? – Amanda sugeriu dentro da locadora. Usava um casaco cinza enorme e um short jeans curto.

Anna fez careta.– Ew, amiga, que gosto pra filmes...

– Hum – Amanda devolveu desapontada o vídeo para a estante –, a gente pode assistir *O pestinha*! É muito bom, Daniel disse que...

– Não. Vamos ver *Legalmente loira*? – Anna disse feliz da vida. Amanda deu de ombros. – Que é? Não está contente?

– Eu já vi.

– E daí? Você também já viu *Tartarugas ninjas* porque eu sei que já... Você me disse.

– É, mas... Ok. Ok, vamos ver *Eurotrip*?

– Ahn? Aquela galera que só se ferra numa viagem e tudo mais?

– É o Matt Damon cantando... – Amanda rolou os olhos.

– De onde está vindo esse gosto estranho, amiga? Se você me pedir pra alugar mais algum filme esquisito, eu vou te mandar pastar e ver *American Pie II* pela décima vez.

– Ok, você escolhe – Amanda riu – Mas *Eurotrip* é muito bom.

– Claro que é – Anna seguiu para o lado de romance da locadora, levando Amanda para longe dos filmes de *nerd*. – Nada como um Ashton Kutcher pra nos fazer feliz num sábado à noite...

– Feliz e com dor de cotovelo – Amanda reclamou.

Daniel saiu do banho e ficou encarando o telefone. Não sabia se ligava para Amanda ou não. Já passava da meia-noite, embora tivesse certeza de que ela não estava dormindo. Ele não conseguia parar de pensar por que ela não foi ao baile. Com quem será que ela tinha saído?

Ele sentou-se na cama do seu quarto enrolado na toalha. Estava pressentindo algo estranho.

– Eu sempre soube... – Bruno falou do lado de fora, e Daniel ouviu. – Hahaha... Não precisa, eu já sabia. Vocês são malandros... O Daniel eu sabia que era... Mas você? Não ria...

Bruno entrou no quarto falando no celular, e Daniel fez uma careta quando viu que era o seu.

– Ok, vou passar pra ele. Menino *sexy*, de toalha sentado na cama. Não, eu estou falando do Daniel mesmo – começou a rir. – Meu amigo é um cara muito *sexy*, viu? Ok, verdade. Eu sou mais. Boa noite, Mandy.

Bruno passou o telefone para Daniel sem dizer nada, saindo do quarto. Daniel encarou o celular por um tempo, respirou fundo e atendeu.

– Oi.

– Não está de bom humor, né? – Amanda perguntou.

– Não muito... Estou cansado.

– Sei... Aprontaram muito, não é? – ela riu. – Daniel? Você tem *Os caça fantasmas* na sua casa?

– Tenho. Por quê? – se deitou na cama olhando para o teto.

– Hum... E quem está aí com você?

– Bom – voltou a se sentar –, o Bruno está indo embora e o Caio vai dormir aqui... Por quê?

– Hum... Ótimo. Melhor que o previsto...

– Ok, não estou entendendo...– ele riu curioso.

– Será que eu e Anna podemos ir aí ver o filme? – ela quis saber e, de repente, o sorriso de Daniel ficou maior que seu rosto. – Ah, Anna, não enche, a gente vai sim! Ele tá sozinho lá... Não, não, sem o Caio.

– Mas o Caio tá...

– Shhhh, Daniel – ela riu alto. – Então... Podemos?

– Claro! Claro que podem, claro! Nem precisava perguntar, fofa – ele se levantou correndo e o celular caiu quando tentou trocar de roupa. – Alô? Ah, você está aí.

– Em quanto tempo podemos ir praí?

– Agora! Nesse instante, o momento que você quiser... – ele falou rápido. – Ai droga...

– Que foi? – perguntou a menina.

– Nada, eu descobri que não consigo vestir a cueca e segurar a toalha falando no telefone, besteira minha...

– Eu não precisava saber disso... Mas tudo bem, vemos vocês em dez minutos?

– Cinco.

– Ok, beijos.

– Beijos.

Ele desligou. Sentou na cama, finalmente de cueca, e sorriu abobalhado. De repente, levantou-se correndo, descendo as escadas com as calças na mão.

– Caio! Caio! Caio!

– Barata de novo, Marques? – perguntou Caio, comendo Pringles sentado no sofá, já com a roupa do show trocada por calça jeans e uma camisa do Foo Fighters..

– Cadê o Bruno?

– No banheiro – Caio apontou. – Por que está quase sem roupa, cara?

– Anna e Amanda estão vindo pra cá em cinco minutos – respondeu. Caio engasgou com o salgadinho e não parou de tossir.

– Mas, hein? Você ficou maluco?

– Não! Não! Ela me ligou... E... E disse que quer ver *Os caça-fantasmas*.

– Ahhhhhh meu filme predileto! – Caio ergueu os braços.

Bruno começou a rir quando saiu do banheiro.

– Ainda bem que não vim dormir aqui, odiaria estragar a noite de vocês – ele pegou a chave do carro. – Comportem-se, usem camisinha e, Danny, se você magoar a Amanda eu quebro a sua cara.

– Não vai precisar disso, meu amigo – Daniel fez uma careta. – Credo.

– Ok, err... – Caio se levantou. – Vou colocar pizzas no forno.

– E eu vou ligar pro supermercado 24h pra pedir papel higiênico e... Coca-Cola.

Daniel pegou o telefone correndo. Bruno ficou observando os dois amigos e riu com a cena. Eram dois apaixonados. Que besteira.

Vinte minutos depois, estavam os quatro sentados no sofá, assistindo ao filme. Caio e Amanda pareciam os que mais se divertiam – se esbaldaram com as músicas principais –, enquanto Daniel e Anna estavam tensos.

– Vou ao banheiro – Anna disse, levantando-se. Caio parou o filme. – Onde fica? – ela perguntou, rindo.

– Mostra lá pra ela, Caio, estou com preguiça de levantar.

Daniel deu a desculpa para ficar sozinho com Amanda. Desde sua chegada, eles nem ao menos haviam trocado olhares. Só se cumprimentaram com dois beijinhos, e passaram o filme todo com Caio entre os dois no sofá.

– Ele vai com tanta vontade. – Amanda riu, vendo os dois subirem as escadas, e olhou para Daniel. – Como você está?

– Com saudades – ele sussurrou.

Ela sorriu, aproximando-se um pouco dele. Tinha medo de que algum dos dois aparecesse de repente, e isso deixava uma certa tensão no ar.

– Corre, vem aqui – Daniel puxou a garota.

Amanda começou a rir, sentindo os braços em volta de sua cintura. Daniel olhou bem para ela e a beijou nos lábios. Como sentia falta disso. O beijo foi rápido porque ouviram o barulho de passos na escada. Amanda voltou à posição inicial e Daniel passou a mão rápido pela boca.

– Sua casa é linda, Daniel – Anna elogiou, ao descer as escadas com um Caio muito contente atrás dela.

– Obrigado. Minha mãe é fã daquelas revistas de decoração – Daniel respondeu meio nervoso, cruzando e descruzando as pernas. – Querem beber algo?

– Eu quero – Amanda confirmou.

– Eu também – Caio falou.

– Tudo bem, eu vou pegar... – Daniel chamou Amanda. – Me ajuda? Eu só tenho duas mãos...

Ela se levantou. Caio e Anna voltaram a se sentar no sofá, enquanto os outros dois corriam para a cozinha.

– Vocês só gostam desses filmes estranhos? – Anna perguntou e Caio riu, começando uma conversa animada sobre cinema.

– Ai, meu Deus... – Daniel segurou Amanda pela cintura, fora da vista dos amigos, e os dois começaram a se beijar, abraçados.

– Temos que voltar logo... – ela beijou o queixo do menino por fim.

Ele concordou e pegou uma garrafa de refrigerante na geladeira. Ela apanhou os copos e, logo, estavam de volta ao sofá.

– A pizza já vai ficar pronta – Daniel tinha as bochechas coradas.

Anna percebeu, olhou para a amiga e riu.

– Adoro pizza – falou sem perceber.

– Err... Vamos continuar? Filme? – Amanda disse.

Todos concordaram e deram *play* no ponto em que pararam.

– Olha que nervoso... Eles engolem os fantasmas pra dentro desses aspiradores – Anna comentou, fazendo Caio rir.

– Essa é a ideia... – Daniel balançou a cabeça.

– É totalmente falso, você sabe que não vai aspirar ninguém com isso! – Anna continuou.

– Bom, eu também sei que é falso alguém casar com Freddie Prinze Jr. e mesmo assim eu assisto quinhentas vezes *Ela é demais*, feliz da vida – Amanda entrou na discussão.

Anna olhou surpresa para ela, pois esperava apoio, e deu de ombros.

– Ok, beleza, estou dividindo a sala com três *nerds*... Uma que acaba de se rebelar – todos riram. – Mas eu não me conformo com o aspirador!

– *Beleza americana* – Caio disse – é muito bonito.

– *Eurotrip*, cara! Toda a viagem, as confusões... – Daniel coçou a cabeça. – O Scotty só se ferra!

– Hum... – Amanda bebeu um gole do refrigerante. – Ainda prefiro *A fantástica fábrica de chocolate*.

– Jura? – Daniel sorriu. – Eu gosto muito também, mas prefiro a versão antiga...

– Hello, Johnny Depp! – Amanda pareceu inconformada.

– Eu fico com *American Pie* – Anna escolheu.

– Bom filme, divertido... – Caio concordou.

Ele não percebeu, mas Amanda e Daniel não paravam de se olhar. Anna sentiu um clima estranho na sala.

– Hum... Caio? – ela chamou. – Vamos ver se a pizza está pronta? Eles foram pegar a Coca, e a gente traz a pizza... Certo?

Daniel e Amanda concordaram fervorosamente. Anna se levantou com Caio na sua cola, e os dois foram para a cozinha.

– Adorei sua amiga, achei que ela fosse muito pior... – Daniel disse, sentando-se ao lado de Amanda. A garota beijou os lábios dele.

– Ela é quase que nem eu...

– Hum-hum – ele negou, sem descolar os lábios. – Ela consegue ser mais metida.

– Que absurdo – Amanda riu, mas fez careta porque o som saiu alto.

– Algum dos dois quer *ketchup*? – Caio gritou.

Amanda e Daniel responderam que não. Voltaram a se olhar.

– Você não parecia bem, mais cedo – ele disse.

– E não estava – Amanda mordeu os lábios, passando as mãos pelos cabelos dele. – Isso tudo me deixa confusa porque... Eu sinto muito a sua falta. – Ela se enrolou e beijou-lhe o rosto de leve. O menino fechou os olhos. – Mas ao mesmo tempo eu não sei se estou fazendo tudo direito.

– Não tem nada de errado em duas pessoas que se gostam ficarem juntas, fofa. Eu não consigo entender.

– É muito difícil, Danny. Você precisa ter paciência se quiser ficar comigo.

Ela falou ficando momentaneamente triste. Ele levantou seu rosto com os dedos e beijou a ponta do nariz da garota.

– Eu tenho toda paciência do mundo... Mas só queria entender.

– Pizzaaaaa – Anna deu um berro da cozinha, fazendo Daniel pular para o outro lado do sofá.

– Não precisa gritar desse jeito – Caio falou rindo.

Anna ignorou o aviso, entregando os pratos e voltando a se sentar, mas percebeu que os dois garotos no sofá estavam vermelhos e sorridentes.

trinta e sete

A semana passou voando. Amanda e Daniel continuaram se encontrando às escondidas. Fingiam que não se suportavam na frente de todos no colégio, mas, assim que podiam, namoravam em segredo. Na teoria, era até divertido, dava mais emoção e, a cada encontro, eles estavam se desejando mais, tanto um quanto o outro. Daniel, porém, não conseguia compreender as atitudes de Amanda, e ela ainda não tinha descoberto uma maneira de lidar com os problemas que a impediam de assumir a relação.

Já era sexta-feira. E todos os dias daquela semana, Amanda escutou Guiga dizer, triste, que gostava de alguém que não devia. Na verdade, isso parecia não sumir; ela aguentou Carol reclamando de Bruno – estava cada dia pior – ou Maya e Anna sempre tentando esconder dos outros que achavam os marotos divertidos. Tudo à sua volta parecia estranho. Amanda não tinha mais as mesmas vontades, começava a sair menos de casa e achava fútil alguns tipos de conversa, que antes adorava ter com suas amigas.

No intervalo, as garotas estavam andando pelo pátio do colégio cheio, atraindo milhares de olhares, como sempre. O chão, sempre bem lustrado, parecia turvo de tantos sapatos. Maya abriu os braços e, sem querer, esbarrou em alguém.

– Ai, desculpe-me – pediu se virando.

Um rapaz loiro e bastante charmoso sorriu para ela.

– Finalmente uma ocasião pra falar com vocês – ele respondeu galante.

As cinco se entreolharam.

– Err... Perdoe-nos, mas estamos atrasadas pra... O lanche – Carol disse, mas um garoto moreno entrou na frente dela.

– Não precisam fugir. – Ele estendeu a mão. – Antônio.

– Carol – ela disse sem graça.

Ele tinha um sorriso enorme e era uma gracinha.

– Meu nome é Nicolas, mas podem me chamar de Nick, esses são André, Kevin, Breno, e o Ant que já se apresentou – o garoto loiro riu.

Amanda e Anna olharam para os garotos, que pareciam ter nomes de integrantes de *boyband*. Como nunca tinham reparado neles antes?

Ah, claro que tinham, Amanda se lembrou. Suas amigas estavam comentando sobre a beleza de alguns deles outro dia, na entrada da escola. Mas ela não se recordava de serem tão charmosos.

Olhou para os lados e viu que tinha bastante gente prestando atenção neles. Era como se os populares tivessem finalmente se encontrado, e era uma diversão e tanto para o resto da escola ficar admirando.

Amanda viu Albert passar com Michel do outro lado do pátio, olhando para ela com um ar irônico, mas não se importou. Virou-se para o rapaz de cabelos negros e olhos claros, sorridente na sua frente, estendendo a mão. Ele virou a cabeça de lado, como se analisasse a menina, e estendeu a sua própria.

– Prazer, Amanda.

– Kevin – ele falou.

Os dois sorriram como se escondessem algum segredo.

– Já vimos vocês andando com um dos perdedores daqui – um dos garotos disse. – Ele é da nossa sala, queremos apenas avisar que o garoto é completamente doido.

– Hum... Qual seu nome mesmo? – Guiga perguntou.

– Breno.

– Certo, Breno. Perdedor? Pode nos mostrar qual? Pois, sinceramente, o que mais temos nesse colégio são perdedores.

Todos riram. Amanda viu Daniel se aproximar com os outros marotos. Fred e ele estavam com um chapéu feito de papel, enquanto Bruno, Caio e Rafael se divertiam com a cara dois.

– Belas pernas – Fred disse quando passou por Guiga.

Ela ficou vermelha. Carol rolou os olhos evitando Bruno. Anna mirou o chão, assim como Maya, para não ter que fingir que não os conheciam, e Amanda fechou a cara, olhando para Daniel.

Os cinco passaram reto, mas Daniel não tirou os olhos dela. Estavam com os populares do último ano. Sabia que isso iria acontecer algum dia!

– Deixa de ciúmes, cara – Fred deu um tapa no braço de Daniel. – Eles são tão redondos que enxergam apenas um metro diante deles.

— Meu medo é justamente esse – Daniel olhou e viu Amanda rindo ao lado de um dos garotos. – Ela estar a menos de um metro de algum deles.

— Então – André se aproximou de Anna. – Esse aí é quem o Breno disse.

— Abusado – Breno falou franzindo a testa. – Ele passa e insulta a... Qual seu nome?

— Guiga – disse a menina.

— Pois é! Vê se pode! – Guiga não sabia se considerava um insulto, mas não disse nada.

— Enfim... Vocês são da sala do... Fred? – Amanda quis saber, curiosa.

— Esse é o nome do infeliz? – Ant perguntou rindo. Kevin sorria. – Bom saber.

— Ele uma vez conseguiu colar da minha prova a metros de distância! Quando eu digo que eles treinam pra isso, não estou mentindo – Nick comentou.

— Ok, podemos mudar de assunto? – Anna perguntou. – Não é legal falar dos... perdedores, sem eles estarem aqui pra se defender.

— Podemos lanchar com vocês? – Kevin sugeriu.

Maya concordou e as cinco foram seguindo os rapazes para uma mesa no pátio.

— Eu gostei muito deles – Amanda disse na saída da aula. Anna concordou.

— Apesar de serem um pouco cheios de si.

— Claro, uma dose de autoconfiança não faz mal a ninguém – Carol falou, rindo. – E, como eu disse, eles são bonitos.

— Um dos morenos é lindo – Maya comentou.

— São bonitinhos mesmo... – Amanda concordou.

— Parecem uma *boyband* – Guiga disse o que todas estavam pensando. – É sério, eles andam iguais, todos com as franjas do cabelo no rosto... Aquele jeito sorridente de conquistador, e o perfume de quem acabou de sair do banho!

— Eu nunca cheirei um cara de *boyband* – Amanda brincou e todas riram. – Mas, se eles começassem a cantar Westlife ou Backstreet Boys, eu iria achar realmente que fariam sucesso.

— Quem sabe num futuro próximo? – Anna perguntou.

– Quem sabe... – Carol disse rindo, enquanto cada uma andava para sua casa, já que ninguém estava de carro.

Amanda jogou a bolsa na cama e começou a tirar os sapatos, pensando em tomar um bom banho quente. Cantarolava *Quero te abraçar* baixinho quando o celular tocou. Atendeu correndo, achando que fosse Daniel.

– Alô?

– Amiga? – era Guiga. – Eu estou confusa.

– O que houve? – perguntou meio preocupada. Não ia aguentar ouvir Guiga mais uma vez falando de Daniel para ela.

– Eu acho... Bem, eu tenho quase certeza... De que... Ele... Sabe quem, né? – Amanda concordou. – Gosta de mim também.

– Hum, ahn? – Amanda sentiu as mãos geladas. – Mas... Você tem certeza?

– Tenho. Quase, né? Carol disse que ele olha pra mim diferente...

– Olha? – Amanda começou a ficar tonta.

– Nunca percebeu? Eu também não tinha, mas pensando bem... Eu não sei, amiga, será que eu falo com ele?

– Bom – Amanda se levantou e andou pelo quarto. Os joelhos estavam tremendo e sentia um gelo esquisito no estômago. – Err... Você quem sabe.

– E se ele disser que gosta de outra? – Guiga pareceu chorosa.

– É uma possibilidade, sempre é...

– Eu não iria aguentar... De vergonha, inclusive! Não, por enquanto, melhor ficar só na expectativa e nos olhares e tudo mais...

– Verdade.

Amanda sentiu vontade súbita de chorar; não sabia o motivo. Era mesmo chorona.

– Mas, amigaaa... Quem são aqueles meninos de hoje, hein? Tempos que não tínhamos um intervalo tão divertido! – Guiga riu.

Amanda sorriu, achando que o melhor era mesmo as duas mudarem de assunto.

– É verdade... Se bem que eu achei alguma coisa estranha naquele Kevin.

– E se aqueles caras levarem elas pra sair? – Daniel perguntou.

Bruno bufou, olhando para cima, enquanto Rafael e Caio disputavam uma queda de braço.

– Cara, não esquenta a cabeça agora! Além do mais, acho que todos são... Sei lá, não gostam de mulheres da mesma forma que a gente – Bruno piscou.

– Isso é verdade – Caio concordou rindo.

– Não, claro que não é! Se não gostassem, não estariam tããão interessados – Daniel mexeu com as mãos nervosamente.

– Presta atenção, Marques – Bruno segurou o amigo pela cabeça –, seu pateta. Eu sei que você está apaixonado pela Mandy e sei que ela está apaixonada por você também.

Ouviram um barulho de algo batendo na mesa, e Rafael virou-se para eles assustados. Daniel fechou os olhos.

– Ela o quê? – Rafael perguntou.

– Vocês são um bando de burros – Bruno mandou ver –, se não perceberam ainda que o Daniel aqui está saindo com a Amanda já faz tempo!

– Você o quê? Cara, que legal isso! – Rafael vibrou.

– Putz, você me machucou – Caio reclamou, massageando a mão, e olhou para Daniel. – Eu já sabia. Não sou tonto, apesar de parecer. Aquele dia na sua casa foi realmente legal ver como vocês disfarçavam mal pra caramba.

– Ahn? – Daniel olhou para ele. – Tratante, você estava fingindo o tempo todo?

– Não fale de tratante aqui, você nos deixou de fora! – Rafael brigou. – Conta! Como que é estar com alguém tão popular?

– Ah, cala a boca, Rafa! – Bruno chutou a cadeira dele.

– A Amanda é uma das garotas mais confusas que eu já conheci na vida – Daniel balançou a cabeça, embaralhando o cabelo. – E a mais perfeita também.

– Ewwww – Rafael enfiou o dedo dentro da boca, fingindo vômito. – Você está apaixonado!

– Não, imagina! – Caio riu. – E olha quem está falando...

– Eu estou apenas admirado pela beleza do meu docinho...

– Certo, Rafael, certo. – Bruno gargalhou, e olhou para Daniel de novo. – Sabemos então que ambos estão apaixonados e que são idiotas o suficiente pra tentarem esconder de todos. Funciona, realmente, ela sabe esconder bem que gosta de você. Mas pra mim não, ela nunca vai conseguir esconder uma dor de barriga sequer!

Bruno riu, sentando no sofá. Daniel tentou arrumar os cabelos de volta.

– Ela diz que não pode ser vista comigo, que as amigas não podem saber, que NINGUÉM pode saber...

– Ihhh cai fora, cara – Rafael aconselhou.

– Claro que não! A menina deve estar confusa, poxa – Caio disse. – Seguinte, eu conheço um pouco dela. Ela sempre foi esquisita.

– Verdade – Bruno concordou rindo. – Desde pequena ela chora por nada e, depois de séculos, acaba se abrindo.

– Ela está acostumada com a popularidade e com a beleza – Caio continuou. – E do nada aparece um cara feio que nem você, perdedor, despopular ao quadrado, se é que existe essa palavra, e cheio de amor pra dar. Ela se apavora!

– Eu não sou tão feio assim – Daniel deu mais uma ajeitada no cabelo.

– Claro que não, mas aqueles meninos são mais bonitos – Rafael disse e Daniel acertou uma das almofadas nele.

– Dê tempo ao tempo, mas não se faça de babaca – Bruno opinou, mostrando uma expressão fechada. – Ser babaca é infernal, é terrível e dói demais. Experiência própria. Você precisa se impor, e impor seus limites! Não é porque é a Amanda que vou te dizer pra ser cachorrinho dela. Eu gosto muito daquela pequena, mas não deixe isso virar abuso.

– O velho caso das gostosonas que pegam os jardineiros somente pra sexo – Rafael zombou, e todos riram.

– No nosso caso, sem sexo meu amigo – Daniel disse.

Caio mostrou a língua.

– Vocês têm dezesseis anos, Danny! Cai na real, a garota está no auge da puberdade.

– Olha quem fala – Fred entrou na discussão, chegando à casa de Bruno com um bolo nas mãos.

– Cara, você trouxe... – Daniel se mostrou incrédulo.

– Marques, meu caro, eu estou feliz. Acho que estou conseguindo conquistar a garota dos meus sonhos.

Ele colocou o bolo na mesinha do centro da sala. No mesmo instante, Caio e Rafael se levantaram correndo para pegar um pedaço, mas Rafael levou um tranco, caindo no chão.

– Explique-se melhor, garanhão – Bruno piscou.

– Acho que a Guiga já sabe que eu gosto dela, caras. E isso é motivo pra Jaffa's Cake!

Amanda foi andando para a casa de Anna, três quarteirões distante da sua. Não estava escuro ainda, ela podia ir sossegada. Não gostava de andar à noite sozinha, embora a cidade fosse segura e todos ali se conhecessem. Colocou as mãos dentro do bolso do casaco vermelho, quando começou a esfriar mais, e cantarolava uma música da Christina Aguilera.

– *I am beautiful no matter what they say...*

Ouviu uma buzina e olhou para trás. Era Albert e João Pedro.

– Boa noite – ele cumprimentou parando o carro ao lado dela. Amanda continuou a andar. – Não seja mal-educada...

– Por que não, se eu realmente sou? – ela riu sem olhar para ele. – Vai cuidar da sua vida.

– Ok, não precisa se exaltar – ele acompanhou o caminho da garota com o carro em marcha lenta.

JP estava se olhando no espelho retrovisor e arrumando o cabelo.

– Queria me desculpar por aquele dia. É que me irritou muito a ideia de te ver com aquele perdedor miserável.

– De qual você está falando, Albert? – ela perguntou ainda sem encará-lo, mas sabia que ele estava furioso.

– Você sabe de quem estou falando – disse. – Mas estou disposto a fazer as pazes, sabe? Sou um cara do bem.

Amanda enfim olhou para ele.

– Albert, cai fora... Você não me convence, mas obrigada por tentar.

– Certo, certo, ok. Não quero brigar. Eu vou embora. Mas se fosse você não andava sozinha a essa hora – ele acelerou o carro cantando pneu.

– Eu sei me cuidar, boa-noite – Amanda resmungou.

Viu o carro dele dobrar a esquina e balançou a cabeça. Não podia acreditar na cara de pau de Albert de ainda vir falar com ela. E de insultar Daniel. Mas... Como ele podia saber de algo? Será que ele contara algo sobre os dois? Mas Daniel tinha prometido segredo.

Tudo estava tão confuso. Ela se sentia perdida e, ao mesmo tempo, sabia que não estava fazendo nada errado. Olhou para o lado e viu a lanchonete aberta. Não faria mal parar e tomar um sorvete.

– Vamos ter que comprar outro – Bruno fechou a geladeira. – Eu vou até a lanchonete; quem vai comigo?

– Eu – Daniel disse cheio de torta na boca –, eu vou.

– Certo, vamos logo então.

E os dois saíram de casa pra comprar refrigerante.

– Boa-noite?

Amanda sentiu um toque no ombro quando estava em pé perto do caixa escolhendo o sabor do sorvete. Tomou um leve susto ao se deparar com um rapaz moreno, branco e magrelo. Os cabelos bem penteados de lado e uma blusa de manga comprida azul-marinho.

– Boa-noite, Kevin – ela o cumprimentou com dois beijinhos. – O que faz por aqui?

– Meu pai é dono daqui – ele pareceu envergonhado.

– Sério? – ela arregalou os olhos. – Que máximo, eu sempre venho aqui e nunca vi você.

– Estou sendo obrigado a ajudar nas coisas de um tempinho pra cá. Algo como ter mais responsabilidade e decidir o que fazer com meu futuro.

Amanda ainda estava com o menu nas mãos.

– O que vai querer? – ele foi para trás do balcão rindo.

Ela se apoiou com os cotovelos, olhando as imensas latas de caldas de todos os sabores.

– Ai, dúvida tão cruel! Escolhe pra mim.

– Ótimo, vou fazer pra você o sorvete mega-ultra-especial do Kev, que é quase MEU sorvete especial – ele brincou.

Vestiu o avental verde de listras brancas. Amanda ficou apoiada na imensa bancada vermelha admirando a enorme cozinha de doces que tinha ali atrás. A lanchonete não estava cheia, mas tinha gente suficiente para um atendimento tranquilo.

– Primeiro, tome um pouco disso! Se eu disser o que é, você não vai querer provar – ele empurrou-lhe um copo com um líquido de cor estranha.

Amanda sentou-se no banquinho.

– Eu normalmente não tomaria nada verde com bolhas, mas... – ela bebeu um gole. Sorriu abertamente. – Que delícia! O que é?

– Suco de clorofila! Acredita? Parece que é nova moda no norte do mundo... Por aí, lá pelos lugares não tropicais – Kevin riu com um enorme pote de sorvete nas mãos.

– Kevin! Eu não vou conseguir comer tudo isso sozinha! – ela protestou, enquanto ele continuava a encher a taça.

– Eu te ajudo. Além do mais, é por conta da casa, já que é a primeira vez que estou atendendo alguém – ele deu uma piscadinha e despejou a calda de chocolate e caramelo.

A garota mal podia acreditar naquilo.

– Você vai falir seu pai – ela riu. – E lá se vai meu esforço de tentar comer menos!

Ela pegou uma colher das mãos dele. Kevin provou um pouco e sorriu.

– Delicioso, como eu previ! Eu sou um gênio.

Ele tirou o avental, indo para o lado dela, do outro lado do balcão. A garota sorriu quando ele se sentou no banco e começou a tomar o sorvete. Ela provou e mal pôde acreditar. Era realmente delicioso.

– Ei, o que você pretende fazer depois da escola? Trabalhar aqui? – perguntou.

– Vou me mudar. Pra Paris, quem sabe.

– Que ótimo!

– Quando eu montar minha sorveteria por lá, você pode ir me visitar. Ele sorriu. Ela bebeu um gole do suco verde.

– Claro que vou! Mas só se for pra ganhar sorvetes como esse de graça.

Os dois riram. Amanda percebeu que ele parecia muito à vontade ao seu lado e sentiu-se tratada como uma melhor amiga. E eles se conheciam há menos de 24 horas! Ela também estava se divertindo, achando Kevin um garoto engraçado.

E totalmente lindo.

– E dá total vontade de fazer aquele riff, mas você sabe como é... – Daniel ia comentando com Bruno sobre música enquanto andavam até a lanchonete.

– Sei, sei... Eu não entendo coisa nenhuma de riff.

De repente, Bruno parou de andar ao avistar Amanda pela enorme janela de vidro da lanchonete sentada com um dos caras do colégio, tomando sorvete e parecendo se divertir muito. Parou Daniel virando-o de costas.

– Que foi, cara? – Daniel perguntou sem entender nada.

– Err... – Bruno olhava para a janela e para ele. – Não acha melhor irmos em outro lugar?

– Do nada Bruno? Mas estamos na frente da lanchonete... – ele tentou se virar, mas Bruno não deixou.

– É melhor... Voltarmos, Danny. Vamos?

SÁBADO À NOITE

– Não! Que está havendo, cara? Qual problema? – o garoto ficou irritado e se virou bruscamente olhando a cena pela janela. Ficou parado.

– Ops – Bruno disse. – Não tinha visto ela ali.

– Claro que não... – Daniel bufou desgostoso. – Mas por que não entramos e compramos a droga do refrigerante do mesmo jeito?

Sem esperar uma resposta, saiu andando em direção à entrada da loja. Bruno o seguiu.

– Eles nem devem estar se divertindo, cara...

– Ah é, estão rindo de brincadeira – a voz era só ironia. – Deixa disso, Bruno. Eu sei me cuidar.

Empurrou a porta, fazendo barulho por causa do sininho preso no batente. Algumas pessoas olharam, outras continuaram a conversar. Amanda e Kevin estavam tão entretidos com o sorvete que não notaram alguma coisa.

– Err... Pode nos dar quatro refrigerantes enormes rápido. Quatro não, cinco! – Bruno pediu no balcão.

Daniel estava olhando para Amanda com a cara emburrada. O que ela fazia ali, se divertindo com Kevin?

– Não olha pra trás agora, mas aqueles garotos esquisitos estão olhando pra gente – Kevin sussurrou.

– Que garotos esquisitos?

Ela se virou e deu de cara com Daniel e Bruno, encostados no balcão perto do caixa. Daniel olhava para os pés e, de vez em quando, levantava o rosto para encará-la. Bruno prestava atenção nos dois. Amanda arregalou os olhos e se virou para Kevin.

– Viu? Eles assustam, não assustam? Olha a manga da camisa daquele garoto... E a calça rasgada? – Kevin fez careta.

– Eles estão olhando ainda? – ela perguntou.

Kevin fez que sim.

– Vamos dar um jeito nisso.

Ele pegou na mão dela, levantando-se e andando até os dois. Amanda até tentou impedir, mas não deu; já era tarde demais. Quando percebeu, estava ao lado de Kevin, encarando Daniel e Bruno.

– Boa-noite, querem alguma ajuda? – ele apontou para o crachá de gerente no peito.

Daniel mediu o garoto. Bruno não tirava o olho de Amanda, que mirava o teto.

– Não, obrigado – Daniel fingiu simpatia. – Já fomos atendidos.

– Vocês são lá da escola, não são? Viu Amanda, eu disse que eles eram – Kevin piscou para ela.

Amanda sorriu sem graça.

– É, você disse.

– Boa-noite... Amanda. – Daniel sorriu para ela e leu com dificuldade o crachá do gerente. – Você é... Kevin, Kevin Mc... McDaid?

– Ah, sim, a família do meu pai é inglesa. Muito prazer – o garoto estendeu a mão.

– Daniel.

– Bruno – os dois se cumprimentaram.

– E essa é Amanda, se vocês não conhecem – ele mostrou a garota.

– Conhecemos – Daniel riu. – Quem não conhece?

Bruno riu também com a expressão de desespero dela.

– É verdade – Kevin sorriu.

– Sua namorada? – Daniel perguntou.

Kevin ficou vermelho e Amanda abriu a boca sem saber o que falar.

– Não! – ela quase gritou e depois deu um riso abafado. – Acabamos de nos conhecer.

– Verdade – Kevin falou rapidamente – Eu... Err... Já volto. Vou pegar algo pra você levar pra casa.

Ele olhou para Amanda, que concordou. Saiu de perto, indo para trás do balcão e sumindo por uma portinha.

– Acho que ele não gostou de parecer seu namorado – Bruno zombou.

Amanda cruzou os braços e fechou a cara.

– Muito engraçado, vocês dois.

– Vai ver é porque ele não gosta de mulheres – Daniel analisou.

– Claro que ele gosta... Espero que não duvidem – ela deu meia-volta e voltou a se sentar onde estava tomando seu sorvete.

Daniel olhou para Bruno e os dois foram atrás dela.

– O que faz aqui? – Daniel quis saber.

– Tomando sorvete, não estão vendo? – disse um pouco mais alto.

Algumas garotas que passaram sorriram para ela.

– Hum – Bruno olhou para os lados com uma expressão séria, fazendo todos voltarem a encarar seus próprios doces. – Estava se divertindo demais.

– Ciúmes, Bruno? Ah, por favor... – ela riu. – Kevin é meu amigo!

– Eu vi – Daniel mostrou ciúme.

Ela sorriu porque achou isso incrivelmente fofo. Tentou voltar a ficar emburrada, mas não conseguiu e ele percebeu.

– Licença – pegou a colher dela, provando o sorvete – Bom.

– Deixa eu ver – Bruno fez o mesmo.

– Ei! – ela protestou tentando não rir, ao ver os dois sujos de sorvete em volta da boca.

– Até mais tarde – Daniel sussurrou e saiu da lanchonete com duas garrafas de Coca-Cola nas mãos. Bruno acenou e foi logo atrás dele com outros três refrigerantes na sacola.

Amanda ficou observando-os pelo grande fachada de vidro até que sumissem na esquina. Kevin sentou-se ao lado dela de novo.

– Engraçados esses dois.

– Eles são... *Nerds*, porém engraçados.

– Desculpe ter saído correndo... Mas eu fico muito vermelho quando sinto vergonha...

– Ah, sem problemas – ela deu de ombros. – Acho que daqui a pouco estou indo. Está ficando tarde...

– Tudo bem, eu levo você de carro depois.

– Acho que vou pra casa da Anna – disse sorrindo.

– Eu te levo mesmo assim, tô cansado de olhar pra tanto sorvete.

A cabeça de Amanda seguia cada vez mais confusa. Esconder de todos o que sentia por Daniel estava ficando muito mais difícil do que imaginara, mas ela não conseguia fazer de outra forma. Além do mais, tinha que resolver o problema com a Guiga. Ai, era tanta coisa que ela só queria passar alguns minutos aproveitando um sorvete grátis e a companhia de alguém tão legal e simpático quanto Kevin.

trinta e oito

– Ela gosta dele.

– Cala a boca.

– Ela... Ficava rindo e passando a mão no cabelo.

– E como você sabe que ela gosta dele por causa disso? – Bruno olhou para Daniel.

– Porque ela faz isso comigo! – ele apontou para o próprio peito com uma expressão de desespero.

– Coisas da sua cabeça.

– E se ele não for *gay*? E se... Gostar dela e tal?

– Se ela ficar com aquele *playboy* eu paro de falar com ela – Bruno disse tranquilo.

– Isso não ia ME ajudar!

– Não seja egoísta... – Bruno riu.

– Não estou sendo! Saco, estou parecendo um babaca, não é? Quero dizer, nem somos namorados nem nada...

– Verdade.

– E talvez ela nem esteja tão apaixonada por mim assim.

– Tudo pode ser verdade – Bruno pareceu distraído.

– E, bom... E se eu não gostar tanto dela assim? Pode ser ilusão, uma paixão passageira...

– Você está sendo idiota, Daniel. Cala a boca.

– Sério... E se não for tudo, tuuudo sobre ela? Tipo, minha vida não se resume a ela!

– Claro que não, se resume a alguns amigos perdedores, um instrumento e... Hum... Acho que só.

– Você não está ajudando.

– E nem poderia! Cara, fica tranquilo, me escuta, ok? Liga pra ela mais tarde, vá encontrá-la, se beijem, se amassem e depois você vem discutir isso comigo de novo.

– Bruno, você é um imbecil – Daniel deu um soco no braço do amigo –, mas obrigado.

– De nada, você também é.

Os dois riram, entrando em casa.

– Amiga, acho que seu celular está tocando.

– Não está.

Ficaram mais uns minutos em frente à TV. Estavam assistindo *Todo mundo em pânico* e realmente achavam graça nas piadas infames americanas.

– Quer fazer mais pipoca? – Anna perguntou.

– Não. Acho que já me empanturrei.

– Amaaaanda – Anna bateu de leve na cabeça dela. – Seu celular está tocando!

– Ahhh, céus – a garota se levantou correndo e desatou a procurar pelo celular dentro da bolsa. Alguns segundos depois, atendeu com pressa. – Alô?

– Atrapalhei algo? – Daniel perguntou.

Ela respirou fundo e se jogou ao lado de Anna no sofá.

– Não... Não; estou vendo filme com a Anna.

– Ah... Achei que estava na sorveteria ainda.

– Não seja besta – ela riu. – Kevin me trouxe aqui – olhou para Anna, que estava rindo.

– Entendo.

Os dois permaneceram em silêncio.

– Você não me ligou pra ouvir minha respiração, ligou?

– Eu poderia ter ligado, e daí? Mas não... Posso te pegar pra gente fazer alguma coisa?

– Hum...

Amanda olhou para Anna. Sentiu o estômago doer de nervoso e os joelhos ficarem moles, o que sempre acontecia com a menção de encontrar Daniel.

– Você pode não querer sair também, claro.

Daniel não queria dar bandeira, mas estava nervoso. E se ela realmente não quisesse?

– Eu não disse que não quero!

Anna levantou o dedão em sinal positivo, dando força para Amanda.

– Ah, ok! Pode passar aqui... Que horas?

Babi Dewet

– São quase onze, linda... Posso passar agora?

– Agora? – ela olhou para Anna de novo. – Pode, pode!

Tentou não parecer desesperada e sorriu. Nervosa, desligou o telefone.

– Por que você parece agitada?

– Porque sempre fico assim quando falo com ele – Amanda riu sem graça, segurando os joelhos.

– Que bonitinho... Vamos terminar de ver o filme.

Anna voltou-se para TV, mas os pensamentos de Amanda estavam em outro lugar.

– Daniel... Você vai sair agora? – Caio perguntou.

– Ele vai me deixar em casa – Rafael pegou a mochila.

– E vou encontrar a Amanda – Daniel riu.

Bruno e Fred aplaudiram.

– Mas a essa hora? – Fred questionou.

– Ué, hoje é sexta-feira e amanhã não tem aula. Além do mais, qualquer hora que ela quiser me ver, eu topo! – sorriu vendo Rafael fazer um coração com as mãos.

O telefone da casa de Bruno começou a tocar.

– Atende logo, cara, odeio telefone tocando – Caio mandou.

Daniel largou as chaves do carro em cima da mesinha, pegando o aparelho.

– Ele está demorando – Amanda mexeu no cabelo, ansiosa.

– Vou fazer brigadeiro.

– Eu vou ligar pra ele...

– Fica calma! Se acontecer algo, ele liga! Deve estar de papo com os marotos e acabou perdendo a hora.

– Ele parecia doido pra me ver – Amanda ficou emburrada.

Olhou para o relógio e depois para a televisão com o filme pausado. Ouviu então uma buzina.

– Ah... Não disse – Anna riu da cozinha, enquanto Amanda colocou o casaco correndo e bateu a porta da casa.

Daniel estava do lado de fora do carro, de cabeça baixa, com um casaco de moletom, com uma enorme estrela desenhada, e as mãos dentro dos bolsos da calça jeans. Olhava para o All Star preto encardido, encostado na lataria do carro e brincando com a terra no chão. Amanda fechou seu moletom e foi até ele.

– Você não parece bem...

Quando Daniel levantou o rosto, Amanda percebeu que ele estivera chorando. Tinha os olhos vermelhos e o corpo suado.

– Os meninos quase não me deixaram sair...

O queixo tremia. Amanda ficou parada diante dele com a testa franzida, sem saber o que dizer.

– Mas eu precisava ver você.

– Daniel... – ela disse baixinho.

– Eu precisava ouvir isso.

Ela deslizou a mão no seu rosto, e o garoto fechou os olhos.

– O que houve? – perguntou com delicadeza.

Ele ainda estava com os olhos fechados, quando ela viu uma lágrima rolar e limpou com a outra mão. Os dois ficaram em silêncio.

– Minha mãe me ligou agora... Do Canadá – começou a contar. – Parece que meu pai estava dirigindo um pouco rápido demais e... – ele respirou fundo – O carro derrapou na neve, batendo em uma árvore. Eu não sei direito... Mas o estado dele não é muito bom.

A menina mordeu os lábios, com um peso no coração. Daniel abriu os olhos e a encarou. – Minha mãe disse que ele pode ficar com sequelas pro resto da vida...

– Ah, Daniel – Amanda amparou seu rosto com as duas mãos. – Sinto muito...

– Eu fiquei assustado – ele virou o rosto, beijando-lhe a palma da mão. – Meu pai sempre foi meio distante de mim, mas nunca deixou de ser meu pai. E a minha mãe... – tornou a fechar os olhos – Estava muito assustada, embora quisesse me passar calma, sabe?

– Uhum... Vem aqui.

Amanda puxou Daniel e o abraçou com força. O garoto encostou o rosto no ombro dela, respirando seu perfume e se sentindo um pouco melhor. Apertou ainda mais o abraço.

– Obrigado.

– Seu pai vai ficar bem... Você vai ficar bem, ok? – ela tentou consolá-lo. – E agora? Você vai visitá-lo ou vão trazê-lo pra cá?

– Não. Minha mãe disse que eu preciso terminar meu ano, daqui a pouco vem as últimas provas, né? E meu pai não pode viajar, o estado dele é grave. Ela vai ficar lá para acompanhá-lo. Parece que a empresa conseguiu os melhores médicos pra cuidarem dele, algo assim. Só viajo, se for realmente necessário. Acho que é o melhor mesmo...

– Verdade – ela lhe deu um beijo de leve na bochecha. – Vamos fazer algo? Ficar triste agora não vai ajudar muito seu pai, né?

– O que quer fazer? Acho que cortei o clima da noite – ele soltou o abraço.

A menina riu, dando-lhe um peteleco no nariz.

– Claro que não cortou clima nenhum, você ainda está inteirinho aqui só pra mim, não está? Ah, vamos; podemos ficar sentados um do lado do outro atirando pedrinhas no lago se você quiser.

– Você acha mesmo? – ele a segurou pela cintura.

– Sabia que você não ia se contentar com pedrinhas no lago.

Amanda o beijou nos lábios. Sentiu um frio na espinha. Cada vez que se beijavam era tão forte como na primeira vez, e ela adorava essa sensação.

– Engraçadinha... Vem comigo.

Ele secou o rosto com a parte de trás da mão e abriu a porta do carro. A garota entrou e os dois saíram dali rapidamente.

Meia hora depois estavam em cima do capô do carro dos pais de Daniel. Deitados, olhando as estrelas, em silêncio. A noite estava fria, mas com o céu limpo e pouco iluminado por uma lua crescente. Ela não sabia exatamente que lugar era aquele, cercado de mato, mas não se importava.

– Quando pequeno eu queria ser astronauta, porque pensava que podia pegar estrelas – ele contou, estendendo a mão para cima.

– Isso é bem idiota...

– Como foi a noite hoje com aquele mauricinho? – ele se virou para encará-la..

– Ele é muito legal. Kevin, esse é o nome dele.

– Pareceu bem interessado em você – Daniel ficou enciumado.

– Bom saber.

Amanda sorriu e ele deu língua. Os dois ficaram se olhando por um tempo.

– Quanto você gosta de mim? – ela perguntou.

– Como assim?

– Que tanto? – ela riu, vendo ele abrir e fechar a boca.

– Achei que você soubesse... – ele falou.

Amanda levantou a cabeça apoiando o cotovelo no carro.

— Eu sei. Eu acho. Mas eu sempre fico insegura.

— Somos dois, então – sua voz tremeu um pouco. – Quero dizer, eu gosto muito de você. Mesmo. O tempo todo. Mais do que devia. Mas ao mesmo tempo eu não queria que fosse tudo sobre você na minha vida...

— Não? – Amanda se desapontou.

Daniel balançou a cabeça e voltou a olhar para o céu.

— Eu tenho medo do que pode acontecer amanhã. Você pode desistir de tudo. Parece ser difícil pra você assumir, até pra você mesma, que gosta de mim – ele voltou a olhar para ela. – E eu sei que você gosta...

— Eu gosto – ela confirmou.

— Sinceramente, eu não consigo entender o motivo...

— Shhh, Daniel – ela pôs o dedo nos seus lábios, segurando seu rosto de leve. – Não vamos discutir isso hoje. Por favor.

— Eu não quero discutir nada. Eu só me sinto muito sozinho no meio das pessoas. Isso está ficando cansativo. Todo mundo bajulando você, mas eu tenho que fingir que odeio você.

— Eu não quero que ninguém me bajule.

— Parabéns, porque você ganhou mais um bajulador chamado Kevin--dono-da-sorveteria.

— Na verdade, eu queria que todo mundo me esquecesse às vezes. Ia ser mais fácil...

— O que ia ser mais fácil? – ele perguntou.

Ela olhou para ele, estendeu os braços e recebeu um abraço. Ainda deitados, ficaram parados por um tempo.

— Seria mais fácil admitir pra todos que você é quem faz minha vida valer a pena – ela sussurrou.

Não sabia mentir para Daniel e tinha sempre vontade de lhe dizer o quanto ele era importante. Claro, isso podia encher o saco, mas ela não sabia ficar calada!

— O que quer fazer agora? – ele deu-lhe um beijo na testa. – Pode pedir qualquer coisa que eu faço...

— Hmmm, isso foi tentador. Vamos dançar?

— Dançar? – ele arqueou a sobrancelha.

— É, ué... Você tem rádio no carro. A gente pode dançar.

— Você tem o baile de amanhã pra isso.

— Não. Porque eu não consigo dançar com o Scotty tocando – disse rindo. – Bonitos demais pra isso.

— Ah, é? E como você sabe que eles são bonitos?

Ela deu de ombros e ambos desceram do capô do carro.

– Eu não sei, mas imagino. Você que nunca os viu, por que está duvidando?

– Não estou – Daniel fez bico. – Eles provavelmente são lindos demais – ela riu mais ainda. – Você me disse que eles cantaram sobre miojo.

– Foi – a garota ficou animada e correu para o lado dele. – Foi surreal!

– Você devia casar com o cara que escreveu a música então – ele abriu a porta do carro.

– Ah não, Daniel. Já está me dispensando, assim? – ela fingiu que ia chorar.

Ele voltou a encará-la.

– Você que não quer casar comigo.

– Claro, você não quer filhos, quer abrir uma creche... Mas posso casar com aquele guitarrista do Scotty. Se ele me pedir, eu largo você pra ficar com ele.

– Hum... Vou avisá-lo pra se manter longe.

Daniel se aproximou e a beijou. A menina fechou os olhos.

– Daniel? – ela interrompeu o beijo, com os olhos ainda fechados.

– Humm? – o menino bufou.

– Cadê a música?

– Quê? A gente vai dançar mesmo?

– Você disse que faria tudo que eu pedisse, Daniel! Vou fazer greve de beijo se...

– Naaah, não, ok! Eu danço, meu bem.

Não saberia como viver sem poder beijá-la. Entrou no carro, sorrindo idiotamente, se sentindo feliz por momentos como aquele. Não pensava nos problemas de casa quando estava com ela. Ligou o rádio. Começou a rir quando ouviu a música que estava tocando. Amanda deu pulinhos, animada.

– Vai quebrar os saltos.

– E quem se importa? – ela perguntou, olhando para a sapatilha rosa sem salto. Daniel riu e balançou a cabeça se levantando. Ela esticou os braços e ele se aproximou ainda sem muita vontade de dançar. Colocou os braços em volta da cintura dela.

Close your eyes and I'll kiss you
Tomorrow I'll miss you
Remember I'll always be true

And then while I'm away
I'll write home every day
And I'll send all my loving to you

All My Loving, dos Beatles. Daniel ficou cantando a música baixinho enquanto ela rebolava imitando as meninas dos anos 60. Ele começou a rir. Ela se soltou do seu pescoço fazendo alguns passinhos ensaiados. Daniel começou a dançar de forma desengonçada e estranha, ela gargalhou.

I'll pretend that I'm kissing
The lips I am missing
And hope that my dreams will come true
And then while I'm away
I'll write home every day
And I'll send all my loving to you

Daniel fez cara de conquistador.
– *All my loving I will send to yoooooou, all my loving, darling I'll be truuue, uuuhhhh.* – cantarolou o refrão.
E ficou rebolando, enquanto a parte do solo musical era tocada. Amanda não conseguia parar de rir e de pensar no quanto ele era divertido. Adorava vê-lo em situações constrangedoras. Daniel pegou a sua mão, e os dois fizeram passos de danças dos anos 60, como naqueles filmes antigos. A menina sacudia os cabelos sorrindo e Daniel ria, observando-a. De tão animados, levantavam poeira do chão de terra onde estavam. Ele sentia que ela adorava vê-lo assim e achava isso engraçado.

Close your eyes and I'll kiss you
Tomorrow I'll miss you
Remember I'll always be true
And then while I'm away
I'll write home every day
And I'll send all my loving to you

A menina se afastou dançando e olhou para ele. Sacudia a saia e Daniel fazia cara de canastrão. Deu um sinal com as mãos para que se aproximasse, e Amanda correu para abraçá-lo, jogando as pernas em volta da sua cintura. Daniel ficou segurando-a, olhando fixo para seu rosto. Amanda deu-lhe um beijo e desceu do colo. Abraçou-o de novo, esperando outra música começar.

– Eu te amo, sabia? – ela sussurrou no ouvido dele e ele sorriu.

Ficaram ali, sob o céu estrelado, apenas se beijando como namorados apaixonados. Ele se sentiu feliz novamente e tinha prazer em dizer que ela era tudo na sua vida. E que essa menina fazia a vida valer tanto a pena.

trinta e nove

– *Tudo sobre você* – Daniel disse. Caio torceu o nariz.

– Ótimo! – Fred sorriu.

– Eu gostei da música – Bruno chegou perto e sentou no sofá. – Mas acho que a bateria deveria entrar depois, esperar o clímax e tudo mais...

– Certo! – Daniel falou. – Rafa?

– Hum? – ele olhou, com um biscoito recheado a caminho da boca, mas parou, percebendo os olhares dos amigos, e devolveu o biscoito para o pote. – Quê?

– Você não ouviu nada até agora? – Fred perguntou.

– Claro que sim. E gostei. Não vai ser difícil acompanhar.

– Certo, então! – Daniel parecia animado.

– Então quer dizer que a noite foi romântica ontem? – Caio tocou no assunto.

– Noite estrelada, Beatles e uma garota de saia e sapatilhas – ele suspirou.

– Uau, me parece ótimo – Bruno riu. – Credo, não que eu esteja pensando na Amanda neste caso.

– Não mesmo, né? Você tem uma ex-namorada gostosa pra isso – Rafael piscou e Bruno lhe atirou um tênis. – AI!

– E vocês estão bem? Quero dizer... Ela ainda não quer que ninguém saiba, certo? – Fred olhou para Daniel, que concordou.

– Eu realmente não sei o que fazer. Eu não sei de quem ela tem medo...

– Dos outros, claro – Caio disse, como se fosse óbvio. – Das amigas dela que nos acham perdedores, de todos os conhecidos do colégio e, se não me engano, nem o diretor gosta muito da gente.

Ele, Bruno e Rafael riram, mas Daniel parecia pensativo.

– Cara, ela tem dezesseis anos. Está confusa – Bruno opinou. – Eu garanto que ela gosta muito de você. A Amanda é chorona, mas nunca a vi do jeito que ela estava no dia em que você apanhou do JP. Ela estava muito triste.

– Eu sei que ela gosta de mim, eu sei – Daniel tinha um brilho nos olhos. – Mas de vez em quando esse medo dela me machuca.

– Segue em frente, cara. – Fred consolou o amigo. – A minha menina mal olha pra mim às vezes.

– Meu doce de coco ainda não percebeu que me ama – Rafael resmungou.

Caio apenas assobiou, mas Bruno fechou a cara.– Vamos mudar de assunto?

– E se a gente pedir pro diretor? Talvez ele nos deixe ir atrás do palco – Maya sugeriu. Anna e Amanda tomavam café gelado em uma cafeteria em forma de quiosque no shopping.

– Ah, claro... E depois ele ia acreditar que ficaríamos caladas sobre a identidade secreta dos meninos da Scotty – Carol riu.

– Eu não ficaria mesmo – Guiga confessou.

– E se eles forem feios? – Amanda perguntou.

– Já está desistindo assim de pedir o guitarrista em casamento? – Anna brincou.

– Não... – ela ficou dengosa. – Ele fala muito da minha vida, é impressionante. Quero dizer, ele parece que conta meus... – ela olhou para Anna e depois para Guiga – Meus sonhos.

– Também já tive essa impressão – Guiga concordou.

– Sério? – Amanda se virou para ela.

– Hum-hum – a outra sorriu. – Mas... Vamos mudar de assunto? Garotos são sempre assuntos problemáticos.

– Ok! Vamos lá pra casa fazer as unhas e tratar o cabelo. Eu comprei um creme de hidratação maravilhoso. É feito com pétalas de uma flor tailandesa e...

Carol se levantou e continuou falando. Maya foi atrás. Anna pegou sua bolsa, seguindo as amigas. Guiga não parecia contente, mas juntou-se à turma. Amanda franziu a testa. Não queria fazer esse tipo de programa. O que era estranho; ela sempre adorou fazer escova no cabelo na casa de Carol, pois a amiga tinha todos os tipos de produtos e aparelhos de beleza que se possa imaginar!

– Você não vem? – Guiga despertou Amanda de seus pensamentos, e ela se levantou também.

Mais um sábado à noite. Hora do baile. As meninas podiam ouvir os inúmeros comentários sobre a banda Scotty. Todos estavam curiosos. Quem eram esses quatro garotos talentosos, afinal de contas?

Claro que a possibilidade de serem os marotos nem passava pela cabeça dos alunos, até porque a palavra "talento" não se encaixava neles. Eram mais "espertos" que "habilidosos", e esperteza não fazia boa música.

Bom, era o que eles pensavam.

Enquanto os quatro testavam os equipamentos atrás do palco, estudantes, amigos e professores começavam a lotar o ginásio. As cinco meninas entraram lindas e superarrumadas, como sempre, chamando bastante atenção. Era impressionante como todos os olhares se voltaram para elas, só porque chegaram ao salão.

– Que bom que vieram!

Breno chegou perto, com seus cabelos castanhos reluzentes. Estava bem-vestido com um terno cinza de risca de giz e acompanhado de mais três amigos, incluindo Kevin, lindo de morrer com um colete escuro por cima da camisa social de grife. Todos se cumprimentaram.

– Acharam que iríamos perder o grande show do Scotty? – Carol perguntou.

– Nunca vimos o show deles. Viemos no primeiro baile, mas saímos antes de subirem no palco. Geralmente passamos o fim de semana na capital, lá tem boates incríveis – Nick explicou, meio metido.

– Mas todos na cidade tão falando bem deles, aí viemos conferir hoje – André sorriu. – Mas parece que ainda temos R&B tocando... Alguém quer dançar?

– Eu! – Anna disse, contrariando as amigas, e saiu para a pista com o garoto. – Ah, convenhamos, eu preciso me mexer um pouco!

– Vamos nos sentar? – Kevin perguntou.

Maya, Guiga e Amanda concordaram, mas Carol pegou Breno pela mão.

– Você dança comigo, certo? Adoooro essa música.

Maya e Amanda estranharam. Ok, era o último sucesso da Rihanna tocando, mas as duas sabiam que não era a cantora preferida da Carol. Porém, Breno a seguiu sorridente para a pista.

– Err... Ok, mesa? – Amanda sugeriu e foram procurar uma mesa vazia.

– Onde está o outro? – Maya perguntou. Nick riu.

– Ant? Bom, ele saiu com a namorada.

– Ahhh, sim, um de vocês não é encalhado – Guiga brincou.

– E certamente vocês estão encalhados porque querem? – Amanda perguntou.

– Talvez sim... – Kevin passou a mão pelos cabelos – Assim como vocês.

– Somos felizes assim... Acho – Maya disse, enquanto Amanda e Guiga se entreolharam.

– Certo... Vamos beber algo? – Nick perguntou sem graça, e todos mexeram a cabeça concordando.

– Ela tá dançando com um cara? – Daniel perguntou.

– Não, só a Anna e a Carol – Rafael informou, espiando pelas cortinas; já tinha virado hábito antes dos shows.

– Droga – Caio reclamou. – Um dos mauricinhos, não é?

– Yep – Rafael confirmou, enquanto Daniel andava de um lado para o outro. – Calma, cara. Ela tá numa mesa com as amigas e...

– E?

– E... O cara da sorveteria e mais um loiro lá. Só...

– Hunf – Daniel fez um som estranho com a boca. – E se ela estiver saindo com ele?

– Você acha mesmo? – Bruno perguntou incrédulo.

– Ahhhh, não sei, não sei! Eu não gosto deles juntos, não gosto!

– E você pare de ser mandão... Iihhh, Fred foi na mesa! – Rafael reportou aos amigos. – Me sinto a *Gossip Girl* – disse e Caio riu.

– E nós temos que entrar no palco... Vamos, vamos – Bruno meio zangado saiu empurrando os amigos.

A plateia foi à loucura quando os quatro garotos apareceram com seus ternos impecáveis e as máscaras nos rostos. Amanda, Guiga e Maya se levantaram e foram para a pista se juntar às outras, e os rapazes foram atrás. Fred também as seguiu.

Com os quatro no palco, prontos, Bruno deu a partida.

Naquela noite você me perguntou
Coisas que achei que você soubesse
Eu queria dizer que
O quanto eu gosto de você
Não pode ser medido em palavras
E você me disse então, embaixo do céu estrelado

Que faço sua vida valer a pena
É tudo sobre você

Amanda dançava e sorria enquanto prestava atenção à letra da música. Ok, ela definitivamente queria casar com aquele guitarrista. Como ele falava da noite mais romântica da sua vida dessa forma?

Depois balançou a cabeça. Claro que não era sobre ela. Foi apenas uma coincidência. Começava a pirar com isso!

E eu faço tudo que me pedir, atendo todos seus desejos
Se ficar comigo mais essa noite
Não me deixe sem seus beijos, não saberia o que fazer
Dançando sob o luar, eu queria só dizer
Que é tudo sobre você

Era lindo. Os quatro no palco faziam todos baterem palmas, pularem e até tentarem cantar a letra. Amanda estava sorridente. De alguma forma, se sentia feliz ouvindo aquelas músicas e parecia muito contente de partilhar isso com todas aquelas pessoas, e se lembrava de Daniel. Por que se lembrava dele com aquela letra? Parou e soltou os cabelos, fazendo uma cascata de fios lisos cair em suas costas. As pessoas ao lado olharam, admiradas.

– Ahhh, essa música é ótima! – Kevin mexia a cabeça ao lado dela.

A garota sorriu, ainda dançando e tentando olhar para o palco e para o garoto ao mesmo tempo.

– Linda, né?

– Quem me dera gostar de alguém desse jeito.

Conversavam quase gritando por causa do barulho.

– Quê? – ela perguntou chegando mais perto.

O menino se aproximou para falar perto do seu ouvido.

– Quem me dera gostar tanto de alguém assim – repetiu. Ela riu.

– Deve ser... Lindo – voltou a olhar para o palco sorridente.

– Daniel! – Caio chamou quando viu que o amigo tinha parado de tocar e cantar.

– Desculpa – ele disse meio nervoso e voltou ao seu posto.

Ninguém percebeu, mas Caio e Rafael estavam ficando preocupados.

Amanda começou a rir vendo Kevin dançar. O garoto sabia se divertir. Nick, Guiga, Fred e Maya pareciam loucos também. Não que Nick e Fred estivessem confortáveis um na presença do outro, pois nem sequer se encaravam.

– Kevin! – Amanda gritou.

O menino olhou para ela, pegou na sua mão e a obrigou a dançar a nova música que tinha começado. A banda tocou um cover dos Beatles, *She Loves You*.

Amanda dava gritinhos enquanto o menino a levava na dança. Ele girava seu corpo e depois a empurrava, para em seguida puxá-la novamente.

– Eu vou acabar ficando cansada antes da hora.

– Desculpe, eu adoro essa música.

– Somos dois – ela não conseguia parar de sorrir. – Quer tomar algo?

– Com toda certeza, eu estou perdendo muito líquido nessa dança toda!

O menino disse com as mãos no joelho. Saíram andando em direção à mesa de bebidas.

Daniel estava furioso. Não conseguia se concentrar na música e perdeu o número de vezes que tinha errado. Num surto, chutou o microfone e fez o pedestal cair para trás, quase na bateria de Bruno. O público achou radical – para eles, foi uma atitude de puro rock'n'roll. Mas os outros três em cima do palco sabiam que não era isso.

Durante um dos solos de guitarra, Caio foi lá e levantou o pedestal para Daniel.

– Cuidado, cara.

– Não enche – o garoto engrossou.

Rafael passou por ele e percebeu porque estava ficando tão puto.

Kevin chegou bem perto do ouvido de Amanda. Estavam com copos nas mãos, exalando um cheiro forte de gelatina de morango. Amanda bicou sua bebida.

– Onde que está aquele seu ex-namorado?

– Quem?

Os dois andavam de volta para a pista, lado a lado.

– Albert.

– Não quero nem saber, ele que suma – respondeu.

– Tudo isso de amor por ele?

– Nem um pouco de amor se quer saber!

– Ele parece ser... Interessante – Kevin ficou envergonhado.

– Você acha? – Ela arregalou os olhos.

– Acho que sim – ele disse e ela percebeu a confusão do menino. – Eu não sei ainda...

– Acredite em mim, ele não vale a pena.

– Ah... Não? Bom, enfim, que me importa? – Ele sorriu – Quer sentar?

– Não! Estamos no meio de um show do Scotty! Vamos ter que ficar pelo menos em pé ou dançar mais!

– Err... É que eu não gosto muito de todo esse contato com muita gente.

– Sério? – Amanda arqueou a sobrancelha. – Não gosta de festas?

– Não é isso – ele olhou para os lados – Simplesmente eu me sinto confuso, as coisas parecem estranhas quando as pessoas esbarram em mim.

– Hum – ela olhou profundamente para ele. – O que você quer dizer?

– Nada... Nada – ele balançou a cabeça. – Vamos curtir a banda?

A menina concordou, ainda achando que algo incomodava o garoto. E ela estava louca para descobrir o que era.

Daniel virou de costas. Rafael falou perto dele.

– Tranquilo, cara?

– O que você acha? – ele sussurrou.

Caio sorriu e ficou na mesma posição, tocando na dele. Bruno tacou uma das baquetas na cabeça de Daniel, enquanto pegava outra, fazendo Rafael rir.

– Você quer que ele me mate? – Rafael gritou diante do olhar enfurecido de Daniel.

Caio ainda sorria. Esperava, porém, que Amanda não ficasse amiga daquele garoto ou eles teriam problemas com Daniel dali para frente.

quarenta

– Eu não vou ligar pra ela – Daniel girava de um lado para o outro.

– Então não liga – Fred se levantou do sofá na casa do Bruno.

– Mas e se ela estiver com ele? – olhou para o amigo.

– Cara, ela foi embora com a Guiga! Eu estava lá, confie em mim... E confie um pouco nela, cara.

– Eu confio.

– Não é o que parece.

– Não confio naquele *playboy* sorveteiro e cheio de dedos em cima dela! – Daniel tirou a camisa social branca. – Eu nunca tive ciúmes de ninguém na minha vida, Fred. Isso é surreal...

– Você gosta dela. Nada mais normal.

– Mas ela não está dando a mínima!

– Ela não sabia que você estava no baile! – Fred se aproximou e sacudiu o amigo. – Acorda, Danny! A garota estava apenas se divertindo enquanto seu suposto amante ficou, supostamente, em casa jogando, supostamente, videogame!

– Isso não me ajuda em nada – Daniel baixou a bola. – Eu gosto tanto dela, Fred... Isso dói muito.

– Eu sei, cara, acredite que eu sei – Fred botou a mão no seu ombro. – E agradeça por ela gostar de você.

– E a Guiga não gosta de você? – Daniel olhou para ele.

– Gosta, eu sei que gosta. Mas ela chega a ser pior que a Amanda; ela mal admite pra si mesma...

Os dois ficaram olhando para o chão.

– Onde fomos nos meter, cara? – Daniel perguntou.

– Ainda teremos que adivinhar, certo?

No domingo à tarde, Amanda, Guiga e Anna estavam mais uma vez no shopping fazendo compras e aproveitando uma tarde entre garotas.

Anna procurava uma blusa para usar com a saia nova, enquanto Guiga falava ao celular. Amanda parou diante de uma estante de sapatos.

– Quer olhar algum? – uma vendedora perguntou.

– Não sei ainda... Acho que vou experimentar aquele.

Ela apontou para um tênis All Star com estrelas. Guiga, ainda no telefone, estranhou a atitude de Amanda.

– Te ligo depois, mãe. Tá tudo bem e não; eu não vou comer nenhuma fritura! – bufando, desligou. Andou até a amiga – All Star?

– Hum? – Amanda se virou para ela pegando o tênis. – Que tem demais?

– Amiga, olha aquela bota! – Guiga apontou – E... E aquela sandália de tachinha? Olha o salto daquele sapato... E você pega um All Star?

– Err... Qual o problema? – Amanda ficou nervosa.

– Nada. Nada, mas acho que alguma coisa afetou você, e vai ter que dizer o que é.

Ela riu. Amanda ficou vermelha.

– Nada me afetou, Guiga. Eu gostei das estrelinhas, olhe. E eu vi aquela atriz da novela das oito usando um parecido numa revista – ela mentiu mostrando o *design* do tênis.

Guiga não se convenceu, mas achou melhor deixar para lá, já que a amiga parecia mais animada ao experimentar o par de calçados.

– Eu não aguento mais essa cerveja – Bruno disse.

Rafael arrotou alto e Caio começou a rir.

Sentados na praia, os cinco amigos encaravam o mar no fim da tarde. Apesar do vento suave, as ondas estavam bastante agitadas.

– Não jogue as latas na areia, porco – Fred pegou a lata de Bruno e colocou na mochila. – Seja humano.

– Desculpe-me – Bruno arrotou, reiniciando uma competição com Rafael.

– Pensativo? – Caio deu um cutucão em Daniel, que estava com os braços em volta dos joelhos, olhando o mar.

– Err, não.

– Eu já pensei em chamar a Anna pra sair – Caio confessou, e Daniel olhou o amigo, orgulhoso. – Mas desisti.

– Por quê? Vocês parecem que estavam se dando tão bem...

– Eu não quero manter uma situação às escondidas com ela. Que nem você e a Amanda. Eu não tenho seu estômago pra suportar isso.

– Talvez a Anna não queira uma situação dessas – Daniel abaixou os olhos.

– Talvez não, mas mesmo assim... – Caio ficou na mesma posição que o amigo. – Não sei se suportaria tê-la em um dia e no outro não... Eu te admiro por suportar isso, cara.

– Eu não suporto – Daniel mexeu na areia. – Mas sou obrigado assim mesmo.

– Você pode fingir um ataque do coração no meio do pátio. Duvido que a Amanda não vá correr pra tentar te salvar. É instinto feminino, cara – Caio sugeriu.

Fred se levantou para correr atrás de Rafael, que tinha derramado cerveja na sua cabeça. Ambos riram.

– Eu não duvido que ela saia correndo pro lado oposto ao meu, Caio. Sério – Daniel falou. – Mas eu não preciso me importar, preciso?

– Precisa?

– Não com isso. E sim com aqueles garotos. Digo, ela pode gostar de um deles. Eles passam mais tempo com ela do que eu.

– Mentira.

– Sério! Eu a vejo alguns dias da semana, por poucas horas... Eles podem passar todos os dias juntos na escola, e eu sei que já saíram pra outros lugares.

– São amigos – Caio queria acreditar em suas próprias palavras.

– Eu espero profundamente ou aquele Kevin vai ficar sem dentes.

– E a Amanda sem namorado.

– Tô perdido, cara – Daniel apenas abaixou a cabeça.

– Claro que não está; você está na praia – Bruno se aproximou. Balançou a cabeça e saiu andando meio torto. – Gente doida.

Caio e Daniel começaram a rir descontroladamente.

– Anna, seu telefone! – Amanda avisou a amiga.

– Atende, eu estou com as calças no joelho – disse, experimentando roupas dentro de uma cabine.

Guiga colou em Amanda, quando ela atendeu o celular.

– Alô?

– Anna? Quem está falando?

– Eu quem pergunto! Não é a Anna aqui, ela está ocupada vestindo suas calças.

– Ahn... – o garoto riu. – Aqui é o Breno.

SÁBADO À NOITE

– Err... Oi, Breno – Amanda falou em voz alta.

– Amanda? – ele perguntou.

– Eu... Desculpe sobre as calças, ela está na loja experimentando roupas.

– Ah, claro. Imaginei... Estão no shopping?

– Yep.

– Podemos encontrar vocês? A mãe do Nick liberou o carro, e o Kevin não para de encher o saco pra gente ir comprar um sapato que ele quer... Enfim, coisas de gente que não sabe onde gastar dinheiro.

– Ei, cala a boca – a voz de Kevin surgiu ao fundo, e Amanda riu.

– Certo, estaremos na praça de alimentação em dez minutos.

– Ok, então. Até lá – o menino desligou.

– Nenhuma calça coube! – Anna saiu do provador. – Vou ter que voltar ao regime!

– Ok, explicações agora – Amanda sacudiu o telefone rosa nas mãos.

– Sobre? – Anna ficou vermelha.

– Breno? Seu telefone? – Guiga perguntou.

– Ele pediu, eu dei. Qual problema? – Anna riu, pegou o celular e a bolsa.

– Nenhum, claro que não tem problema... Ele é bonito.

– Eu não estou interessada nele – Anna foi irônica.

– Vai me dizer que também está a fim de um dos marotos? Eu mato você, porque eu e Amanda já tivemos muito problemas por causa disso – Guiga comentou.

Amanda ficou vermelha, de repente, e Anna olhou para ela.

– Marotos? – disse gaguejando – Hum, não.

– Não me convenceu – Guiga riu.

– Então, por que perguntou? – Anna gargalhou, mas viu Amanda de cabeça baixa.

– Vamos mudar de assunto? Isso não é papo pra um domingo enquanto três rapazes bonitos nos esperam na praça de alimentação – Amanda disse, e as três seguiram para lá.

Amanda, porém, não se sentia bem. Por que Guiga tinha que piorar as coisas quando ela achava que estavam melhorando?

– Ok, eu nunca imaginei que Kevin fosse subir na mesa daquele jeito – Amanda estava contando e rindo, no dia seguinte no colégio. Maya e Carol prestavam atenção. – Mas ele subiu!

– Não só ele! Nick também parecia querer pular as mesas do shopping – Guiga completou.

– Que loucura, então vocês se divertiram? – Maya parecia se animar com a história.

– Muito – Anna falou. – Eles são umas figuras!

– E as provas? – Amanda perguntou. – Desculpem-me por mudar de assunto, mas as provas estão me assustando.

– Semana que vem, né? – Guiga balançou a cabeça. – Eu nem sei por onde começar a estudar...

– Matemática e Biologia – Carol disse. – Com toda certeza.

– A gente podia fazer como naqueles filmes... E roubar o resultado das provas! – Anna sugeriu.

Albert e Michel passaram por elas nessa hora.

– Bom-dia – Albert cumprimentou.

– Bom-dia – Amanda respondeu secamente e voltou a conversar com as amigas.

Nenhuma deu bola para eles, mas Albert parou no meio do corredor e ficou observando as garotas.

– Que foi, cara? – Michel perguntou.

– Você ouviu o que elas estavam falando?

– Não... Eu prestava atenção em outra coisa – Michel sorriu malicioso, voltando seu olhar para a saia das garotas.

– Vingança é um prato que se come frio, meu rapaz – Albert contou-lhe o que tinha escutado. – Isso me deu uma boa ideia.

– E por que queremos saber das provas do segundo ano, cara?

– Larga de ser burro.

Albert riu. Saiu andando com Michel em seu encalço. Passaram pelos marotos, sentados na mureta do pátio pateticamente. Caio e Bruno ouviam músicas no iPod, enquanto Rafael e Daniel discutiam alguns truques de mágica.

– Tomem cuidado – ele alertou misteriosamente, chamando atenção de Daniel e Rafael.

– Vai se catar, brutamontes – Rafael disse, e Daniel, que começou a rir, se engasgou.

– Eu não falei com você, imbecil – Albert respondeu com raiva e saiu de perto.

Rafael olhou para Daniel que ainda estava rindo e agora começava a tossir.

– Ele falou com você? – perguntou.

– Hum, arght... Acho que... Aaarght... Não... Sei lá, aaaaaaarght – continuou engasgado, enquanto Rafael ficou pensativo.

Amanda deitou em sua cama, ainda com o uniforme da escola, e ficou olhando para o teto. O celular em uma das mãos e o telefone de casa na outra. Ele não ligava. Ele não tinha ligado desde sexta. O que estava acontecendo? Na escola, Daniel mal olhou para ela, e isso a tinha deixado mal pela primeira vez. Tinha ficado mal mesmo, até as amigas perceberam.

Os últimos acontecimentos machucavam demais. Guiga não parava de falar do tal maroto que gostava, sem saber o que dizer para ele, se deveria contar ou não. Amanda não sabia o que falar. Apenas sentia-se mal e ficava calada. Maya e Carol pareciam bastante compreensivas com Guiga, mas Anna sabia por que Amanda ficava tão triste. Não devia ser fácil ter esse peso de estar quase traindo a amizade de alguém que se ama.

Amor é algo estranho, não é? Ela amava Daniel e amava Guiga. Era algo incompreensível o que ela estava fazendo. Trocando uma amiga por um namorado? Será que isso valia a pena?

– Ele não me liga mais, ele não olha pra mim, acho que me odeia – Amanda disse ao telefone com Bruno. O outro riu.

– E me ligou pra dizer que Daniel odeia você. Acorda!

– Bruno, isso é sério! O que eu fiz de errado? – a garota se virou na cama.

Ótimo, Bruno estava achando o problema dela engraçado. Era só o que faltava.

– Mandy, presta atenção. Você coloca o garoto na pior situação do mundo e quer que ele responda sempre bem? Sabe o que aconteceu hoje depois que ele viu você e o Kevin de braços dados? Ele chutou a lata de lixo SEM QUERER e foi pra coordenação. Cinco dias ajudando o servente, sabe o que é isso?

E ela começou a rir. Sentiu-se culpada, mas não conseguia evitar achar graça daquilo.

– Ai... Ele não consegue ficar fora de encrencas?

– O que aquele Kevin tem demais? O cara parece uma garota. Faltam apenas os cabelos grandes e peitos!

– Não seja malvado, Bruno! Ele é um garoto muito legal...

— Não duvido que seja. Você gosta bastante dele...

— Gosto, ele é um ótimo amigo e...

— Mas... Você gosta mesmo dele?

— Hum, o que quer dizer com isso? — Amanda ouviu alguém do outro lado da linha chamá-lo.

— Ótimo, Fred quebrou a porcaria do videogame. Ele e Rafael estão competindo há quase quatro horas – riu. – Vou lá embaixo e depois te ligo.

— Certo.

Amanda desligou. Não era possível que Bruno estivesse achando que havia algo entre ela e Kevin. Simplesmente não era possível.

Na terça-feira de manhã, Amanda sentou-se no meio-fio em frente à casa de Bruno. Pensava em descolar uma carona para o colégio. Estava bastante pensativa até sentir um cutucão e ver um All Star branco na direção de seu braço. Olhou para cima.

— Bom-dia pra você também, Torres — ela se levantou. Bruno riu.

— O que faz sentada no seu meio-fio predileto, querida? – ele pegou o material dela.

— Saudades – respondeu.

— Claro, porque faz realmente muito tempo que não nos vemos.

— Parecemos outras pessoas dentro daquela escola. Isso não conta – a garota sorriu. – Posso ir com você hoje? Meu pai está insuportável.

— Certo — ele colocou as coisas dela dentro do carro. — Deu sorte porque eu ia pegar Daniel e Caio hoje, mas eles desistiram.

— Ah é? O que houve? – ela tentou parecer desinteressada.

— Acho que vão chegar na segunda aula – o garoto riu. – Passaram a noite farreando e estão quebrados.

Amanda franziu a testa e sentiu uma ponta de ciúmes. Daniel não ligou para ela nem pareceu se importar, mas saiu para a farra.

— Hum... E o pai dele? – ela perguntou dentro do carro.

— Não sei ainda, ninguém sabe. Parece que ele ia sair do CTI esta semana. A mãe dele ficou de ligar hoje – Bruno fez cara de triste. – Realmente lamentável.

— Verdade – Amanda respondeu séria.

Os dois não se falaram mais até chegar à escola.

As conversas na escola eram sempre as mesmas: os bailes, o mistério dos garotos da banda Scotty e agora as provas do fim de outubro, a cada dia mais próximas. Amanda já podia notar sinais de loucura nas pessoas.

Durante o intervalo, Maya andava de um lado para o outro com livros de física e literatura debaixo do braço, enquanto Carol tinha arrumado um professor particular. Anna pouco se importava, sempre tirava notas boas de qualquer jeito. Amanda e Guiga brincavam com elas, dizendo que queriam repetir o segundo ano – mas estavam com medo desses testes. Os alunos mais velhos diziam que eram os piores do colegial.

– O terceiro ano não é tão tenso perto disso – Nick comentou.

André concordou.

– Revisão, matérias escolhidas e tudo mais... Segundo ano é realmente mais complexo.

– Ótimo, vocês estão ajudando taaaanto – Maya resmungou, nervosa. Kevin riu.

– Podemos dar aulas extras pra vocês, se quiserem.

– Kevin e Breno são ótimos em Biologia. Já eu prefiro Álgebra – André comentou.

– Eu também... e Português! No que vocês têm dificuldade, meninas? – Ant quis saber.

– Biologia – Amanda e Anna disseram ao mesmo tempo em que as outras três falaram – Matemática.

– Certo, temos os grupos formados então – Kevin disse rindo.

Amanda colocou os fones do iPod nos ouvidos.

– Vai ignorar a gente mesmo? – Ant perguntou.

Ela sorriu e se sentou numa das cadeiras em volta da mesa do pátio. Todos se acomodaram também.

– O que está ouvindo? – Kevin perguntou.

André parecia muito simpático ao ajudar Maya com seus livros, e os outros estavam conversando e discutindo sobre as matérias. Amanda entregou um dos fones para Kevin.

– Robbie Williams.

– O cara é bom, se é que me entende.

Os dois riram ouvindo *Angels* começar a tocar.

Amanda não percebeu Daniel passando com os amigos ali em frente, e muito menos reparou na expressão que ele fez ao vê-los juntos ouvindo, cantando e se divertindo. Bruno empurrou o amigo para o mais longe que conseguiu. Daniel teria que conter seu ciúme ou a relação dos dois teria problemas.

quarenta e um

– Eu vou quebrar a cara daquele almofadinha... – Daniel andava de um lado para o outro no gramado do colégio.

Caio estava entretido com um joguinho no celular, Rafael lia um livro de física e Bruno jogava uma bolinha de pingue-pongue para o alto.

– Que almofadinha? – Rafael perguntou.

– Agora é sério, o que o cara tem que eu não tenho? É ridículo! Ela pode sair com ele de braços dados, ouvir música com ele... E comigo? Ela só quer o Daniel pra dar uns amassos, é isso?

– Daniel! – Bruno quase gritou e empurrou o amigo pelo peito em direção ao gramado. – Senta – ordenou grosseiramente.

Daniel fez o que ele mandou de má vontade. Rafael e Caio, que já estavam sentados perto de uma árvore, observavam os dois.

– Agora, respire fundo e pense no que disse.

– Não preciso – Daniel falou de imediato.

– Larga de ser cabeça dura. Se você quer se afastar dela, faça isso. Se não a entende, se afaste. Mas não diga uma barbaridade dessas porque tanto eu quanto você sabemos que ela não gosta do Kevin.

– Ah, o Kevin – Rafael riu baixinho.

Caio balançou a cabeça.

– Ela pode não gostar dele, mas é com ELE que ela está agora – o garoto falou nervoso.

– Porque o Kevin não é perdedor que nem você – Caio deu de ombros. – Ele não carrega nas costas o fardo de querer quebrar as regras pela simples vontade de não ser mais uma ovelha.

– Não somos ovelhas – Rafael pareceu confuso.

– Se o Kevin quer seguir regras, ele que faça isso.

– Será que eu vou ter que ser que nem ele pra ela gostar de mim? – Daniel perguntou.

Caio e Bruno se entreolharam. Foi a vez de Rafael falar algo.

– Não, cara. Não seja burro. Ninguém gosta de ninguém que não é ele mesmo, se me entende. Ela gosta de você do jeito que você é. Você sabe disso.

– Eu ando duvidando... – Daniel abaixou a cabeça e começou a arrancar grama do chão.

– Quem dera eu ter a dúvida que você tem, e não uma certeza, cara – Bruno sorriu. – Não fica assim...

– Desculpe-me – Daniel disse e respirou fundo. – Eu não sei o que tem acontecido comigo ultimamente.

– Ciúmes. Totalmente compreensível... – Caio concluiu.

Daniel olhou para os amigos e sorriu. Ele tinha que conversar com ela. Não ia aguentar essa dor sozinho.

Amanda se despediu de Anna e entrou em casa. Olhou para o celular. Nenhuma chamada não atendida. Daniel tinha se esquecido dela?

Subiu para o seu quarto em silêncio. Tinha perdido a fome. Começou a trocar de roupa quando seu telefone tocou. Ela correu para atender.

– Alô? – perguntou.

– Amanda? É o Kevin, tudo bom?

– Ah, tudo – ela sentou-se na cama. – Como você tá?

– Bem. Desapontada por falar comigo? Parece que não achava que era eu... – ele riu.

– De forma alguma, Kev! Estou feliz que tenha me ligado. – Pelo menos alguém ligava, pensou. – Algum problema?

– Não, queria só saber se você tá a fim de ir lá na casa do Breno estudar Biologia. Ele está ligando pra Anna. Saiba que o primo dele é fera e estará lá, parece que ele cursa ciências biológicas na faculdade! Ou algo assim...

– Nossa – Amanda sorriu. – Tá, tudo bem. Na verdade, eu não tinha nada pra fazer. Vou só avisar a minha mãe.

– Ótimo. Passo aí às três, pode ser?

– Tudo bem! Até lá então.

Após desligar, olhou para o telefone. Não ia ficar se lamentando porque Daniel tinha se esquecido dela. Levantou-se e foi tomar banho.

– Vamos lá pro bar hoje à noite – Fred convidou. – Vai com a gente?

Daniel riu e ficou pensando.

– É, vai ser divertido – Bruno falou.

– Posso chamar a Amanda?

– Se ela quiser ir, será bem-vinda – Fred sorriu. – Vou pegar sorvete, alguém quer?

– Eeeeeu – Rafael gritou. Caio também levantou a mão.

– Com calda de chocolate – disse.

– E o meu com caramelo – Rafael falou.

– Huuum... Com cereja.

– E licor.

– E huuum...

– Os dois filhinhos de mamãe aí, venham pra cozinha, por favor! – Fred gritou, e Caio e Rafael se levantaram correndo atrás do amigo.

Bruno olhou para Daniel.

– Mais calmo?

– Tranquilo...

– Você vai ver... Liga pra ela e convide-a pra sair. As provas estão chegando, aproveita .

– Eu vou ligar – Daniel concordou –, pode deixar.

– Eu não estou entendendo nada – Anna resmungou coçando a cabeça. – Eu sei a matéria, mas isso parece grego.

– De fato, é grego – o primo de Breno ironizou.

Amanda, Kevin e Breno desataram a rir. Anna ficou vermelha.

– Ok, desisto.

– Já são quase oito horas – Amanda disse. – Parece que estamos há anos estudando isso!

– Vocês não passaram da mesma matéria – Kevin falou. – E botânica é algo tão simples.

– Está nos chamando de burras? – Anna perguntou, provocando risos.

– De forma alguma – ele respondeu. – Querem sorvete?

– Eu quero – Amanda afirmou.

– Calda de chocolate ou caramelo?

– Ambas – Anna pediu.

– Pra mim também.

– Eu quero só chocolate – Amanda disse. Kevin concordou e saiu da sala.

– Ei! Eu quero de moraaan... Droga – o primo de Breno se levantou e o seguiu.

– Tudo sempre se resolve com sorvete – Breno piscou e as duas riram.

O telefone de Amanda tocou. Ela o pegou despreocupada e conferiu na bina o nome de Daniel. Sentiu o coração disparar.

– Amiga, você está branca – Anna reparou.

– Meu pai... Já volto – Amanda falou, levantando-se da mesa de estudos, saiu para a outra sala; atendeu o telefone aflita e sentiu a voz meio tremida. – Alô?

– Oi... Como você está? – ele perguntou.

Ela não queria tratá-lo bem! Ele tinha se esquecido dela por quase quatro dias! Não era justo. Ela tinha que ser grossa, mostrar que ele não podia brincar com ela desse jeito. Não era justo! Era?

– Estou bem. E você?

– Tranquilo... Está em casa? – ele perguntou.

Ela riu.

– Não! Estudando Biologia... – disse.

Ele gargalhou.

– Mas já?

Ok, ela não aguentava ouvir a gargalhada dele e continuar com raiva.

– Ofereceram ajuda! Estou apenas sendo boa aluna, Daniel! – disse rapidamente.

– Está na casa da Anna?

– Não... do Breno.

– Quem é Breno? – Daniel mudou a voz.

– Amigo do Kevin – Amanda tentou ser natural. Sentiu que Daniel ficou calado demais e só ouvia a respiração do garoto. – Daniel?

– Err, oi. Desculpe – ele riu, mas estava sentindo uma pontada no peito; sempre o Kevin. – Hum... Está sozinha aí?

– Não! Eu, Anna e Kevin estamos aqui. Na verdade o primo do Breno está ajudando a gente... O cara sabe muito!

– Hum – Daniel não pareceu satisfeito ao ouvir o nome do Kevin novamente. – Ah, ok.

– Você me ligou pra saber se eu estava bem? – ela riu. Ele pensou bem.

– Exatamente – riu sentindo-se mal por isso. – E como você está bem, recolho-me à minha insignificância e voltarei a dormir – ele respondeu vendo Caio entrar no quarto todo arrumado. – Melhor eu ir.

– Ok, então. Até amanhã.

– Até – desligou.

– Vamos lá, cara? – Caio chamou.

Daniel concordou, levantando-se da cama e indo atrás do amigo. O coração estava apertado e aquele nó subia e descia pela sua garganta. Semelhante a um sentimento de dor profunda, ele só se lembrava de ter sentido algo assim quando achou que seu pai tivesse morrido no acidente no Canadá. Doía muito. Mais do que isso, incomodava. Era como se milhares de formigas passeassem pelo seu corpo, deixando tudo dormente e frágil. Era palpável a vontade que ele tinha de jogar o telefone no chão e de gritar tão alto até que suas cordas vocais estourassem. Mas o coração continuava apertado. Tudo estava esquisito. Ele não podia deixar as coisas assim.

Amanda desligou o telefone, sorrindo. Kevin chegou perto dela.
– Tudo bem?
– Ahn? – ela se assustou. Ele entregou a taça de sorvete para ela. – Ai que susto!
– Desculpe-me – o garoto riu. – Vim te procurar.
– Está aqui há muito tempo? – ela ficou temerosa.
– Acabei de chegar.
Ok, era mentira. Kevin tinha ouvido toda sua conversa com Daniel no telefone. Mas decidiu ficar na dele.
– Oh, certo. Vamos voltar pra sala – ela sorriu.
Os dois saíram andando juntos, de volta aos livros.

Na manhã seguinte, nada de novo no colégio. Amanda ainda não tinha cruzado com Daniel e, quando deu o horário do intervalo, ela procurava pelo garoto de forma discreta.
– Eu acho o André bem fofo – Maya disse para Guiga.
Amanda ouviu e sorriu. Era legal que suas amigas começassem a gostar desses caras. Eles eram educados, bonitos, descolados, e toda a escola os amava. Afinal, eram os galãs do último ano.
Sentaram-se em uma das mesas do pátio. Todo mundo parecia olhar para elas. Amanda cruzou e descruzou as pernas impacientemente.
– As aulas de ontem valeram a pena – Anna dizia. – Pelo menos eu sei diferenciar o que é grego do que não é – todas riram. Inclusive Amanda.
– Bom dia, meninas – Ant chegou perto, sentando-se na mesa, acompanhado de André.
– Podem sentar se quiserem – Amanda brincou.
– Como andam?

– Bem – Carol sorriu. – Animadas com as provas, claro. Assim como ontem.

– Fiquem tranquilas! – André riu – Vai dar tudo certo. Não somos perdedores, ok? Os professores nos amam, terão compaixão de nós!

Amanda ria quando viu Daniel, Bruno, Caio e Rafael aparecerem pela porta do pátio. Estavam engraçados. Eles tinham um estilo de se vestir diferente dos outros, e isso os destacava. Daniel estava com uma bermuda muito larga e uma blusa xadrez por cima do uniforme. Brincava com um iô-iô, por mais estranho que isso parecesse. Caio segurava um livro, mostrando algo para Bruno. Rafael, com as mãos enfiadas nos bolsos da calça curta, sorria para as pessoas que passavam. Ela viu Fred com sua velha touca de tricô, escondendo os cabelos loiros compridos, se aproximar e cumprimentá-los. Ficou observando os garotos por um tempo. Eles riam muito e aparentavam se divertir tanto, que ela, vez ou outra, desejava poder estar com eles, em vez de ficar conversando sobre popularidade e baboseiras de colégio. Isso já tinha perdido a graça.

Uma garota passou por Bruno fazendo gracinha e mandando beijinho para ele. Os meninos riram alto e Amanda riu também. Olhou para Carol e percebeu que a amiga mudara a postura na mesa quando os notou ali perto. Guiga também.

– Não somos que nem eles – Ant apontou, quando os cinco passaram pela mesa deles.

– Reunião anual dos populares? Legal! Me dão um autógrafo? – Fred parou e perguntou zombeteiro.

Os quatro garotos atrás dele riram, e Amanda viu que Daniel estava vermelho, evitando encará-la.

– Vamos embora, cara, a gente não tem mais aula de Artes – Bruno olhou sarcástico. – Elas não precisam mais da gente.

Amanda percebeu que as amigas ficaram decepcionadas com o comentário, mas ela também sabia que era verdade. Desde o fim das aulas de Artes em dupla que nenhum deles tinha se falado. A não ser ela e Daniel, fora do colégio.

– Isso tudo é ciúmes, cara? Não precisa – André falou. – Não roubamos o lugar de ninguém. Inclusive de VOCÊS... – riu.

– Parem com isso – Amanda rolou os olhos.

– Ninguém disse que VOCÊ roubou nada, otário. Até porque NADA aqui foi de vocês alguma vez... – Daniel falou se apoiando no ombro de

Fred. – Bom dia pra quem quiser – ele olhou para elas e demorou ao fitar Amanda. Ela abaixou a cabeça.

– Ok. Já fizeram a ceninha de vocês, agora podem nos dar licença? – André falou grosseiramente e voltou a conversar, ignorando a presença deles.

Fred balançou a cabeça rindo.

– Certo – se virou de costas. – Caso perdido. Vamos embora – saiu de perto decepcionado.

Amanda viu que as amigas pareciam chateadas, mas não disse nada. Ficou calada. Eles poderiam ter evitado esse tipo de situação.

Daniel chegou à sua casa cansado. Olhou para o espelho do quarto e ajeitou o cabelo. Viu no seu mural o recado que mostrara a Amanda algumas semanas atrás, e não pôde evitar o sorriso. Olhou para chave do carro e saiu de casa sem pensar duas vezes.

Parou em frente à casa dela. Ficou encarando o volante e batucando nos joelhos até decidir sair. Andou lentamente com as mãos nos bolsos até a porta e apertou a campainha.

– Sim? – uma mulher jovem, não aparentava ter mais de quarenta anos, de vestido simples e longo, com uma maquiagem leve apareceu. Daniel percebeu ser a mãe de Amanda, pois as semelhanças eram muitas. Tinham o mesmo olhar e porte físico. – Posso ajudar?

– Err... A Amanda está? – ele perguntou.

A mãe da garota sorriu.

– Não, ela foi pra sorveteria com o namoradinho dela – respondeu.

Daniel sentiu a garganta dar um nó.

– Amanda disse que tinha ligado pros amigos pra convidá-los, mas não deve ter encontrado você em casa. É aquela sorveteria do outro quarteirão, você pode ir falar com ela lá – explicou de forma muito simpática.

– Hum. Ok. Obrigado – ele falou, sentindo-se enjoado.

A mulher fechou a porta de casa e ele voltou devagar para o carro. Estava tremendo e não sabia identificar que sentimento era aquele. Ele só queria voltar para casa.

– Vamos embora? – Amanda perguntou.

– Fica mais um pouco – Anna respondeu.

– É, não me obrigue a amarrar você na mesa – Kevin ameaçou.

Ela sorriu amarelo. Olhou para a porta. E para o celular. Estava pensando em Daniel.

– Eu acho que vou entrar pra aula de teatro lá na escola ano que vem – Carol contou. Amanda batia os pés debaixo da mesa.

– Isso vai ser ótimo! – Breno sorriu. – Nós precisamos de alguma garota talentosa nessa cidade. As *nerds* dão nos nervos!

– Além de serem feias – Kevin riu. Sentiu a perna de Amanda bater na dele e olhou para ela. A garota olhava para o celular.

– Não generalizem. Nem todo *nerd* é feio – Anna argumentou. Lembrou de Caio e riu. – Vocês são cruéis!

– Somos realistas – André justificou, sentando-se com um *sundae* nas mãos. – Alguém quer?

– Acabamos de comer, André! Só você que tem estômago pra mais! – Maya falou rindo.

– Seus sorvetes são ótimos, Kevin – Carol elogiou.

– Verdade – Anna concordou.

– Obrigado, estão convidadas a virem aqui sempre que quiserem – ele sorriu e sentiu a perna de Amanda bater na sua mais uma vez. Olhou para ela de rabo de olho. – Você também Mandy.

– Ahn? Ah, tá, você já tinha me dito isso – ela deu um risinho murcho.

Amanda sentiu a mão dele pesar em seu joelho e olhou para o garoto.

– Nervosa? – ele perguntou baixinho, fazendo sua perna parar de bater à força.

– Não – ela respirou fundo.

– Ansiosa?

– Não... Eu sei lá, Kev... Nada demais.

– Ok, então – o garoto voltou a encarar os amigos.

Amanda olhou para o telefone. *Desista*, disse para si mesma, *ele não vai te procurar.*

– Cara, você tá com olheiras – Rafael reparou sentado na mesa da carteira de Daniel na aula de quinta-feira.

– Não consegui dormir – Daniel bocejou.

– Isso tem nome? – Bruno perguntou na carteira ao lado.

Caio olhou para eles.

– Tem. Insônia – Daniel falou, e os quatro riram.

– Olhem praquela garota – Rafael apontou com a cabeça uma menina loira que entrava na sala. – Ela podia ser popular.

– Podia. Mas não foi esperta o bastante – Caio falou. A menina passou e sorriu para eles. – Nah, ela dá mole pros perdedores. Nunca seria popular.

– Fato – Daniel riu. Olhou para um grupo de meninas sentadas na primeira fileira. – Aquelas são bonitas.

– Jogadoras do time de handebol. Você não vai querer namorar uma delas, elas podem quebrar a sua cara – Bruno comentou.

– Essa escola é estranha – Rafael filosofou. – É só isso que eu digo.

– É apenas uma escola, Rafa – Daniel expulsou ele da mesa, pois a professora de Geometria tinha acabado de entrar na sala. – Apenas uma escola...

– E o Daniel? – Anna perguntou baixinho no banheiro do colégio. – Algum progresso?

– Não... – Amanda olhou para o espelho, estava com olheiras. – Ele não parece feliz comigo.

– Pudera, não é?

– Mas o que eu posso fazer? A Guiga não me deixa esquecer a merda que eu ando fazendo e...

– E já está dando bola pra popularidade de novo. Entendo você, eu caio na tentação também – Anna sorriu. – Mas eu não prometi meu amor ao Caio nem psra ninguém.

– Hum – Amanda abriu a bolsa e pegou sua bolsinha de maquiagem, precisava dar um jeito naquelas olheiras. – Eu sinto falta dele.

– Eu imagino que sim – Anna consolou a amiga. – Vocês dois precisam resolver isso, não é?

– A Guiga me disse que ama o Daniel – Amanda passou um pouco de corretivo embaixo dos olhos –, ela disse que sabe o que estou passando porque está na mesma que eu – suspirou.

– Hum... disse? – Anna ficou confusa. – E como ela sabe que você está passando por isso?

– Ela me contou que percebeu o jeito como eu olho pros marotos. Não disse nada, mas acho que sabe... Ela me falou que nós temos o mesmo problema e precisamos decidir o que fazer... Essas coisas. Eu me sinto um lixo. Ela é minha amiga.

– Ela vai entender se...

– Não! Não, não vai... Eu estou trocando amizade por um namorado, Anna! Isso não é certo.

– Não, não é. Verdade.

Anna não sabia o que dizer. Mesmo assim ainda achava essa história muito estranha; tinha alguma coisa errada. Sentiu que a amiga ia chorar e a abraçou. Não queria estar na pele dela.

Depois da aula, Amanda tomou uma decisão. Ligaria para Daniel, não importando a reação dele. Resolveu voltar andando para casa, pois precisava tentar se acalmar. Pegou o celular. Não iria conseguir esperar chegar à sua casa, pois a vontade e a ansiedade eram muito maiores. Ela tinha medo do que ele ia dizer.

– Daniel? – perguntou quando ele atendeu. Ouviu barulho de vento atrás dele.

– Oi – ele parecia com sono –, que surpresa você me ligar. Estava pensando em você.

– Que bom – ela riu, sentindo borboletas no estômago. Ok, ele ainda pensava nela. Bom sinal. – Escuta, onde você está?

– Na praia. Vim pra cá pensar um pouco, estou sem cabeça pras provas e preciso me concentrar.

– Posso te encontrar? – ela perguntou, enquanto fazia sinal para o primeiro ônibus que passava.

– Claro, faça como quiser – Daniel disse.

Amanda desligou o telefone. Sentiu uma tristeza muito grande por causa do tom frio que ele usou com ela. Não sabia o que havia de tão errado entre os dois.

Daniel fitou a areia. Os cabelos voando por causa do vento forte. Ouviu um trovão no céu cinza. Eram quase duas da tarde, estava nublado e ficando frio.

Ele amava aquela garota. Amava muito. Mas não sabia o que fazer. Sempre acabava se sentindo vazio no fim do dia. Sentia-se angustiado quando passava por ela na escola. Era como já tinha falado aos amigos, não parecia que ela queria algo muito sério com ele, e isso machucava. Sentia-se usado.

Amanda o avistou de longe, sentado na areia perto do mar. Tirou os sapatos, colocando-os na mochila, e andou lentamente até ele. A saia estava voando, assim como seu cabelo. Estava frio.

Sentou-se ao seu lado sem dizer nada. Percebeu que ele estivera chorando e sentiu o peito doer por isso.

– Daniel – ela disse.

O garoto olhou para ela e mordeu o lábio. Ela estava linda. E tão perto...

– Você veio – fungou. – Não tinha nada pra fazer hoje à tarde?

– Eu... Tinha – ela respondeu temerosa. – Mas preferi vir pra cá.

– Deixe-me adivinhar – ele riu nervoso, mas falando calmamente –, ia sair com seus novos amigos?

– Ia pra casa do Breno... Estudar.

– Com o Kevin?

– Que tem o Kevin com isso? Que droga, Daniel! O garoto não fez nada...

– É verdade – Daniel balançou a cabeça.

Amanda abriu a boca, mas não disse nada. Encarou o mar.

– Você está estranho comigo. Você finge que eu não existo – ela lamentou e abaixou a cabeça.

– Eu tenho motivos. Não diga que não tenho...

– Eu não sei que motivos e...

– Você não sabe? – ele a fitou seriamente, dentro dos olhos.

A garota mordeu os lábios. Nunca tinha visto aquela expressão no rosto dele.

– Não seja sonsa, por favor.

– Eu não estou sendo – sua voz saiu assustada. – Daniel, eu não sei o que mudou desde... Que começamos a ficar. Eu não sei...

– Não mudou nada. Esse é o problema. Um dos, claro... – o garoto mirou o mar novamente. – Você não quer ser vista comigo, quer que eu finja que não gosto de você. Finge que não gosta de mim. Eu fico sozinho, vendo aqueles garotos com você. Vendo o Kevin com você. E sabe o que eu posso fazer? Nada!

– Você pode! Quero dizer... Daniel, é muito difícil isso...

– O que é tão difícil, droga?! – ele aumentou a voz. – Eu não entendo isso! Você não me diz por que não me aceita, e quer que esteja tudo bem? Eu amo você! Que droga isso!

Ele falou nervoso e passou as mãos pelos cabelos. A menina sentiu que podia chorar e não se importou com isso.

– Daniel... Eu não posso falar nada...

– Você gosta de outro? É isso? – ele se virou bruscamente para ela.

– Não! Não, eu disse que te amo também... – ela pareceu chateada.

– Eu... Por que eu estaria aqui com você se gostasse de outro?

– Talvez você não me quisesse pra nada mais do que uns amassos – ele entregou irritado.

A garota abriu a boca e sentiu lágrimas caírem. Não era possível, ela não queria ouvir isso!

– Eu... Eu...

– Eu sou simplesmente aquele que você vê quando quer e porque quer? E eu? Já pensou no que EU sinto?

– Sinto muito, Daniel! – disse chorosa.

– Eu não sei se realmente sente... Nunca tentou sentir, tentou?

– Daniel, isso é difícil pra mim... – ela assumiu o choro.

– E pra mim? Cacete, Amanda! Eu tenho procurado você nesta semana, mas só o que eu vejo e escuto é que você saiu com aquele garoto e...

– Ele é meu amigo! – ela falou alto.

– E eu, teoricamente, sou o cara que você ama! – ele gritou com o rosto vermelho de raiva.

– Eu não estou acostumada a trocar amigos por ninguém, Daniel... Isso é difícil pra mim – ela pensou na Guiga.

– Eu não estou pedindo pra você me trocar por ninguém! Eu só quero um pouco, tipo assim, um pedacinho de você e do seu tempo! E você conhece ele há uma semana... – olhou para ela, esperando entender alguma coisa, mas ela não dizia nada!

– Eu não estou falando do Kevin – a garota olhou machucada para ele. Ele sentiu borboletas na barriga. – E isso não interessa, isso não muda nada...

– Não é do Kevin? De quem é então? Do que você está falando? – Ele emendou nervoso. – Custa pra você que eu saiba? Porque eu preciso entender alguma droga dessa coisa!

– EU NÃO POSSO FALAR NADA – ela gritou, levantando-se. Ele fez o mesmo. – Eu não posso, simplesmente não posso...

– Acho então que a gente não pode mais se ver – ele concluiu e ela olhou para ele quase implorando. – Eu não aguento mais essa dor. Colocar a cabeça no travesseiro, pensar em você, em nossos beijos... E lembrar que no dia seguinte nem ao menos vou poder falar com você...

– Daniel, você está sendo um imbecil!

– Então me explica alguma coisa, por favor... É por que eu não sou popular?

– De forma alguma! – ela se irritou.

– Porque... Sei lá, eu não tenho talento nenhum?

– Você sabe que não é isso... – ela disse chorosa.

– Sei lá, eu não te amo o suficiente?

– Daniel, para...

– Não! Eu preciso saber de alguma coisa – ele segurou o braço dela.

– Você está me machucando...

– Por favor, não me deixa assim... Inseguro... – ele disse choroso também.

– Acho melhor – Amanda puxou o braço da mão dele – a gente se afastar então.

– O quê? – ele quase gritou – Não... Eu...

– Daniel, eu simplesmente não posso fazer nada agora. Sinceramente? Não posso! E não posso dizer muita coisa, achei que você fosse entender...

– Eu tentei – ele mostrou irritação e enterrou dedos nos cabelos. – Eu tento! Todo santo dia eu me lembro dessas palavras...

– Mas não tentou o suficiente. Você simplesmente some da minha vida, fica uma semana sem falar comigo ou quando fala parece frio e distante.

– Eu disse que procurei você. Quem não estava disponível era você. Eu estou sempre aqui quando você me procura, certo? – ele disse com certo sarcasmo.

Ela sentiu mais lágrimas escorrerem pelo seu rosto.

– Isso é ridículo...

– Não, não é. É o que eu sinto quando a gente se vê uma vez na semana e no outro dia, depois da gente quase sei lá... Quase dormir junto e tudo mais, e você nem ao menos sorri pra mim!

Ela abaixou a cabeça. Não sabia o que fazer. Sentia raiva das palavras dele. Machucavam muito, apesar de ver que ele não estava totalmente errado.

– Daniel, eu não pedi essa situação.

– Muito menos eu. Eu só queria você pra mim.

– Sinto muito – a garota secou as lágrimas e virou-se de costas. – Eu já disse que preciso de tempo. Mas, como você não pode esperar, eu prefiro ficar longe...

– Mas por quê? Não custa nada você...

– Custa! – ela gritou se afastando. – Custa uma amizade, sentimentos, coisas que eu não tenho como explicar. Infelizmente – ela pegou a mochila. – Sinto muito, mas eu não posso mais ver você nessas condições...

– Amanda!

Ele gritou quando ela saiu correndo. Viu a silhueta da menina sumir. Tentou correr atrás, mas ficou sem ar porque estava chorando. O que tinha feito?

Amanda mal conseguiu dormir naquela noite. Sua cabeça girava e o peito doía. Não estava sendo nada fácil, e reagir a tudo aquilo parecia impossível. Daniel era quem ela amava, e tudo que ela queria ter, mas infelizmente não estava disposta a perder uma amizade por isso. Pensou em Guiga, em Anna... e chorou mais ainda. Por que diabos as coisas tinham que ser assim? Por que ele tinha que ser tão difícil?

Na sexta de manhã, ela acordou com o celular apitando, tinha recebido quatro mensagens durante a madrugada. Eram de Daniel. Aos poucos foi se lembrando do dia anterior. Ela ia pirar com tudo isso. Achou melhor se levantar, tomar um bom banho e trocar de roupa para ir à escola.

Decidiu ir a pé para a aula, não queria conversar com ninguém. No caminho, cedeu a curiosidade e leu as mensagens do garoto.

Isso dói mais do q eu esperava, dizia a primeira delas. A garota respirou fundo.

Pq vc terminou tudo? A gte pode tentar resolver...

"Não, não podemos mais", ela disse para si mesma, passando as mãos nos cabelos. Estava decidida a tentar fazer aquilo ser mais fácil.

Eu fui um idiota, dizia a outra. Ela riu nervosa. Depois de ter ouvido que ele se sentia quase um *go-go boy* com ela, tudo fazia diferença.

Eu te amo

Ela balançou a cabeça e guardou o celular na mochila. Ele não podia fazer isso com ela.

De manhã, o garoto apareceu na porta da casa de Bruno com o celular nas mãos. Nenhuma resposta de Amanda. Será que não tinha recebido as mensagens que mandou?

O amigo olhou bem para ele e percebeu tudo que tinha acontecido. Sentaram-se no meio-fio, e Daniel contou tudo o que aconteceu. Se tinha alguém que entenderia essa situação era Bruno. O amigo sabia muito bem o que era terminar um relacionamento às escuras. Daniel sabia que tinha sido imbecil, mas não entendia a razão de terminar tudo! Por que era tão difícil para ela? Ele queria entender. Bruno também tentava compreender, sentia que algo nessa história não se encaixava. Mas, infelizmente, não poderia fazer muita coisa para ajudar seus dois melhores amigos.

Amanda estava sem paciência para prestar atenção nas aulas. Toda hora saía da sala com a desculpa de beber água ou ir ao banheiro. Não conseguia se concentrar. As suas amigas tinham reparado no seu comportamento mal-humorado, mas, como todos estavam com medo das provas, tinha se tornado comum andar que nem zumbi faminto pelos corredores do colégio.

Durante a aula de História Geral, Amanda pediu para sair da sala mais uma vez e Anna foi atrás. No banheiro, a garota desabafou com a amiga. Estava prestes a cair no choro novamente. Anna são sabia como ajudá-la. Só podia oferecer apoio para sua melhor amiga, que parecia desesperada.

Pela décima vez naquela sexta-feira, Amanda encarava o bebedouro encostada na parede do corredor. Não tinha mais sede, e as suas desculpas para sair de sala estavam começando a irritar os professores. Mas ela estava se sentindo muito mal e até um pouco enjoada. Queria Daniel de volta, porém algo a impedia. Sentia-se com raiva por dentro. Ouviu o barulho de uma porta batendo com força. Um inspetor saiu da sala em frente da dela acompanhado por Daniel.

– Eu entendi, cacete! – Daniel quase gritou. O inspetor olhou para ele.

– Garoto, você vai arrumar problemas se continuar assim – alertou.

Amanda ficou observando. Só havia eles ali, o corredor daquele andar estava vazio.

– Eu já tenho problemas o suficiente, obrigado – saiu andando em sua direção, enquanto o inspetor foi na direção contrária.

Os olhares de Daniel e Amanda se cruzaram, e ela logo se abaixou para beber um pouco de água. Sentiu ele parar atrás dela e fechou os olhos, desejando que isso não estivesse acontecendo. Virou-se e saiu andando, sem encará-lo.

– Você não vai falar comigo, não é? – ele perguntou grosseiro.

Ela parou e olhou para o garoto, que mordia os lábios com as mãos dentro dos bolsos. Tudo o que Amanda mais queria naquele momento era correr para abraçá-lo, mas a única coisa que fez foi se negar a conversar e voltar com pressa para sua sala.

Passou o intervalo em uma das mesas do pátio com as suas amigas e, de cabeça baixa, não conseguiu prestar atenção no que elas falavam. Kevin se aproximou e sentou-se ao seu lado.

– Acho que a gente precisa conversar – ele sussurrou.

Ela olhou para todos que conversavam alegremente. Concordou e se levantou, seguindo-o. Andaram lado a lado por um tempo, até se sentarem no gramado perto das árvores. Tinha muita gente em volta, mas ninguém prestava atenção nos dois.

– Que houve, Kev? Algum problema?

– Você que me diz – ele riu. – O que está havendo?

– Comigo? – ela perguntou nervosa. – Nada...

– Ok, eu não conheço você há muito tempo. Na verdade, eu nem conheço tanto como gostaria, você é uma ótima amiga e uma garota superdivertida – ele foi sincero. – Mas sei que você tem problemas.

Ela riu porque o garoto falava de um jeito engraçado e mole.

– Não sei se você entenderia – ela falou.

– Teste-me. Eu entendo todo tipo de problema, pois acho que já passei por tudo isso.

– Isso o quê? – ela perguntou. Ele piscou.

– Você gosta do tal Daniel Marques, não é? Ou pelo menos estão saindo?

– Ahn? – ela arregalou os olhos – Kevin...

– Eu ouvi você falando com ele. Você me pareceu muito feliz, eu fiquei contente por isso – ele riu. Ela ficou vermelha. – Eu sei como é gostar de alguém que, assim... A gente não pode mostrar pros outros.

– Sabe, é?

Ele concordou. Amanda então riu e percebeu que suas desconfianças estavam confirmadas. Kevin era gay. Gostou dele ainda mais do que antes.

– Você gosta dele?

– Não – ela disse olhando para o lado. – Na verdade, eu até gosto... Muito.

– Certo.

– Mas eu não posso – balançou a cabeça.

Nesse exato momento, Daniel e Fred vinham andando pelo gramado. Daniel contava tudo ao amigo e esperava receber algum conselho, pois ninguém conseguia fazê-lo entender essa situação. Mas Fred estava chocado. Ele não esperava por algo assim. Caminhavam distraídos, mas pararam assim que perceberam Kevin e Amanda sentados muito próximos um pouco adiante no gramado. Daniel abaixou a cabeça.

– Como assim, não pode? – Kevin riu.

Fred e Daniel conseguiam ouvi-los, mas eles não tinham notado a presença dos dois garotos.

– É difícil, Kev... Muito!

– Ok. Vamos lá. Você ama o tal do Daniel?

– Não! – ela falou respirando fundo.

Amanda ficou olhando para Kevin em silêncio. Daniel sentiu a garganta secar e se apoiou em Fred. Encarou o amigo e depois saiu andando na direção contrária, sem rumo. Fred o seguiu correndo.

– Ah, ok. Eu amo. Muito.

– Claro que ama – Kevin riu. – Olha pra você, seus olhos brilham quando fala dele!

– Mas – ela abaixou a cabeça – uma amiga minha também gosta dele. E eu não posso fazer isso com ela.

– Certo. Isso é verdade, você é uma ótima amiga. É uma das suas maiores qualidades. Mas vamos, se anime. Se vocês se gostam mesmo, isso não vai muito longe assim...

– Eu não sei, Kevin... Não sei se ele vai querer me entender...

Ela olhou para os lados. Sentiu uma tristeza incomum vendo todas aquelas pessoas à sua volta. Todos pareciam fúteis e se divertiam com qualquer coisa, mas estavam apenas fazendo pose, algo que não era verdade. Olhou para Kevin sorridente contando seus próprios problemas. O que tinha de errado com ela?

Daniel pegou a mochila e saiu da sala vazia. Fred o seguiu.

– Aonde você vai, cara?

– Pra casa. Eu não vou aguentar ficar aqui hoje – ele disse.

– Quer que eu vá contigo? Sabe que qualquer motivo pra fugir de aula é comigo mesmo... – ele sorriu.

– Não, cara. Pode ficar tranquilo. A gente se vê amanhã – saiu da sala com pressa.

Bruno, Rafael e Caio entraram correndo logo depois e viram Fred sentado em uma das mesas.

– O que houve? – Bruno perguntou.

– Teremos que ficar do lado do Danny, rapazes – ele se levantou. – Isso vai ser bem difícil...

quarenta e dois

Já era sábado à tarde, e Amanda rolava na cama ainda de pijama porque não tinha conseguido dormir. Tinha chorado involuntariamente a noite toda, sem descobrir uma resposta sobre o que deveria fazer. Não era possível que tudo acabasse desse jeito. Ouviu alguém bater na porta.

– Que é? – gritou. A porta se abriu e ela viu a cabeça de Bruno. – Que tá fazendo aqui?

– Posso falar com você?

– Se for sobre o Daniel, eu...

– Posso? – ele repetiu.

Ela sentou-se e concordou. Bruno fechou a porta, entrando no quarto. A menina ficou em silêncio, encarando-o, até que ele se acomodou no pé da sua cama.

– Não vamos esconder o fato de que tudo isso foi repentino.

– Não foi, Bruno. Ele não me aguentava mais, e eu não podia fazer mais nada.

– Ele é um ser humano, né? Ele tem os problemas dele, e é um cara bem inseguro.

– Eu sempre deixei claro que gostava dele...

– Mas não demonstrou muito – Bruno sorriu irônico.

Agora era sua vez de falar algo assim para alguém. Ouvira muito isso quando seu namoro com a Carol terminou.

– Vamos, admita pra você mesma! Você parece se divertir mais com Kevin do que com ele!

– Bruno! Eu nunca poderia ter nada com o Kev! Além do mais, isso não faz sentido...

– Claro que faz! E por que você diz isso? – ele perguntou.

– Esquece... Mas se você veio pra falar do Daniel, me perdoa. Pode ir embora, não vai adiantar nada.

– Certo. Eu vou – ele entregou-lhe um pedaço de papel –, mas ele mandou dar isso a você.

Bruno se levantou e saiu do quarto. Ela abaixou a cabeça porque não queria que ele realmente se fosse. A garota ficou olhando para o bilhete e abriu. Lágrimas começaram a rolar pelo rosto no instante em que começou a ler.

Quero poder te abraçar e dizer o que sinto.
Meu céu está negro sem você e está me sufocando.

– Ficou bom? – Daniel perguntou.

Caio fingiu secar umas lágrimas do rosto.

– Até eu namorava com você, cara – Rafael pulou em cima dele.

Bruno e Fred começaram a rir.

– Ela vai saber que é você, Danny – Fred disse com um tom preocupado.

– Quero mais é que saiba. Eu não aguento mais segredos...

– Não estrague minha vida! Meu doce de coco me ama no palco... – Rafael riu sonhador, mas levou um tapa na cabeça dado por Bruno.

– Para de chamar a garota de doce de coco, Rafael. É brega...

– Fala isso porque a Carol odeia você.

– Cala a boca – Bruno bateu nele de novo.

Daniel olhou para o violão à sua frente. O coração estava apertado, mas ele sabia o que tinha de fazer.

– Eu não estou com espírito nenhum... – Amanda reclamou, olhando-se no espelho. – Viu? Eu estou horrível!

– Mandy! Para de fazer charminho, não é como se você sempre estivesse superanimada pros bailes, vamos... Você tem que se animar hoje. Se não tiver gostando, volta pra casa. Você não vai entrar na fossa por causa da primeira briga no seu relacionamento – Anna disse rindo.

– Primeira briga? Foi a última, Anna...

Amanda achou que ia começar a chorar de novo. A amiga balançou a cabeça pensando o quanto a menina era boba.

– Vamos logo, o Breno deve estar chegando... – empurrou Amanda para fora do quarto depois de ter certeza que ela estava completamente linda em seu vestido de seda curto e preto.

As pessoas no baile se divertiam, conversavam e riam como se não tivessem nenhum problema na vida. Amanda andava e olhava para todos, achando-os um bando de falsos. Falsos, isso que todos eram. Uma menina baixinha de vestido rosa sorria exageradamente para um garoto moreno do primeiro ano. Ah, eles estão sorrindo? Pois é tudo mentira, logo o relacionamento de vocês também não irá dar certo! Quero ver então todo mundo sorrir – ela pensava. Por que estavam todos dançando tão felizes? Droga...

– Ei, quer sorrir um pouco? – Kevin perguntou entregando um refrigerante para ela.

A garota deu um meio-sorriso.

– Não estou com muita vontade, Kev...

– Entendo. Quer dançar?

– Não... – ela sentou-se numa das mesas perto do palco. – Na verdade, eu serei bem chata hoje, só vim porque me obrigaram.

– Tudo bem, eu fico aqui – ele sentou-se ao lado dela. Os dois ficaram comentando sobre os alunos que passavam, Amanda estava tão azeda que criticava tudo, desde os sapatos até os penteados, de todas as pessoas. O tempo passou rápido, e ela até se descontraiu um pouco. Kevin era engraçado e uma ótima companhia. Quando a música parou, o diretor anunciou que a banda Scotty estava prestes a iniciar mais um show. Amanda sorriu se sentindo mais calma e percebendo que Kevin tinha ficado todo o momento ao seu lado. Ele era um ótimo amigo.

Seu coração saltou de forma inesperada quando os quatro garotos mascarados subiram ao palco. Era a única coisa que parecia deixá-la mais animada. Amanda não sabia o motivo, mas o sentimento bom que ela tinha quando estava com Daniel voltava toda vez que via os garotos da banda Scotty.

E ela ficava ansiosa para descobrir qual nova música eles iam tocar. Era sempre tudo tão parecido com o que ela vivia; chegava a ser assustador. Sem falar no jeito romântico e sensual daquele guitarrista. Tinha como não se animar?

Olhou para ele no palco mais uma vez, e o coração pareceu que iria saltar pela boca. Ele estava olhando para ela! Kevin colocou a mão na testa da menina rindo.

– Você está doida? Ficou branca do nada! – Amanda arregalou os olhos. Ela conhecia aquele olhar, que, mesmo por detrás da máscara, lhe parecia familiar.

O guitarrista parecia doente, de qualquer forma.

O baixista da banda foi até a frente e anunciou a música que abriria o show. *Perto demais*. Perto demais para ficar bem. Ela não entendia o que aquilo queria dizer...

Eu não queria fazer você chorar
Ao te ver triste
Naquela tarde na praia
Posso pedir perdão?
Sei que é difícil entender
E eu me arrependo
De tudo que disse e fiz.

A menina se levantou de repente. Sentiu um aperto no peito inexplicável e uma dor no estômago que não estava ali antes. Respirou fundo. Kevin levantou-se junto sem entender.

– Está bem? – ela apenas balançou a cabeça segurando os lábios com força.

Por que diabos eles estavam fazendo aquilo com ela?

Eu não sei por que você está me deixando
Mas acredito que tenha seus motivos
Você está chorando
E eu já não sei o que fazer
Eu grito por você
Pode ser tarde demais.

Eles não podiam fazê-la pensar em Daniel. Não era justo. Por que aquela letra lembrava tanto ele? Era difícil ficar ali sentada, admirando seus ídolos sem lembrar de Daniel um só momento. E o olhar daquele garoto no palco? Por que ele estava com tanta raiva enquanto cantava e tocava?

Amanda sentiu lágrimas rolarem, borrando a maquiagem. Kevin achou que estava entendendo tudo.

Eu estava perto demais pra saber
Você quis me afastar
Manteve teus segredos
E tudo o que fiz foi te pressionar
Não sei o que estava pra descobrir

Mas entendo que estava perto demais
Eu só quis entender
Mas eu nunca saberei o porquê.

Amanda tapou o rosto com as mãos. Ninguém podia vê-la chorando daquele jeito. Eles não podiam fazer isso com ela... ele não podia! Aquela letra, aquela música... trazia à tona tudo o que Amanda mais queria esquecer no momento. Aquilo doía demais, aquele turbilhão de sentimentos era novidade para ela.

Kevin segurou a sua mão quando percebeu que a amiga iria desabar. Olhou para o palco. O guitarrista abaixou a cabeça e ficou de costas. Kevin sorriu e balançou a cabeça. Parecia certo demais.

Se lembra quando desenhei nossos nomes na areia
e você disse que me amava?

O guitarrista começou a cantar novamente e Amanda olhou para o palco, com a visão turva. De repente, uma sensação estranha invadiu seu peito. Ele estava olhando para ela! Para ela e contando sua história...

Agora acho que é tarde
Você mudou de ideia
E eu não sei mais o que dizer
Tentei de todos os jeitos te mostrar
Se lembra daquele pedaço de papel
Que estava em suas mãos?
Você nunca vai saber o quanto doeu
Ver você ir embora

Não podia ser, aquilo não era verdade. Amanda se levantou rápido e parecia tonta. Kevin ficou ao seu lado, com medo de que ela pudesse cair. A garota chorava e encarava o palco sem saber o que fazer, o que pensar. Como eles podiam falar dessas coisas? Que direito aquele garoto tinha de dizer tudo aquilo olhando para ela?

– Quer ir embora? – Kevin perguntou.

Ela negou. Precisava ouvir. A música era um desabafo, ela sentia. E conseguia entender aquela dor. Ela devia estar sonhando, certo? E por um momento se arrependeu.

Eles cantaram o refrão de novo, e ela podia ler, em cada palavra, o coração de Daniel. Isso parecia estranho?

O guitarrista deu um salto no palco e quando voltou ao microfone parecia ter muita raiva, agarrando o pedestal com uma das mãos, enquanto a outra percorria o braço da guitarra, mantendo algumas notas.

E todo esse tempo você tem mentido pra mim
Mentiras que eu vejo nos teus olhos sonolentos
Quando eu mais precisei você se afastou
E quando te perguntava você dizia ser segredo
Mas você sabe o que isso fez comigo?

Ela olhou para Kevin e sorriu amarelo.

– Eu... já volto – saiu praticamente correndo do salão.

Kevin ia dizer algo, mas ouviu uma microfonia e olhou para o palco. O microfone do guitarrista tinha caído no chão, e ele não fez nada. Apenas ficou parado. Ele olhou para Kevin. Depois observou o resto do salão e se virou de costas, voltando a tocar.

Kevin ficou pasmo. Não estava entendendo direito, mas havia alguma coisa errada. À sua volta, viu que todos ainda se divertiam e dançavam coladinhos como se nada estivesse acontecendo. Também notou a aproximação de Fred.

– Onde está a Amanda? – perguntou, grosseiro.

Kevin apontou para saída sem dizer nada e Fred foi, a passos duros, atrás dela.

– Amanda! – Fred berrou, quando estava do lado de fora do colégio, e viu a menina sentada em um banco em frente ao estacionamento.

– Me deixa, Fred. Por favor...

– Eu não entendo você, não preciso entender e não sou seu amigo suficiente pra ficar do seu lado agora.

Sua voz era ríspida. Amanda olhou para ele e percebeu que parecia triste.

– Agora, se você ainda gosta do Daniel, dane-se o resto do mundo e volta pra ele. Mas se não gosta, como eu ouvi você dizer, prefiro que você realmente nunca mais fique perto dele. E não estou sendo egoísta – ele disse, franzindo a testa; não conseguia ficar bravo com ela. – Mas eu não consigo vê-lo sofrer por uma coisa dessas. Mal-entendidos? O garoto só quer entender, e eu entendo muito bem o lado dele...

– Fred... – ela começou a chorar de novo.

– Eu vou voltar lá pra dentro. Larguei minha acompanhante sozinha. Aconselho você a ir pra casa. A noite não vai ficar melhor pra ninguém... – se virou e voltou para o salão do ginásio, deixando a menina sozinha chorando sentada no banco.

Albert passou por ela. Olhou meio torto.

– Amanda?

– Ai que saco! – ela se levantou quando o viu.

– O que houve?

– Nada – limpou as lágrimas. – Com licença – foi andando em direção ao salão.

O garoto ficou observando e sorriu. Ninguém ia fazê-la chorar daquele jeito e sair ileso. Nem Daniel Marques. Ninguém.

quarenta e três

No dia seguinte, Amanda se levantou e trocou de roupa. Vestiu um casaco preto por cima da blusa branca comum, pôs uma calça jeans e quase calçou seu velho All Star, mas começou a rir. Por que iria calçar um All Star? Ela não costumava usar tênis!

Céus, o que Daniel tinha feito com ela?

Escolheu uma sandália rasteirinha qualquer e pegou sua mochila, saindo de casa para andar um pouco. Precisava de um tempo sozinha

Domingo era bom porque não havia quase ninguém na rua.

Daniel desceu as escadas da casa de Bruno coçando os cabelos bagunçados e sem blusa. Encontrou o amigo e Fred sentados no sofá, comendo cereal – ambos de casaco.

– Cara, tá frio – Bruno disse com a boca cheia.

Daniel passou reto a caminho da cozinha.

– Ele está mal por ontem – Fred falou. – Foi meio forte.

– Foi... acho que ele está pirando – Bruno afirmou.

– Eu estou ouvindo isso! – Daniel gritou e riu da cozinha. – E então, vamos ficar em casa hoje? – Voltou para a sala com um copo de suco nas mãos.

– Tá frio, cara.

– Você já disse isso – Daniel sentou-se ao lado de Bruno.

– Hum... achei que uma vez só não fosse suficiente – falou olhando para o peito nu do amigo e os três riram.

– Acho que vai chover – Fred olhou para a janela. – Melhor assistirmos a algum filme. Podemos ligar pros outros dois.

– Caio deve estar dormindo – Bruno lembrou.

– E Rafael também – Daniel deu de ombros.

– *Eurotrip* ou *E.T.*? – Fred perguntou.

– Que tal *Diário da princesa*? – Bruno sugeriu.

Os outros dois fizeram sons estranhos com a boca.

– Cara, que tipo de homem assiste isso? – Fred indagou.

– O tipo de homem que chora vendo *E.T.* – Bruno riu.

– Quem é esse maricas? – Fred fingiu surpresa.

Enquanto os dois discutiam, Daniel olhou para o telefone. Tirou o cabelo da testa e subiu as escadas devagar. Os dois no sofá não perceberam a sua ausência. Ele não podia deixar se enganar desse jeito. Precisava falar com ela.

Colocou uma camiseta com um agasalho de manga comprida por cima, abaixou um pouco o cabelo, que ainda continuou todo bagunçado, calçou o tênis e pegou as chaves do carro de Bruno.

– Já volto – avisou, saindo e deixando os dois amigos sem saber o que fazer.

Amanda andava sem rumo. Tinha pensado em ir à sorveteria de Kevin mais tarde, pois realmente não tinha nada para fazer. Queria espairecer, pensar um pouco. O rosto estava inchado e seus olhos ardiam por ter passado mais uma noite chorando. Aquela música, aquele guitarrista... nada se encaixava para ela. Nada.

Inclusive o fato de que ela não podia ficar com quem amava.

Sentiu um pingo de chuva no nariz e olhou para o céu.

– Ótimo, era o que faltava – falou aborrecida.

Colocou as mãos no bolso e continuou andando. Dane-se a chuva. Ela tinha mais no que pensar.

Viu o carro de Bruno parar ao lado dela. Franziu a testa.

Daniel abriu a janela e destrancou a porta.

– Entra.

– Não – a garota apressou o passo quando viu quem era. Sentiu a boca seca e um calafrio nas costas, que não tinha nada a ver com a chuva.

Daniel fechou a porta e a seguiu.

– Vamos, está chovendo.

– E daí?

– Você não precisa nem falar comigo! Entra e eu levo você pra casa...

– Eu não quero ir pra casa! – ela disse alto, pensando que não poderia entrar naquele carro. De jeito nenhum.

– Amanda, a gente precisa conversar...

– Daniel! – Ela falou suplicante e ele sentiu um frio na espinha. – Eu não quero conversar.

– Tudo bem, eu nem abro a boca! – ele se deu por vencido. O coração estava acelerado. – Apenas entre porque está chovendo!

– Não está tanto assim – foi só ela dizer que a chuva realmente engrossou.

Daniel não pôde deixar de sorrir quando viu a garota ensopada diante da porta dele com os cabelos claros e castanhos caindo no rosto. O garoto deixou que ela entrasse.

– Droga de tempo! Nem ele colabora comigo! – sentou-se no banco do carona, batendo a porta e subindo o vidro, emburrada.

– Boa menina – ele ligou o carro. – Se não quer ir pra casa, pra onde quer ir?

– Pra lugar nenhum – ela deu de ombros sem conseguir olhá-lo, ainda com a cara fechada.

– Ok, vamos pra lugar nenhum – Daniel falou com toda paciência.

O clima estava estranho, eles não se encaravam. Ficaram rodando pelas ruas da cidade por quase uma hora, em silêncio, gastando o combustível do carro de Bruno.

– Ok, você vai por aquele lado! – Albert ordenou. Michel concordou.

– Isso tudo por ciúmes? – João Pedro se aproximou.

– Isso tudo por vingança... – disse sorrindo. JP também riu.

– Bom saber que não é ciúme... Ela merece sofrer com aquele idiota.

– JP, vai se ferrar e faz o que mandei! Anda! – Albert gritou.

Domingo com chuva? Quem iria reparar em três rapazes pulando o muro da escola?

Daniel parou o carro no estacionamento de uma farmácia. Não tinha ninguém por ali. Amanda olhou para os lados. Ele se virou para ela com toda paciência.

– Você terminou comigo porque eu quis saber seu segredo? – o garoto perguntou.

Amanda arregalou os olhos. A música da noite passada voltou à sua cabeça, e ela se sentiu enjoada.

– Daniel, por favor...

– Amanda... eu... não percebi que estava invadindo sua privacidade assim.

A garota não olhava para ele, ainda ouvia os versos da canção do Scotty em sua mente.

– Você toda hora tentando me afastar, mas... eu fui idiota. Eu só insisti.

– Daniel, por favor – ela pediu mais uma vez e olhou para ele. – Eu não vou mais falar sobre isso. O que está feito, está feito.

– Você gosta de mim. Eu sei. Você não teria entrado no carro se não gostasse.

– Não se iluda – ela voltou a olhar para frente.

– Se é vergonha de mim eu... – Daniel passou as mãos pelos cabelos.

– Daniel! – ela gritou com raiva, encarando-o, com os olhos marejados. – Eu não tenho vergonha de nada, ouviu? NADA! Eu não tenho vergonha de você.

– Não? – Ele pareceu surpreso com a reação. – Eu... Ah, droga – bateu com a testa no volante –, eu não entendo.

– Melhor assim – ela disse.

– Quer que leve você pra casa?

– Não. Eu vou pra sorveteria, em casa eu... – olhou para ele rapidamente, abaixando a cabeça em seguida – Eu... Vou ficar pensando e... Não quero ter no que pensar.

– Certo. Pra casa do Kevin – ele ligou o carro, mordendo o lábio com força.

Amanda sorriu pelo canto da boca, mas não disse nada.

O alarme de segurança do colégio tocou. Albert olhou para os dois amigos.

– Certo, me deem o livro, vamos rápido.

– Que livro? – Michel perguntou.

JP pegou o volume da mochila. – Este daqui.

– De quem é esse livro?

– Michel, você prestou atenção quando eu combinei o que iríamos fazer? – Albert perguntou enquanto JP ria.

– Claro... Vamos implantar um... Ahhhhhhh – Michel riu – livro do segundo ano! Entendi tudo.

– Demorou, hein? – JP saiu de perto deles com o livro na mão.

– Pobre garoto. Levará a detenção de sua vida – Albert disse, esperando o amigo finalizar o plano.

Os três então voltaram para casa antes que fossem descobertos.

Na manhã do dia seguinte, Daniel desceu as escadas com a mochila na mão.

– Cara – Bruno coçou a cabeça –, por que está demorando tanto? Você ficou de dormir aqui justamente pra gente não se atrasar pra aula!

– Eu sei, eu sei... Mas você viu meu livro de geografia? Tinha certeza de que estava aqui...

– Pode estar na sua casa – Bruno pegou seus livros em cima da mesa e a chave do carro.

– Não, eu não abri a mochila lá depois de sexta.

– Isso mostra quão empenhado é um aluno. Estamos em semana de provas – Bruno riu vendo Daniel fechar a mochila e segui-lo.

– Ah, eu sei. Mas quem se importa?

Os dois saíram, trancando a casa.

O colégio parecia o mesmo, se não fossem pelas provas. Os alunos estavam nervosos e ninguém parecia normal. Todos com livros debaixo do braço, colas escritas pelo corpo e grupos de estudo por todo o jardim.

Amanda e Anna passaram rindo por um grupo de meninas que escreviam algumas fórmulas de química nas coxas, embaixo das saias.

– Acho que vou dar essa dica pra Carol – Amanda falou.

– Ela pirou – Anna começou a rir –, não é mesmo? Eu nem estudei. É matemática hoje, tá tranquilo.

– Se gaba mesmo – Amanda viu Bruno e Daniel se aproximarem.

Virou-se para Anna sorrindo amarelo, mas a amiga percebeu.

– Você ainda está na babaquice?

– Não é babaquice, é sério.

– Ok. – Anna cumprimentou os dois quando passaram. – Bom-dia.

– Dia – Bruno respondeu simpático, mas Daniel apenas balançou a cabeça.

Anna olhou para Amanda.

– Você não precisa fingir que ele não existe.

– Eu não faço isso. Nem que eu quisesse.

– Eu realmente... Não sei o que faria no seu lugar – Anna fez um carinho na amiga. – Mas eu sei que temos prova em dez minutos. Vamos?

Amanda seguiu para sala de aula. Será que estava sendo muito ruim com Daniel?

– Mandy? – Guiga parou a amiga assim que ambas terminaram a prova, quando os alunos estavam sendo liberados para o pátio.

– Se deu bem?

– Mais ou menos... Acho que consigo um sete. Menos que isso, meu pai vai me mandar pra um internato de freiras!

– Vamos nos sentar? – apontou para uma mesa vazia.

– Me diz uma coisa... – Guiga segurou em seu ombro. – Eu ouvi gente tipo... fofocando... Eu não sei, mas... Você saiu com o Daniel?

Amanda ficou gelada. Como assim "gente fofocando"? Não podiam comentar sobre isso! Piscou os olhos e tentou não gaguejar.

– Que Daniel?

– Um dos marotos – Guiga sorriu. – Ora, vamos...

– Não, Guiga! Claro que não... – negou rapidamente e riu. – Convenhamos, o Kevin é bem melhor – saiu a passos duros.

– Que bom, achei que fosse a única que não soubesse de algo grande como isso!

– Não tem nada que você não saiba, amiga – disse resignada. *Não agora,* pensou.

Na terça-feira, os comentários eram sobre as provas já feitas e os próximos testes. Ninguém parecia satisfeito. Aquele era o colégio mais antigo e conceituado da cidade e, para manter o nome, o ensino era bem puxado.

– Eu não sei se cheguei a oito! – Carol lamentou.

– Bem-feito – Maya riu –, quem manda passar a aula no telefone.

– Eu não passo a aula no telefone! – Carol protestou.

Amanda bocejou.

– Cansada? – Guiga perguntou.

– Aposto que passou a noite estudando pra Biologia... – Anna disse. Mas sabia que não. Daniel ainda tirava o sono da amiga.

– Claro – concordou.

– Bom diaaa – Caio falou animado chegando perto da mesa delas no pátio.

Anna sorriu, assim como Maya e Guiga.

– Não é um dia realmente bom, Andrade – Carol falou ríspida quando viu os outros três marotos se aproximarem.

– Como foram em Biologia? – Rafael perguntou.

– Aposto que as aulas extras ajudaram – Daniel comentou, piscando para elas.

Amanda evitou olhá-lo. Anna riu.

– Ajudaram, com toda certeza!

– Que bom – Bruno falou segurando Rafael pelos ombros. – Agora vamos.

– Podem sentar se quiserem, precisamos nos entreter com alguma coisa – Maya brincou.

– Não, não podem – Carol cortou.

Amanda arqueou a sobrancelha. Caio também.

– A gente não quer sentar, obrigado – Rafael sorriu.

– Não agradeça, idiota. Ela não está sendo simpática! – Bruno reclamou.

Carol fechou a cara e Maya franziu a testa.

– Eu estou! – disse.

– Não seja bobo, Bruno... – Amanda falou. Bruno deu língua.

– Viu? Meu doce de coco não está sendo ruim – Rafael riu da careta que Maya fez. – Mas mesmo assim obrigado. O Danielzinho aqui não quer sentar em mesa de meninas.

– Ele tem alergia – Caio se meteu na conversa.

– Ah – Daniel riu irônico. – Claro, só eu, né? Ninguém aqui se coça quando vê a Playboy e...

– Cara! – Rafael bateu na testa. – Para de dedurar a gente!

– *Muy* amigo – Bruno riu.

– Até – Daniel piscou para elas – outra hora – e saiu rebolando com Caio e Bruno atrás dele.

– Ainda posso sentar? – Rafael sorriu.

– Pode – Anna deu espaço para ele.

Quando o garoto estava se acomodando, ouviu um assobio.

– Quer morrer? – Bruno gritou. Ele bufou.

– Até mais e boa sorte com trigonometria... – saiu correndo ao encontro dos amigos.

As amigas gargalharam, e Amanda observou Daniel de longe. Parecia feliz. Mas ela ficou triste. De alguma forma, queria que ele ficasse chateado. Abaixou a cabeça e voltou a ouvir as reclamações sobre as provas.

À tarde, Amanda despistou sua mãe e foi ao cabeleireiro. Sentia que precisava mudar alguma coisa, nem que fosse o penteado. Embora Carol

e as outras meninas estivessem pirando com as provas, afinal teriam peso
dois na média final, ela não se importava muito. Estava chateada e triste.
E sentia falta de Daniel. O mesmo blábláblá de sempre.

Mas acreditava que a atitude tomada era a certa. Não podia se arrepender agora.

Quando voltava para casa, no fim da tarde, viu uma movimentação
perto da sorveteria. Vários carros estavam por lá, pessoas ouviam música, conversavam e riam. Identificou alguns alunos do seu colégio. Ela
gargalhou sozinha. Era terça-feira em uma semana de provas!

Pensou em entrar para falar com Kevin. Atravessou o estacionamento, desviando-se de algumas pessoas até esbarrar em alguém. A cerveja
do garoto rolou no chão.

– Oh, céus, me perdoe? – ela se desculpou. Olhou e sentiu o coração
parar de bater. – Daniel.

– Amanda – ele abaixou para pegar a latinha. – Pode deixar, eu com-
pro outra.

O garoto saiu de perto. Ela deu de ombros, franzindo a testa. Droga,
por que sentiu raiva dele, só por estar se divertindo?

Entrou na sorveteria, que estava bastante cheia, e encontrou Kevin
sentado numa mesa com Breno e o primo.

– Você por aqui! – Ele deu-lhe um beijo na bochecha.

– Afinal, que dia é hoje? – Amanda falou, e todos na mesa riram.

– Não sei, criaram um feriado – Breno respondeu. – Foram aparecendo aos poucos.

– Legal.

Ela se sentou. Viu Bruno e Fred entrando pela porta, rindo alto. Os
dois estavam com três garotas da escola, que também pareciam contentes.
Amanda virou o rosto. Não sabia bem o porquê, mas estava com ciúmes.

– Quer ir lá pra fora? – Kevin perguntou.

Amanda viu o amigo rindo. Sorriu e concordou. Os dois se levantaram e passaram por Fred e Bruno sem olhar. Amanda, porém, percebeu
que eles ficaram olhando.

– Eu preciso falar com você – Daniel disse, aproximando-se dos
dois. Kevin arregalou os olhos. – Não com você, com ela – apontou para
Amanda.

Ela fez cara de zangada. Daniel estava visivelmente alcoolizado.

– Daniel...

– Por favor? – ele pediu.

Os olhos do garoto pareciam caídos e tristes.

– Vai lá, não custa nada – Kevin se desencostou do carro onde conversava com Amanda.

– Tá – ela falou. – Certo, Daniel, vamos ali pra trás da sorveteria – e saiu andando.

Os dois se encararam por um tempo.

– Você precisa voltar pra mim – ele falou de forma suplicante com uma mão no peito.

A menina abaixou a cabeça.

– Eu não posso.

– Você precisa... – ele respirava fundo.

Não estava tão próximo, mas ela parecia sentir que o coração dele estava disparado.

– Daniel! Não fale mais isso, eu não vou voltar!

– Você está me fazendo mal.

– Eu... Eu... – Amanda sentiu o peito pesado, os olhos lacrimejarem.

– Eu não fecho a droga do olho de noite... E... As provas? Zero, aposto.

– Seria pior, acredite em mim... – ela mentiu.

Ele fechou os olhos quando ela se aproximou. Com dificuldade a menina tocou na bochecha dele. Não sabia como estava tendo coragem para ficar tão próxima assim. Sentia calafrios.

– Daniel, não se preocupe... Vai tudo ficar bem. Acredite em mim.

– Não vai... – ele balbuciou ainda de olhos fechados.

Ela balançou a cabeça sentindo que precisava sair dali.

– Eu estou bem! Você não precisa de mim, vai ficar bem também...

Ele abriu os olhos. Daniel sabia que Amanda estava mentindo, pôde ver nos olhos dela. Leu os olhos dela. Sabia que ela não queria dizer aquilo.

Ia falar alguma coisa, quando ela tapou a própria boca e correu para dentro da sorveteria. Ele queria perguntar, queria saber de tanta coisa... Mas deixou para lá. Não ia dar certo.

Amanda se sentou novamente na mesma mesa.

– Tome isso – Kevin apareceu ao seu lado com uma enorme taça de sorvete nas mãos. – Sabia que ia precisar.

– Obrigada – ela agradeceu com os olhos cheios de lágrimas.

– Vocês não voltaram?

– Não – ela falou nervosa. – Não...

– Pena... Ele gosta de você – olhou para fora da loja pela imensa janela de vidro. Viu Daniel abraçar uma garota e balançou a cabeça. – Olha o que ele está fazendo.

Amanda virou a cabeça e riu nervosa.

Daniel beijava Rebeca de um jeito nada decente. A garota usava uma roupa vulgar: short jeans bem curto e blusa decotada, fazendo os peitos quase saltarem para fora! E a única coisa que Amanda pensava era na forma como ele estava beijando-a. Como podia fazer isso?

– É um babaca mesmo...

– Defesa – Kevin deu de ombros. – Normal.

– Eu não estou fazendo isso! – Ela choramingou.

– Você apenas não está pronta... Vamos, pegue seu sorvete, e eu levo você pra casa.

Ela concordou, desejando mais do que nunca que Daniel explodisse e levasse Rebeca junto.

A manhã seguinte foi um tormento para Daniel. A ressaca deixou o menino pirado e sua cabeça em frangalhos. A prova à sua frente, parecia estar em 3D. Piscava os olhos e passava a mão no cabelo. Batia os pés no chão e o lápis na mesa.

Ouviu, então, um barulho ensurdecedor vindo do corredor. A professora de Literatura abriu a porta e espiou. Muitos alunos discutiam alto e o diretor estava no meio da confusão, com um livro nas mãos, tentando conversar com um rapaz.

– O que houve? – Rafael perguntou.

– Faça a sua prova, sr. Martins – a professora fechou a porta.

Quando voltava para o seu lugar, ouviu alguém bater e entrar na sala sem esperar autorização.

– Com licença, professora Martha – o diretor disse, parecendo furioso.

Bruno e Daniel trocaram olhares.

– Por favor, entre – a professora falou.

Os alunos não faziam mais as provas e passaram a observar os dois.

O diretor parou diante da turma e levantou um livro. De geografia.

– Alguém é dono disso?

– Eu – Daniel levantou a mão.

Era seu livro! Como tinha parado ali? O diretor riu.

– Por favor, senhor Marques, me acompanhe – Daniel deixou o lápis na mesa.

Ele virou-se para os amigos sem entender nada. Saiu da sala atrás do diretor sob olhares assustados dos estudantes e foi para o corredor, onde tinha mais gente observando-o. Todos calados. Viu os alunos da outra turma fora de sala. Amanda e suas amigas estavam no meio. Ela não olhava para ele.

– O que houve? – perguntou.

– Este livro – o diretor entregou-lhe – foi encontrado dentro da sala dos professores.

– Ahn? – Daniel riu. – Impossível...

– Não diga que estou mentindo, garoto! – o diretor gritou.

Daniel arqueou a sobrancelha e mordeu a boca.

– Não disse isso.

– O livro foi achado dentro do armário onde deveriam estar os gabaritos das provas do segundo ano.

– Sério? O que eu tenho com isso?

Fred sentiu um esbarrão no ombro, quando viu Albert e João Pedro passarem rindo. Não estava gostando nada de ver seu amigo no meio daquele tumulto, mas não podia fazer muita coisa.

– Confusão? – Albert perguntou.

Fred não disse nada.

– Você roubou as provas neste domingo, não foi? – o diretor voltou a indagar.

– Eu? – Daniel arregalou os olhos. – Eu não!

– Como domingo, diretor? – Fred perguntou.

Todos olharam para ele.

– Seu Zé afirmou ter limpado a sala dos professores no domingo de manhã, e não tinha nenhum livro lá! Só as provas dentro da gaveta! E foi no dia em que o alarme do colégio disparou! – explicou tentando manter a calma, sem sucesso.

– O senhor acha que eu deixaria meu livro dentro da gaveta? – Daniel perguntou assustado.

– Então você roubou?

– Eu não disse isso! Estava ocupado no domingo! – Ele falou nervoso. Olhou para os lados.

– No domingo à tarde? E você tem algum álibi? Porque isso é sério... – o diretor colocou as mãos na cintura.

Amanda sentiu as pernas tremerem. Daniel estava com ela naquela tarde.

– Tenho! Tenho... Eu estava com ela – apontou para Amanda.

Ela franziu a testa. Todos no corredor olharam diretamente para a garota.

– Isso é verdade? – o diretor perguntou.

Amanda sentiu as mãos suarem. Todos olhavam para ela! Sentiu uma mão em seu ombro, e era da Guiga.

– O que está havendo? – a amiga sussurrou, ao lado de Anna, que abaixou a cabeça, e de Carol, horrorizada. – Amiga, você passou o dia com ele? – perguntou surpresa.

– Não! – Amanda disse sentindo o corpo formigando.

Logo todos olharam de volta para Daniel, que estava de boca aberta.

– Amanda, você sabe que eu não estava aqui na escola de tarde!

– Eu não sei de nada – a menina falou tremendo – eu...

– COMO QUE VOCÊ NÃO SABE DE NADA? – Fred gritou do fundo do corredor.

Albert segurou-o pelo ombro quando viu que ele ia partir para cima dela.

Amanda respirou fundo.

– Não faz isso... – Daniel sussurrou para a menina.

Ela olhava para o rosto dele e, depois, para Guiga. Carol fazia careta e Maya parecia preocupada.

O diretor bateu o pé.

– Garota, o que aconteceu? Ele estava ou não com você?

Ela fitou Daniel. Não, não era hora de revelar as coisas. Guiga estava ao seu lado! E o que iam pensar? A escola inteira parecia estar naquele corredor!

– Não, ele não estava comigo – respondeu quase sem ar.

– Obrigado – Daniel riu irônico e colocou o livro debaixo do braço.

– Para minha sala, agora – o diretor ordenou.

Daniel abaixou a cabeça e o acompanhou. Assim que os dois desceram as escadas, todos no corredor começaram a falar. Amanda sentiu vontade de chorar. Por que fez isso? Por que era tão imbecil?

– Que péssimo isso – Guiga encostou a mão no ombro de Amanda –, nunca pensei que ele fosse capaz...

Dois inspetores começaram a recolher os alunos, pedindo que eles voltassem às suas classes. A última coisa que Amanda viu foi a expressão nos rostos de Fred e de Bruno. Ambos desapontados. Entrou na própria sala com um peso na consciência. Não sabia o que aconteceria com Daniel.

Só teve mais informações durante o intervalo no pátio, onde o assunto do colégio inteiro não parecia ser outro. Todos cochichavam pelos cantos e discutiam sobre a cena, um verdadeiro barraco.

– Ele foi expulso – contava um garoto da oitava série ao passar por ela.

– O diretor gritou feito um tigre – outro falou.

– Coitado... – as pessoas comentavam.

Amanda parou no corredor com a mão no peito. Ele não podia ser expulso! Ela não podia ter feito isso com ele... Se for verdade, seria sua culpa!

Olhou para o lado a tempo de ver Rafael sair da sala com a mochila de Daniel nas costas, mas o menino não estava com ele.

O garoto não olhou para Amanda, passou direto e parecia extremamente vermelho.

Amanda sentiu um bolo subir à garganta e correu para o banheiro chorando. Não podia acreditar nisso. Não podia ser verdade. Ele tinha sido expulso do colégio por sua causa. Por causa do seu medo e seu egoísmo. O seu Daniel! O que poderia ser pior? A garota, por um momento, quis que o tempo voltasse – embora soubesse que seria tão covarde quanto antes. *Parece um ataque cardíaco...*

quarenta e quatro

Amanda chegou em casa descontrolada, chorando. Sentou em sua cama, com as mãos trêmulas. Como iria encarar o garoto agora? Como conseguiria olhar para Bruno?

O telefone tocou. Ela não queria atender, não queria ouvir o que ninguém tinha a dizer. Nada disso podia ser verdade.

Tirou os sapatos e fechou as cortinas do quarto. Iria dormir o dia todo. Dizem que o sono faz o tempo passar mais rápido, certo?

O barulho do despertador soava ao longe. Foi aumentando o volume e começou a incomodar. Amanda sentiu a cabeça doer e abriu os olhos. Sete da manhã?

Levantou-se correndo. Se não chegasse à escola em meia hora, perderia a prova de História. Tomou um banho rápido, trocou de roupa e saiu sem comer. Por que tinha dormido tanto? Até a carona com seu pai, ela tinha perdido.

Andava com passos largos, tentando se apressar, quando ouviu uma buzina. Era Kevin.

– Sobe! – ele disse. Ela sorriu e entrou na enorme picape. – Suas bochechas estão vermelhas.

– Corria pra não chegar atrasada.

– Eu sei que você mentiu ontem – Kevin falou. A garota abaixou a cabeça.

– Ele foi mesmo expulso? – perguntou. Kevin deu de ombros.

– O povo fofoca, pode ser mentira. Mas roubar provas é realmente...

– Ele não roubou nada! – Amanda quase gritou. – Ele estava comigo!

– Não sou eu quem tenho que saber disso – Kevin balançou a cabeça calmamente.

– Eu – a garota riu irônica – estou perdida.

– Você se coloca em confusão, Mandy. Pare de achar o mundo complicado e encare de vez tudo isso.

– Olha quem fala – Amanda cruzou os braços.

Kevin resolveu se calar, e os dois foram em silêncio para a escola.

Amanda achou que todos no colégio não paravam de observá-la.

– Ninguém está olhando, Amanda – Anna afirmava, mas ela se sentiu perseguida. – Isso é sentimento de culpa.

– Anna...

– Não me diz nada, por favor – a amiga saiu andando em direção à sala.

Estava muito chateada, mas sabia que as duas não podiam brigar. Amanda ficou sentada sozinha no banco perto da entrada. Viu Carol passar com André e Breno.

– Não vai entrar? – ela perguntou.

– Podem ir na frente... – Amanda falou solenemente.

Enquanto o trio seguia seu caminho, ela reparava em todos os alunos entrando pelo portão. Tinha esperanças de ver Daniel passar por ali também.

Alguns minutos depois, Guiga chegou com Maya. As duas riam e conversavam alto.

– Mandy! – Guiga disse e beijou a amiga. – Tudo bem?

– Ótimo – mentiu. – Nervosa... Com a prova.

– Ahhh, não esquenta, é história! – Maya falou sorrindo – Guiga, vamos logo...

– Não vem conosco? – Guiga perguntou.

– Vai indo... Estou esperando o Bruno porque ele, ahn, ficou com, ah, meu caderno.

– Certo – Guiga sorriu e correu com Maya para dentro.

Ótimo, agora ela se sentia mal perto de Guiga. Não tinha como ficar pior.

Avistou Bruno e Rafael chegarem. Ela abriu mais os olhos para tentar ver se Daniel estava atrás, mas não viu o que queria. Fred e Caio vinham logo depois, e os quatro estavam carrancudos e com olheiras.

Sentiu o olhar de Rafael pesar sobre si.

– Bruno – ela chamou, mas o garoto apenas levantou a mão.

– Guarde suas desculpas pra você – saiu andando com Rafael na sua cola.

Fred passou rindo.

– Se Daniel queria fugir das provas, ele arrumou alguém que o ajudasse e fizesse isso por ele, não foi? – falou com grosseria.

Caio pegou no ombro do amigo e Amanda ficou olhando para eles.

– Vamos, Fred, não vale a pena – Caio dizia.

Amanda se levantou.

– Ele foi mesmo expulso? – perguntou, sentindo o mundo girar à sua volta.

– Adivinha? – Fred riu abrindo os braços e mostrando as pessoas perto dele. – Está vendo Daniel Marques aqui?

Ele se virou de costas e seguiu para o corredor. Amanda sentou-se de volta sem saber o que fazer. Sim, claro. Tudo sempre podia ficar pior.

– Anna, vamos comigo – Amanda disse, pegando a mochila.

Anna olhou assustada. Estavam na sala de TV da sua casa e Amanda estava nervosa desde que as duas voltaram da escola.

– De jeito nenhum que eu vou na casa do Daniel, você só pode estar doida...

– Me apoia, por favor?

– Não – Anna balançou a cabeça. – Eu não...

– Por favooor! Eu juro que só quero pedir desculpas...

Amanda estava com a cabeça dolorida, o corpo pesado. Podia jurar que era febre. No entanto, tinha que fazer alguma coisa.

– Ah, certo. Certo, mas vamos rápido!

– Obrigada – Amanda beijou a bochecha da amiga, e as duas saíram de casa.

Não sabia como tinha criado coragem de ir até lá. Seus joelhos tremeram quando chegou à porta da casa de Daniel e ouviu o barulho da TV. Olhou para Anna.

– Se vai desistir...

– Não! – Amanda disse um pouco alto demais. Tapou a boca e olhou para os pés. Queria chorar, gritar, qualquer coisa. Levou um susto com a porta se abrindo.

Era Daniel. Ele estava com uma calça xadrez de veludo e uma camiseta branca de gola V. Os cabelos bagunçados e descalço.

– Entrem – ele falou calmamente com a voz fraca.

Amanda olhou para Anna e ficou parada. A amiga então tomou as rédeas. Não ia deixar a covardia de Amanda estragar tudo de novo. Pegou a garota pelo braço e a puxou para dentro com o olhar estranho de Daniel sobre elas.

– Certo, agora... – Anna começou – eu não sei por que diabos estou aqui. Acho que pra não deixá-la cometer mais insanidades.

– Ok – Daniel andou lentamente até o sofá e chamou as duas.

Quando Amanda entrou na sala descobriu a verdadeira aparência da decadência; não era nada agradável. O lugar tinha cheiro de pipoca queimada, latas de cerveja e garrafas de refrigerantes jogadas pelo chão, DVDs espalhados, duas caixas de pizza abertas em cima da mesinha de centro, alguns cacos de vidro e um copo quebrado perto do sofá. O olhar dela parou ali.

– Não cato vidro quebrado – ele disse grosseiro. – O que quer?

– Eu... – ela começou baixinho – vim me desculpar porque...

– Não sei se isso seria certo. Não sei se eu vou perdoar você.

Anna sentou-se na outra ponta do sofá e Amanda continuou de pé, sem conseguir encarar Daniel.

– Não seria justo, sabe? – O garoto continuou. – Quando faz merda e alguém vai e perdoa.

– Eu não sei por que fiz aquilo e...

– Você sabe – ele deu uma risada zombeteira.

– Não, não sei – ela olhou para ele.

– Ora, vamos... – o garoto, destilando ironia, mirou algumas pipocas no chão – você disse que não queria mais me ver. Me ignorou. Por nada! Eu não fiz NADA!

Anna mexia nos cabelos vendo Amanda morder os lábios.

– Você não fez nada – Amanda repetiu.

– Que bom que você sabe disso – ele riu. – Sabe também que eu não roubei prova nenhuma.

– Eu sei, mas eu não podia... – tentou falar, mas foi interrompida por Daniel.

– Não podia mostrar pra ninguém que estava comigo. Claro. E você me disse que não tinha vergonha de mim... – ele gargalhou com sarcasmo.

Amanda sentiu raiva. O estômago revirou, e ela teve vontade de bater nele.

– Eu não tenho vergonha de você.

– E por que então me negou na frente de todo colégio? Por que diabos passou a me ignorar depois de tudo? Por que me deixou sofrer desse jeito? – ele foi fazendo uma pergunta atrás da outra com evidente desespero.

A garota queria dizer algo, mas sentia que não podia. Ficou entalado. Engoliu em seco e se virou de costas.

– Eu só vim pedir desculpas, Daniel – ela falou.

Sentiu um arrepio, e ele fechou os olhos. Anna viu os dois parados sem reação.

– Pronto, é isso – Anna se levantou. – Minha utilidade vem a seguir – ambos olharam para ela. – Daniel, você tem toda razão de ter raiva dela. No momento, até eu tenho – Amanda abaixou a cabeça. – Mas ela tem um motivo pra tudo isso.

– Anna... – Amanda começou, porém a amiga ignorou.

– Se você não vai dizer, eu vou. Isso é ridículo.

– Não, por favor... – Amanda pediu baixinho.

– Eu normalmente não me meteria, mas você já fez merda demais pra uma só pessoa – Anna falou nervosa. – Bem, duas – Daniel franziu a testa.

– Mas não tinha que ser assim... – Amanda resmungou.

Anna se virou para Daniel.

– A Amanda não quis perder duas coisas, então ela teve que escolher perder apenas uma – contou. – Ou uma amizade de anos ou um amor de anos. Como sempre dizemos, a amizade vem antes de tudo, certo? Ela pôs uma amiga na sua frente, Daniel, e não foi por maldade.

Daniel olhou para Amanda como se entendesse tudo.

– Não estou dizendo isso – Anna acrescentou – pra melhorar a condição de burrice em que ela se colocou, mas... Esse foi o motivo pra Amanda esconder você de todo mundo.

– A Guiga – Daniel concluiu.

– Me dá licença – Amanda balançou a cabeça e saiu correndo da casa.

– Ela gosta de você, mas ela gosta da Guiga. Foi difícil escolher, Daniel.

– Eu imagino – Daniel fez um barulho estranho com a boca, como se tentasse gritar. – Que idiota, eu fui! Que imbecil; tudo faz sentido – ele riu nervoso. – Ela podia ter me falado, não podia? Tipo, Daniel, oi, minha amiga gosta de você. Vamos terminar. Mas não! Ela... Ela simplesmente me fez pensar coisas absurdas!

– Hey, estamos falando da Amanda. Ela nunca facilita as coisas – Anna disse rindo. – Daniel, eu nunca fui muito com a sua cara. Nunca concordei com esse caso de vocês dois porque imaginei que fosse acabar assim.

– Obrigado por me falar tudo isso, embora eu preferisse...

– Ela não ia te dizer nunca – Anna respirou fundo. – Mas... Você foi mesmo expulso?

– Engraçado, não é? Só posso voltar no terceiro ano, se quiser. Vou ter que concluir o segundo ano em algum curso supletivo ou sei lá. Eu não sei nem como contar aos meus pais. Meu pai ainda tá se recuperando do acidente, ele já foi transferido para um quarto e terá que fazer fisioterapia e tal. Tenho medo de piorar o quadro dele com a notícia... – ele pareceu triste. Sorriu falsamente. – Eu estou acabado.

– Isso tudo é muito surreal – Anna disse.

– Eu não sei o que fazer em relação a mais nada.

– Espero que fique tudo bem – eles ouviram o barulho de um carro freando. – Oh, céus, melhor eu correr.

– Deve ser o Bruno tentando atropelá-la – Daniel disse como se não ligasse. – Diz pra ela que eu a amo muito? Mesmo depois de tudo isso? Porque eu simplesmente sou um idiota.

– Certo – Anna sorriu, vendo a dificuldade do menino de dizer isso.

A porta da casa se abriu e Bruno entrou perturbado.

– Sai! – ele gritou.

– Boa-noite, Bruno – Anna riu e saiu da casa para procurar a amiga.

Daniel olhou para o amigo e começou a chorar.

– O que essas malucas queriam? – sentou-se ao seu lado no sofá.

– Eu – Daniel balançou a cabeça – simplesmente me sinto feliz.

Bruno pensou que o garoto tinha ficado completamente louco ou provavelmente bêbado.

– Certo, é melhor você dormir...

– Bruno. Ela gosta de mim.

– Ela não merece você! – Bruno rosnou. – Eu sinceramente...

– Bruno... eu amo ela.

– Daniel, você é louco! – Ele percebeu o olhar do amigo. – O que vai fazer?

– Nada. Eu ainda não sei... Mas não posso ir embora sem falar com ela por uma última vez.

– Você é um babaca! – Caio gritou, no último ensaio de sexta-feira.

– Eu já disse que discordo disso – Fred cruzou os braços.

Rafael entrou na sala com um saco de salgadinhos nas mãos.

– Você faz o que quiser, cara. Eu tô contigo! Toco o que você pedir – apoiou.

Daniel sorriu para Rafael. – Obrigado, cara.

Os dois bateram as mãos em cumprimento.

– Bom, eu toco também... Mas... Danny – Bruno encarou o amigo –, você vai quando?

– Domingo. Liguei pros meus pais ontem à noite. Minha mãe nem brigou tanto comigo, acho que o acidente do meu pai a deixou mais calma. E, bom, eu preciso terminar o segundo ano. Se não for aqui, vai ser...

– No Canadá – Caio completou infeliz. – Que ótimo. Eu nunca vou perdoá-la...

– Quem tem que perdoar sou eu, e já está sendo difícil demais, ok? Agora vamos ensaiar que vou mostrar a música pra vocês.

– Amanda? – Guiga bateu na porta do quarto da amiga.

– Ela não vai abrir – Carol balançou a cabeça.

– Mas o que houve?

Guiga estava confusa. Não tinha a menor ideia do motivo que levara a amiga a não querer falar com elas.

Anna então subiu as escadas.

– Eu já tentei, desde cedo. É melhor vocês voltarem mais tarde. Ela não se sente bem.

– Liga pra gente se tiver qualquer problema – Carol falou.

– E passamos aqui de noite pra pegar vocês pro baile – Guiga parecia animada.

Anna ficou pensando meio desconfiada. Como ela poderia estar feliz se o garoto que ela supostamente gostava tinha sido expulso? Não fazia sentido.

Quando as duas amigas foram embora, Anna bateu na porta de Amanda.

– Sou eu. Não se faça de sonsa comigo, abra isso.

– Anna – Amanda disse com a voz fraca –, eu quero ir ao baile.

– Hum, que bom saber disso. – Anna ouviu a fechadura da porta ser aberta. – E por que essa decisão?

– Eu sinto que devo ir – Amanda tinha os olhos inchados e ainda chorava.

Anna entregou um copo de Coca-Cola para a amiga.

– Pressentimentos... Devemos segui-los.

– Sabe? Eu sempre achei esses Scotty um tanto estranhos – as duas se sentaram na cama.

– O que eles têm com isso? – Anna não entendeu a relação.

– Eles sempre tocaram músicas que pareciam comigo. Uma vez falaram de miojo, e eu tinha comido miojo na casa do Daniel! E... Ainda mencionaram nomes escritos na areia. Depois... Sobre um término de namoro... E também de dançar e tal – Amanda secou as lágrimas. – Tudo exatamente da forma como aconteceu comigo e com ele.

– Isso é estranho... Você não acha que...

– Daniel? Ah não sei... Duvido. Você acha?

Amanda olhou para a amiga, que balançou os ombros.

– Nunca se sabe do que marotos são capazes – as duas riram. – Vamos, se levante e tome um banho. Vamos sair pra comer.

– Eu preciso ligar pro Kevin. Eu lhe devo desculpas, fui grossa com ele quando não devia.

Anna sentiu-se aliviada quando a amiga entrou no banheiro da sua suíte. Alguns males poderiam vir para o bem, e ela viu sua amiga mudando para melhor aos poucos. Talvez tudo isso não fosse tão errado assim.

– Caraca – Daniel entrou na sala xingando.

– Que foi? – Fred tirou os pés do sofá.

– O celular dela está desligado! – Daniel disse.

– Você não quer parar de tentar falar com ela? – Caio intimou.

– Eu preciso, Caio.

Já tinha pensado em deixar uma mensagem na caixa postal. Ligou novamente. Caiu outra vez na secretária eletrônica. Na terceira vez que isso aconteceu, ele resolveu deixar recado. Ele falou o que precisava dizer, se sentiu mais leve, mas isso fez com que subisse para o quarto depressa, a fim de evitar que os garotos o vissem chorando.

quarenta e cinco

Perto das dez horas da noite, Carol, Maya e Guiga chegaram à casa de Amanda para buscá-la e também levar Anna junto. Não importaria a desculpa que a amiga desse, elas estavam decididas a arrastá-la para festa, até pelos cabelos se fosse preciso. Amanda não iria ficar sozinha em casa em um sábado à noite!

– Vocês estão lindas! – Guiga elogiou quando as duas garotas abriram a porta.

Sentiu-se mais leve. Afinal, Amanda parecia meio animada, e não seria preciso nenhum esforço para convencê-la a sair.

Guiga e Anna começaram a rir quando perceberam a semelhança de seus vestidos: pretos bem justos e até os joelhos. Os modelos, porém, eram diferentes, e elas não se importavam de usar a mesma cor. Realmente estavam bonitas.

Logo ouviram uma buzina. Breno e Kevin tinham chegado, cada um em seu carro. Amanda colocou as mãos na cintura.

– Isso foi combinado?

– Nope – Carol riu, vendo Nick descer e abrir a porta traseira do carro de Breno para elas. – E quem disse que precisava? – caminhou até ele e entrou no carro.

– Certo – Amanda chegou perto da janela do imenso carro de Kevin. – Abaixa a música – ela pediu rindo. Ele obedeceu.

– Você está um arraso.

O garoto sorriu, galante, analisando a amiga de cima a baixo. Ela usava um vestido salmão claro, bem apertado no busto, destacando os poucos seios da garota, que descia estreito na cintura e caía sobre as coxas, com uma saia rodada. Sua maquiagem era suave; na boca, apenas um *gloss* rosa-claro. E calçava sandálias douradas de salto fino.

– Obrigada. Um vestido Prada sempre me deixa linda – brincou.

– Aposto que ele iria gostar.

– Que ele se dane – Amanda sorriu amarelo.

Kevin abriu a porta, desceu da picape e a abraçou enquanto todos se cumprimentavam.

– Como está agora?

– Péssima, me sinto um lixo – ela deu de ombros. – Eu sou muito burra.

– Você não é burra... Agiu como achou melhor – Kevin sussurrou para ela quando Anna se aproximou.

– Vai com ele?

– Claro, essa mistura de hormônios de vocês aí está me fazendo mal – Amanda brincou e entrou no carona de Kevin.

Maya entrou com André e Ant atrás. Kevin aumentou o volume do rádio, a voz agressiva do *rapper* Eminem abafou os pensamentos de Amanda.

O salão do ginásio estava lotado como sempre. O sucesso do evento tinha sido tão grande que agora estudantes de outros colégios também participavam. A expectativa para ver o Scotty era enorme; além das boas músicas, tinha todo aquele mistério das máscaras. Amanda até desconfiava que existia um fã-clube secreto da banda no corredor do segundo andar.

– Eu ainda vou tirar aqueles disfarces deles – Carol dizia, enquanto entravam no colégio. Todos riram.

– São uns babacas – Breno falou com inveja e levou um cutucão de Guiga.

– Eles são muito bons! – ela disse.

– Quem quer que sejam, são talentosos – Kevin sorriu.

Ele tinha suas suspeitas, mas nunca comentou com ninguém.

– Eles são uma das únicas coisas que ainda me fazem rir.

– E por isso você vai se alegrar hoje – Kevin abriu a porta do ginásio.

Todos viram a quantidade de gente que se esparramava pelo ginásio. O pessoal estava animado para a festa!

Amanda sentia que algumas pessoas olhavam para ela. Muitos cochichavam. Sabiam que algum dos marotos tinha sido expulso por causa dela. Todos pareciam saber a verdade!

– Para com essa paranoia – Kevin ordenou.

Amanda mordeu os lábios quando uma garota passou e esbarrou nela. Era a tal Rebeca, que estava aos beijos com Daniel na outra noite na sorveteria.

– Se você ao menos tivesse coração, teria mentido pra manter a vida social do garoto – falou com raiva e saiu de perto.

– Ela é apenas a Rebeca – Kevin bateu na própria testa.

– Ela é A Rebeca! A garota com que o Danny vai ficar depois de mim...

Amanda reparou que todos os seus amigos seguiram para a pista de dança.

– Eu vou embora – virou-se em direção à porta.

Deu de cara com Fred e respirou fundo. O garoto parou, medindo-a da cabeça aos pés.

– Espero que se divirta – deu as costas e se perdeu na multidão de pessoas que estavam dançando.

Amanda sentiu os olhos lacrimejarem. Ela sempre gostou de Fred e agora ele a tratava como uma qualquer. Pior, como uma garota que ele realmente desprezava. Por um momento se arrependeu de todo o tempo que ignorou o garoto e seus amigos só por serem excluídos socialmente. Olhou para Kevin.

– Eu sinto que o Daniel vem hoje – ela sussurrou.

Kevin passou a mão no queixo dela.

– Então fique – disse compreensivo.

Ela sorriu com algumas lágrimas caindo pela bochecha.

– Mas eu sei aqui no fundo que ele não vem – apontou para o próprio peito.

– Ele vem... sim – Kevin sorriu e se virou de costas.

Amanda não entendeu direito o que o amigo quis dizer com aquilo, mas estremeceu quando viu a banda Scotty subir ao palco. Sentiu um frio no estômago como se fosse a última vez que os veria tocando. Segurou Kevin pelo braço.

– Vamos pra pista – disse.

O garoto pegou-a pela mão; a amiga estava tremendo.

De cima do palco, Daniel olhou para a garota no meio da multidão. Ela vinha de mãos dadas com Kevin. Ele não se importava mais. Queria guardar sua imagem daquele jeito, linda. Eles provavelmente demorariam para se ver novamente e, quem sabe, o que poderia mudar até lá? Tantas coisas mudaram em tão pouco tempo. Quem imaginava que ele estaria nessa situação depois de ter ficado com a garota de seus sonhos, a popular do colégio? No fim, para ele, talvez não importasse mais essa situação. Ele se sentia bem.

Caio o cutucou chamando-o de volta para a realidade. Daniel colocou a palheta na boca e respirou fundo se aproximando do microfone. Era agora ou nunca.

– Tem certeza, cara? – Rafael perguntou antes de ligarem tudo.

– A Scotty não vai existir sem o Daniel – Caio respondeu.

– Eu vou voltar, caras. Juro que vou – Daniel beijou a testa de cada um deles.

O público fazia tamanha algazarra que mal percebeu esse gesto.

Amanda olhou para Kevin.

– Por que ele está fazendo isso?

– Ritual de show? – Kevin perguntou e os dois riram.

Ele pressentia que não era isso, mas não queria ver sua amiga pior.

Amanda sentiu-se sozinha ali no meio de tanta gente. Tinha a companhia de Kevin, mas sabia que ele queria estar em outro lugar. Suas amigas estavam animadas como toda a plateia, mas ela continuava parada, vazia. Era um sentimento horrível e, pela segunda vez na noite, ela desejou não ter saído de casa.

Daniel sentiu uma lágrima cair e borrar a maquiagem por trás da máscara antes de ligar seu instrumento.

Uma balada começou a tocar. Amanda colocou as mãos para trás, vários casais se juntaram para dançar e Kevin decidiu observá-la. O olhar da amiga estava preso no palco, e ele preferiu não atrapalhar. Saiu de perto quando viu que um dos caras da banda prestava mais atenção nela do que no próprio microfone.

Ela apareceu naquela noite e disse que não me queria mais
E antes que eu pudesse pensar no que fazer ela foi embora
Eu não fazia ideia do que tinha feito de errado
Mas agora eu preciso seguir em frente.

Amanda olhou para os lados e todos dançavam. Todos! Ela estava sozinha no canto da pista, rodeada de casais. Lágrimas começaram a cair enquanto ouvia a música. Ficou imóvel, estática, e a letra a atingiu com força. Quis sair dali, encostar na mesa, sumir na parede. Mas suas pernas travaram, ela não se mexeu e soluçou alto, parada no mesmo lugar.

Desde que ela me deixou e disse
Não se preocupe, tudo vai ficar bem
Você vai ficar bem e não precisa de mim
Eu não acreditei e acho que ela também não
Sei muito bem que ela não queria dizer aquilo
E se esconder por trás de um sorriso, uma mentira
E agora não acredito que ela me deixou.

Amanda sentiu o olhar do guitarrista, penetrante. Ela conhecia aqueles olhos. Conseguiu andar, bem devagar, em direção ao palco, hipnotizada por aquele olhar. Parou no meio da pista. Estaria ficando louca. Abaixou a cabeça e continuou chorando, se sentindo mais estúpida do que nunca. Não deu a menor importância para o caso de alguém reparar.

Por que eles estavam cantando isso para ela?

Dias e noites sem dormir e sem saber a verdade
Tentei ligar pra ela e ninguém nunca atendia
Deixei uma mensagem depois do sinal
Me senti um idiota completo no final
Porque não consigo seguir em frente desde que ela me deixou

Ela me disse não se preocupe porque você vai ficar bem
Eu vou ficar bem, você não precisa de mim.
E então entendi tudo que ela não queria dizer
E soube o que tinha feito de errado
Agora é tarde, não acredito que ela se foi.

Começou um solo de guitarra, e Amanda levantou o rosto. Para seu espanto, todos estavam parando de dançar para entender o que estava acontecendo. O guitarrista da banda deixara o instrumento no chão e descia do palco lentamente pela escada da frente. O solo continuava a ser tocado por outro Scotty. Amanda então percebeu.

Ele estava vindo em sua direção.

O mundo parecia ter parado. As pessoas se afastavam conforme o garoto avançava. Ele estava de máscara, com o paletó escuro surrado e andava seguro, sem olhar para os lados nem para mais ninguém. Não tirava os olhos de Amanda.

Ela deixou que mais lágrimas caíssem porque; sim, ela conhecia aquele olhar! Aquele guitarrista dos sonhos com quem ela queria se casar um dia. Quem sempre lhe cantava as músicas com seus casos e seus problemas.

Sentiu os joelhos tremerem quando ele chegou à sua frente. As pessoas, que tinham parado de dançar, apenas olhavam, todos muito surpresos. A música continuava forte ao fundo. Amanda deu um passo em direção ao garoto, que fechou os olhos quando ela encostou as mãos em seu queixo. Ela tocou sua pele, e foi uma das melhores sensações do mundo. Como se fosse a primeira vez. Viu ele abrir os olhos e fazer menção de tirar a máscara, mas ela impediu. Era algo que precisava fazer, que tinha que provar. Sorriu e levou a mão até rosto dele, puxando o que lhe cobria os olhos, nariz e boca.

– Eu sempre soube que era você – ela sussurrou quando viu os olhos verdes do menino brilharem.

Ele mordeu os lábios, sacudindo os cabelos, afastando-os do rosto. Olhou para Amanda sorrindo.

– Dança comigo? – convidou.

Ela concordou, ainda chorando, aceitando a mão que ele ofereceu diante de todos. Ela não se importava. Ele era tudo com o que ela queria se preocupar agora.

Sentiu a mão dele na sua cintura, e ela segurou em seus cabelos. Os dois se mexeram no ritmo da música que ainda tocava. Um burburinho começou; as pessoas comentavam, cochichavam e admiravam o casal, completamente atônitos. Então... ele era um maroto? Os Scotty eram os perdedores?

Amanda tocou na bochecha dele e o menino segurou a sua mão. Beijou de leve sua palma, e olhou profundamente para ela.

– Eu vou embora amanhã – sussurrou.

Ela abaixou a cabeça e deixou que mais lágrimas caíssem. – Me perdoa...

Ele colocou as duas mãos em sua face, segurando-a com as palmas, carinhosamente.

– Shii – ele encostou o dedo nos lábios da garota delicadamente. – Esqueça disso. Eu sou o Scotty com quem você sempre sonhou. Você é a menina que eu sempre quis. Nada pode sair errado hoje.

– Daniel – ela murmurou. – Você nunca fez nada errado.

Ela apertou os olhos carregados de lágrimas e sentiu o beijo em seus lábios. Um calor, que a fez mergulhar em um sonho, percorreu seu corpo. O cheiro, o toque, os lábios dele... eram seus.

Desde que ela me deixou
Ela me disse não se preocupe porque você vai ficar bem
Eu vou ficar bem, você não precisa de mim.
E então entendi tudo que ela não queria dizer
E soube que não tinha feito nada de errado
Agora é tarde, não acredito que ela se foi.

A música voltou a tocar com outro integrante da banda no vocal. Quando Daniel parou de beijá-la, mirou fundo em seus olhos.

– Vamos sair daqui.

– Mas e o show...? – ela perguntou, quando ele pegou a sua mão.

O garoto olhou para as pessoas à sua volta. Todos prestavam atenção no casal.

– Eu não me importo com isso tudo se você vier comigo.

Ela sorriu, segurou a barra do vestido e se deixou ser levada para fora do ginásio por Daniel.

As pessoas começaram a falar alto, observando os dois fugirem do baile.

Caio parou a música e olhou para Rafael e Bruno.

– *A balada de sábado à noite?* – perguntou.

Os dois riram. Começaram uma das músicas que Caio, particularmente, mais gostava e tinha uma pegada anos 60, bem dançante. O pessoal aos poucos foi deixando os comentários de lado e voltou a dançar.

Amanda corria atrás de Daniel, segurando em suas mãos. Atravessaram a rua do colégio, e ela parou de repente, abaixou e tirou as sandálias de salto. Ele sorriu, e os dois voltaram a correr.

A casa de Daniel ficava a menos de três quarteirões da escola e, em poucos minutos, tinham chegado lá. Daniel abriu a porta e deixou que ela entrasse primeiro. Amanda parecia estar vendo tudo como se fosse a primeira vez. Ficou parada, de costas para a porta, encarando cada detalhe da casa. Algumas coisas estavam empacotadas, havia caixas em todos os lugares.

Quando se virou, o garoto puxou-a para perto e voltou a beijá-la com ferocidade. Ok, o que quer que ela estivesse a fim de perguntar teria que ficar pra mais tarde. Ela soltou as sandálias no chão e ele tirou o paletó. Os dois ficaram se beijando apaixonadamente até que Daniel a segurou forte pela cintura e, lentamente, a conduziu escada acima, mergulhando em seus olhos. Não deram uma palavra. Os olhares falavam mais.

Entraram no quarto de Daniel. Ela virou-se para o lado e sorriu. O garoto sacudiu o cabelo, passando a mão no rosto para tirar um pouco da maquiagem, mas ela parou o que ele fazia.

– Você está lindo assim – disse.

Ele sorriu e a beijou nos lábios. Demoraram para se separar, e ela, então, se ajoelhou na cama. Daniel ficou de pé, vendo-a ficar de costas.

Amanda estava tremendo. Podia sentir o coração na garganta e as mãos geladas. Mas aquele garoto era tudo o que ela queria na vida. Nada a faria mudar de ideia.

Daniel encarou a menina, que tirou os cabelos das costas.

– Pode me ajudar? – pediu.

Ele sorriu, vendo o zíper do vestido, e ajoelhou-se atrás dela, devagar. Aos poucos, foi baixando o retângulo de metal e observando sua pele nua aparecer. Era tudo o que ele sempre quis na vida. Ela, somente *dele*.

Quando terminou, ela puxou o vestido por cima da cabeça, ficando somente de calcinha, mas ainda de costas para ele. A garota se abraçou, pondo os braços sobre os seios, e olhou para trás, sem se virar. Daniel passou o dedo lentamente sobre seu ombro, descendo pelas costas, fazendo com que ela fechasse as pálpebras. Beijou sua pele, a nuca. Ele queria gravar na memória cada pedacinho de seu corpo todo arrepiado. Sorriu e voltou a ficar apenas olhando.

Amanda virou-se lentamente. O garoto a encarou e começou a desabotoar a camiseta. Tirou a gravata e se levantou, apenas de calça, olhando para ela.

– Você pode desistir – ele disse sorrindo. – Simplesmente estar aqui contigo valeu a minha noite e todo o tempo ruim que se passou – falou com carinho.

Ela percebeu que ele estava nervoso e balançou a cabeça.

– Eu não quero ser burra pro resto da vida, Daniel. Não vou desistir.

Amanda viu o sorriso do garoto aumentar. Ele, ainda inseguro, pegou o preservativo do criado mudo, tirou o cinto e deixou que a calça caísse, ficando só de cueca boxer preta. Ajoelhou-se na ponta da cama novamente, ainda a encarando, abraçada a si mesma. Ela estava com vergonha.

Daniel segurou em seu rosto e a beijou lentamente. Aos poucos, o beijo ficou mais profundo, e os dois se abraçaram. Ele queria mais que tudo passar as mãos pelas costas dela, apertar a garota contra seu corpo, mas se conteve. Queria deixá-la se sentir mais confortável, precisava ir com calma. Nada poderia sair errado.

Deitou Amanda no meio da sua cama e se estendeu por cima. Mirou seus olhos e sorriu. A garota passou as mãos pelas costas dele e voltou a beijá-lo apaixonadamente. Ele colocou a mão dela em sua bunda, e ambos começaram a rir.

– Não se esqueça de que você é a única que pode fazer isso – ele disse.

Ela gargalhou e agarrou seu rosto com força, beijando-o mais ainda e deixando que ele fizesse o que queria. Esticou o pescoço para trás, sentindo o garoto descer os lábios pelo seu colo. Ela seria somente dele, como sempre quis.

Ele era o seu Daniel. Seu guitarrista e seu Scotty. O que ela poderia pedir mais naquele momento?

Acordou no dia seguinte sentindo o cheiro de Daniel no travesseiro. Sorriu. As imagens da noite anterior vieram à tona, e ela abriu os olhos de repente. Piscou diversas vezes até se dar conta de que estava sozinha na cama. Sentou-se e encarou as portas dos armários abertas. E, lá dentro, não havia nada. Ela colocou o vestido rapidamente e foi até o banheiro, mas não tinha nada lá. Desceu as escadas correndo e andou até a cozinha. A casa estava vazia.

Ela começou a se sentir enjoada. Estava sozinha? Olhou para mesa do telefone na sala de estar onde estava seu celular, junto de um bilhete. Ela não quis se aproximar. Não de um bilhete. Isso nunca dava certo em filmes! Começou a chorar antecipadamente, mas a curiosidade foi maior.

– Deixe as chaves com o Bruno quando sair – ela leu, balançando a cabeça.

As lágrimas desciam pelo rosto. Estava se sentindo mal. Muito mal. Olhou para o celular e viu que tinha uma mensagem de voz. Franziu a testa. Não se lembrava disso porque não ligava o celular desde o dia anterior. Resolveu ouvir a mensagem e se sentou no sofá.

Eu não sei como te dizer isso, mas todo sábado à noite é meu motivo pra te ver. Você não sabe e talvez não venha mais a ouvir isso. Eu não vou desistir de você. Vou embora amanhã cedo, às onze e meia. Meu voo é pro Canadá, estou indo encontrar meus pais. Não sei quando volto e não sei quando nos veremos novamente. Eu só queria que soubesse que todos nossos momentos foram os melhores da minha vida. Eu não sou eu sem você. Mas, ao mesmo tempo, não consigo entender se você é isso que todos veem ou se é quem eu vejo. Sabe? Eu... Eu preciso ir. Ela 'Foi embora'. Um bom nome para uma música, não acha? Se tudo tiver dado certo, uma hora dessas você deve estar achando irônico que quem tenha te deixado fui eu. Espero que possamos nos perdoar com o tempo. Tenho que ir. Se cuida e... olhe à sua volta. Olhe pra nós dois. Podemos ser muito mais do que as pessoas acham que somos, não é? Eu amo quem você é.

Ouviu o barulho de fim da mensagem. Olhou para a casa de Daniel vazia e sentiu uma dor no peito. Ela era mais do que as pessoas achavam que ela era. Iria provar isso para todo mundo. Iria esperar por ele. Iria aprender a perdoá-lo por tê-la deixado ali, sozinha. E iria aprender a se perdoar por agora estar ali. Sozinha.

Contato com a autora:
bdewet@editoraevora.com.br

Este livro foi impresso em papel Lux Cream 75
g pela gráfica Maistype